APROFUNDANDO A RESTAURAÇÃO DA ALMA
ATRAVÉS DE GRUPOS DE APOIO

DAVID KORNFIELD

APROFUNDANDO A RESTAURAÇÃO DA ALMA

ATRAVÉS DE GRUPOS DE APOIO

Copyright © 2008 por David Kornfield
Publicado por Editora Mundo Cristão

Os textos das referências bíblicas foram extraídos da *Nova Versão Internacional* (NVI) da Bíblica, Inc., salvo indicação específica.

Todos os direitos reservados e protegidos pela Lei 9.610, de 19/02/1998. É expressamente proibida a reprodução total ou parcial deste livro, por quaisquer meios (eletrônicos, mecânicos, fotográficos, gravação e outros), sem prévia autorização, por escrito, da editora.

Dados Internacionais de Catalogação na Publicação (CIP)
(Câmara Brasileira do Livro, SP, Brasil)

Kornfield, David –

Aprofundando a restauração da alma através de grupos de apoio / David Kornfield.
2ª edição. — São Paulo: Mundo Cristão, 2008.

"Um manual de estudo para grupos de apoio baseado em ensinamentos bíblicos."
ISBN 978-85-7325-503-4

1. Espiritualidade 2. Grupos de apoio 3. Inspiração 4. Psicologia religiosa 5. Vida cristã — Ensinamento bíblico I. Título.

07-10001   CDD —248.4

Índice para catálogo sistemático:
1. Grupos de apoio: Restauração da alma: Vida cristã   248.4
Categoria: Espiritualidade/Vida cristã

Edição revisada segundo o Novo Acordo Ortográfico.

Publicado no Brasil com todos os direitos reservados pela:
Editora Mundo Cristão
Rua Antônio Carlos Tacconi, 79, São Paulo, SP, Brasil, CEP 04810-020
Telefone: (11) 2127-4147
www.mundocristao.com.br

1ª edição: fevereiro de 2008
18ª reimpressão: 2024

Para Luciene Schalm, líder nacional do Rever,
e sua equipe executiva:
Selma Sales
Rosi Aguiar
Connie Gill (assessora)
Paula Denise Menegatti
Cleusa M. Hautsch

O Espírito do Senhor está sobre mim, porque ele me ungiu para pregar boas-novas aos pobres. Ele me enviou para proclamar liberdade aos presos e recuperação da vista aos cegos, para libertar os oprimidos e proclamar o ano da graça do Senhor.

Lucas 4.18-19

Agradecimentos

Com trabalho árduo, minha esposa, Débora, e Luciene Schalm revisaram e condensaram *Aprofundando a cura interior através de grupos de apoio*, volumes 1 e 2, transformando-os neste livro. Como valente líder nacional do Rever (Restaurando Vidas, Equipando Restauradores), Luciene coordena perto de duzentas equipes leigas de restauração da alma em todas as regiões do Brasil, em Portugal e na Bolívia, que trabalham em igrejas locais com o curso e o livro que hoje chamamos *Aprofundando a restauração da alma*. O novo título justifica-se pela dificuldade de algumas pessoas com relação ao termo "cura interior" e também para manter sequência com o livro *Introdução à restauração da alma*.[1] Com essa mudança, esperamos comunicar mais alegria e menos constrangimento ao Corpo de Cristo.

Não alteramos apenas o título. A experiência coletiva dos grupos de apoio nos doze anos de atuação do Rever aponta um processo mais enxuto. Diminuímos o curso de dezoito para nove meses (dois semestres) de caminhada nos Doze Passos. Para caber em um volume, tivemos que eliminar o espaço para responder às perguntas, fazendo necessário o uso de um caderno para esse fim.

A estrutura e a inspiração inicial deste curso vieram do livro *The Twelve Steps – A Spiritual Journey*, que trabalha os Doze Passos com

[1] São Paulo: Mundo Cristão, 2008.

base bíblica. Débora e eu fizemos parte de um grupo de apoio que utilizou esse livro nos Estados Unidos, em 1989. Comecei o projeto pensando em simplesmente traduzir o livro *The Twelve Steps*, mas acabei percebendo a necessidade de contextualizá-lo e simplificá-lo, como também de integrar dinâmicas espirituais de restauração da alma. Outros grandes recursos que me ajudaram na seleção de textos e reflexão foram *Serenity New Testament, My Spiritual Journey (Life Recovery New Testament)* (Tyndale Publication) e o ministério Southern Maryland Christian Information Service, que fornece informações valiosas nessa área pela internet.

Esperamos que, com as referidas modificações, este livro constitua uma importante ferramenta de apoio ao ministério de restauração emocional em sua comunidade local e abençoe a vida de muitos.

DAVID KORNFIELD

Sumário

Os Doze Passos dos Alcoólicos Anônimos   11

Os Doze Passos e passagens das Escrituras relacionadas a eles   15

Prefácio   19

Introdução — Como funciona um grupo de apoio   33

Características de filhos adultos de famílias disfuncionais   37

1. Primeiro passo — Humildade e quebrantamento   41
2. Segundo passo — Fé e esperança   59
3. Terceiro passo — Entrega   71
4. Quarto passo — Autoavaliação   85
5. Quinto passo — Honestidade   149
6. Sexto passo — Oferecendo-se a Deus   167
7. Sétimo passo — Cura, arrependimento e libertação   187
8. Oitavo passo — Perdão   211
9. Nono passo — Restituição   227
10. Décimo passo — Novo padrão de vida   245
11. Décimo primeiro passo — Andando com Deus   271
12. Décimo segundo passo — Compartilhando nova vida   297

Apêndice 1: Dicas para o líder dos grupos de apoio 329
Apêndice 2: Recursos disponíveis na internet 331
Apêndice 3: Dicas para reflexão e estudo 333
Apêndice 4: As dez perguntas 335
Apêndice 5: As declarações de identidade e posição em Cristo 337
Apêndice 6: Teste de traumas emocionais 341

Os Doze Passos dos Alcoólicos Anônimos

Primeiro passo
Admitimos que éramos impotentes perante o álcool — que tínhamos perdido o domínio sobre nossa vida.

Segundo passo
Viemos a acreditar que um poder superior a nós mesmos poderia devolver-nos a sanidade.

Terceiro passo
Decidimos entregar nossa vontade e nossa vida aos cuidados de Deus, na forma em que o concebíamos.

Quarto passo
Fizemos minucioso e destemido inventário moral de nós mesmos.

Quinto passo
Admitimos perante Deus, perante nós mesmos e perante outro ser humano a natureza exata de nossas falhas.

Sexto passo
Prontificamo-nos inteiramente a deixar que Deus removesse todos esses defeitos de caráter.

Sétimo passo
Humildemente rogamos a ele que nos livrasse de nossas imperfeições.

Oitavo passo

Fizemos uma relação de todas as pessoas que tínhamos prejudicado e nos dispusemos a reparar os danos a elas causados.

Nono passo

Fizemos reparações diretas dos danos causados a tais pessoas, sempre que possível, salvo quando fazê-las significasse prejudicá-las ou a outra pessoa.

Décimo passo

Continuamos fazendo o inventário pessoal e, quando estávamos errados, nós o admitíamos prontamente.

Décimo primeiro passo

Procuramos, através da prece e da meditação, melhorar nosso contato consciente com Deus, na forma em que o concebíamos, rogando apenas pelo conhecimento de sua vontade em relação a nós e por forças para realizar essa vontade.

Décimo segundo passo

Tendo experimentado um despertar espiritual, graças a esses passos, procuramos transmitir esta mensagem aos alcoólicos e praticar esses princípios em todas as nossas atividades.

Recebemos autorização para usar os Doze Passos neste livro e, a pedido dos Alcoólicos Anônimos, transcrevemos o texto abaixo:

> Os Doze Passos são impressos com a permissão de Alcoholics Anonymous World Services, Inc. A permissão para reimprimir e adaptar os Doze Passos não significa que os Alcoólicos Anônimos (A.A.) revisaram ou aprovaram o conteúdo deste livro, nem que concordam com as perspectivas expressas aqui. A.A. é apenas um programa de recuperação de alcoolismo. O uso dos Doze Passos em relação aos programas e

às atividades que seguem o padrão dos Alcoólicos Anônimos, que são aplicados a outros problemas ou em outros contextos, não muda o fato de que eles trabalham especificamente com alcoólatras.

A primeira lista dos Doze Passos vem dos Alcoólicos Anônimos do Brasil. Na segunda lista, a seguir, modificamos o primeiro e o último passo no trecho onde é especificado o álcool. Deixamos esses passos mais abrangentes para incluir pessoas com uma diversidade de problemas ou dificuldades. Também tomamos a liberdade de atualizar um pouco a linguagem no quarto e no décimo passo, usando a palavra "autoavaliação" em lugar de "inventário".

Os Doze Passos e passagens das Escrituras relacionadas a eles

Primeiro passo: Humildade e quebrantamento
Admitimos que éramos impotentes perante o dano causado por nossa separação de Deus e tínhamos perdido o domínio sobre nossa vida.

> Sei que nada de bom habita em mim, isto é, em minha carne. Porque tenho o desejo de fazer o que é bom, mas não consigo realizá-lo.
>
> Romanos 7.18

Segundo passo: Fé e esperança
Viemos a acreditar que um poder superior a nós mesmos poderia devolver-nos a sanidade.

> Pois é Deus quem efetua em vocês tanto o querer quanto o realizar, de acordo com a boa vontade dele.
>
> Filipenses 2.13

Terceiro passo: Entrega
Decidimos entregar nossa vontade e nossa vida aos cuidados de Deus, na forma em que o concebíamos.

> Portanto, irmãos, rogo-lhes pelas misericórdias de Deus que se ofereçam em sacrifício vivo, santo e agradável a Deus; este é o culto racional de vocês.
>
> Romanos 12.1

Quarto passo: Auto-avaliação
Fizemos minuciosa e destemida auto-avaliação moral de nós mesmos.

> Examinemos seriamente o que temos feito e voltemos para o Deus Eterno.
>
> Lamentações 3.40, BLH

Quinto passo: Honestidade
Admitimos perante Deus, perante nós mesmos e perante outro ser humano a natureza exata de nossas falhas.

> Portanto, confessem os seus pecados uns aos outros e orem uns pelos outros para serem curados.
>
> Tiago 5.16

Sexto passo: Oferecendo-se a Deus
Prontificamo-nos inteiramente a deixar que Deus removesse todos esses defeitos de caráter.

> Humilhem-se diante do Senhor, e ele os exaltará.
>
> Tiago 4.10

Sétimo passo: Cura, arrependimento e libertação
Humildemente rogamos a Deus que nos livrasse de nossas imperfeições.

> Se confessarmos os nossos pecados, ele é fiel e justo para perdoar os nossos pecados e nos purificar de toda injustiça.
>
> 1João 1.9

Oitavo passo: Perdão
Fizemos uma relação de todas as pessoas que tínhamos prejudicado e nos dispusemos a reparar os danos a elas causados.

> Como vocês querem que os outros lhes façam, façam também vocês a eles.
>
> Lucas 6.31

Nono passo: Restituição
Fizemos reparações diretas dos danos causados a tais pessoas, sempre que possível, salvo quando fazê-las significasse prejudicá-las ou a outrem.

> Portanto, se você estiver apresentando sua oferta diante do altar e ali se lembrar de que seu irmão tem algo contra você, deixe sua oferta ali, diante do altar, e vá primeiro reconciliar-se com seu irmão; depois volte e apresente sua oferta.
>
> Mateus 5.23-24

Décimo passo: Novo padrão de vida
Continuamos fazendo a autoavaliação e, quando estávamos errados, nós o admitíamos prontamente.

> Assim, aquele que julga estar firme, cuide-se para que não caia!
>
> 1Coríntios 10.12

Décimo primeiro passo: Andando com Deus
Procuramos, por meio da prece e da meditação, melhorar nosso contato consciente com Deus, na forma em que o concebíamos, rogando apenas pelo conhecimento de Sua vontade em relação a nós e por forças para realizar essa vontade.

> Habite ricamente em vocês a palavra de Cristo.
>
> Colossenses 3.16

Décimo segundo passo: Compartilhando nova vida
Tendo experimentado um despertar espiritual, graças a esses passos, procuramos transmitir essa mensagem aos outros e praticar esses princípios em todas as nossas atividades.

> Irmãos, se alguém for surpreendido em algum pecado, vocês, que são espirituais, deverão restaurá-lo com mansidão. Cuide-se, porém, cada um para que também não seja tentado.
>
> Gálatas 6.1-2

Este livro dá sequência à obra *Introdução à restauração da alma*. Com base nesse livro e em outros recursos, oferecemos treinamento a novas equipes de restauração da alma para atuar em igrejas locais. No segundo ano trabalhamos com grupos de apoio, os Doze Passos e a ministração de restauração em oração, no contexto do livro que está em suas mãos, leitor. O pastor que deseje acompanhar sua equipe de restauração, a fim de conhecer melhor o trabalho, é bem-vindo.

Para mais informações, inclusive sobre líderes estaduais e regionais do Rever, consulte *www.mapi-sepal.org.br* (seguindo o *link* para Rever) ou entre em contato com o escritório nacional:

Luciene Schalm, Rua dos Franceses, 200 - Joinville - SC - 89239-280, (47) 3472-2056, *revernacional@brturbo.com.br*.

Oração da serenidade

Deus, conceda-me a serenidade
de aceitar as coisas que não posso mudar,
a coragem para mudar as coisas que posso
e a sabedoria para reconhecer a diferença.

Prefácio

> O líder deve repassar as dicas do Apêndice 1 sobre começar e liderar grupos de apoio.

Um grupo de apoio — que conceito mais fantástico! Um grupo para me apoiar em minhas crises, em minhas dificuldades, em meus sonhos. Pessoas que me encorajam e me corrigem quando necessário. Em certo sentido, quase todos têm um grupo de apoio. Para muitos, é a família; para adolescentes e jovens, é a turma com a qual eles andam; para alguns homens, podem ser os amigos no bar; para outros, colegas no trabalho ou um grupo pequeno na igreja.

Ao mesmo tempo que todos têm uma rede de apoio, quase ninguém tem um grupo que *intencionalmente* se reúne para apoiá-lo. Grupos na igreja podem se aproximar disso, mas geralmente se reúnem para aprender, estudar ou trabalhar. Se alguém quiser abrir o coração e compartilhar problemas profundos, estará desviando o grupo de seu propósito ou programa normal. Quando tudo está indo bem, não precisamos de um grupo de apoio. Mas a vida de muitas pessoas não está bem e, em sua maioria, por longo tempo. Essas pessoas necessitam de um grupo de apoio para superar os problemas e chegar à saúde emocional e espiritual.

Quem compõe um grupo de apoio? São pessoas que reconhecem que precisam de ajuda e estão comprometidas a reunir-se, regularmente, a fim de superar problemas que, sozinhas, não conseguiriam resolver. O grupo é para pessoas com problemas sérios, que não se resolvem em um ou dois simples encontros. Pessoas criadas numa família disfuncional podem, como adultos, continuar se relacionando de forma disfuncional e precisam aprender novos conceitos e práticas.

Talvez a palavra "disfuncional" seja nova para você. Indica uma família ou um indivíduo desestruturado, que não caminha de forma saudável. Acaba machucando outros, impedindo-os de serem pessoas saudáveis. Em um grupo de apoio, pessoas com feridas ou traumas emocionais podem ser restauradas por Deus e treinar novos modelos de relacionamento que, então, transferem para os próprios lares e outros círculos de convívio.

Alguns de nós aprenderam que, se somos crentes em Cristo, nossa vida automaticamente entra em ordem e experimentamos paz e serenidade. Por mais que isso pareça encorajador, é quase impossível encontrar alguém criado em ambiente disfuncional que não tenha algum tipo de comportamento negativo. Tais crentes podem sentir-se culpados, pois, apesar de sua fé, a vida deles está caótica.

Para os cristãos que sofrem de doenças ligadas ao vício ou foram criados em famílias viciadas ou disfuncionais, os julgamentos da igreja podem impedi-los de buscar recuperação. Na visão de alguns, admitir erros ou fraquezas pode significar que não são bons cristãos. No entanto, à medida que se inicia a recuperação verdadeira e os passos indicados aqui são trabalhados, vemos que todos precisam de ajuda, conforto e coragem para encarar os problemas. Jesus veio para ministrar aos pecadores e feridos de coração. Ele não conseguiu ministrar para os que sentiam que não precisavam de cura ou ajuda.

Como dissemos, a presente obra é sequência do livro *Introdução à restauração da alma*, que inclui doze autoavaliações para ajudar as pessoas a se conhecerem em diversos aspectos em que podem precisar de restauração. Se você não passou por esse curso, vale a pena ler o livro e preencher as autoavaliações, antes de entrar em um grupo de apoio, ou então no início de seu período no grupo. Todos devem trazer o livro para os primeiros encontros dos grupos de apoio, para que consigam se lembrar de algum conceito ou autoavaliação.

Só para relembrar, o livro *Introdução à restauração da alma* apresenta o seguinte:

- Definição de restauração. Explicação de que a restauração é tão importante e necessária diante de uma sociedade com famílias cada vez mais desestruturadas e disfuncionais.
- Base bíblica quanto à restauração.
- Um capítulo para cada um dos problemas emocionais comuns: ira, medo, depressão, lutas com autoimagem negativa, estresse e culpa (falsa e verdadeira).
- Explicação de seis passos para a ministração da restauração através de uma equipe de oração.
- Identificação de treze dinâmicas espirituais da restauração: 1. Ministração de oração em equipe; 2. Imposição de mãos; 3. Dons espirituais; 4. Batalha espiritual e libertação; 5. Ministração da presença real de Jesus; 6. Submissão à autoridade da Bíblia; 7. Um grupo de apoio; 8. Autoridade espiritual; 9. O Espírito Santo como Supremo Conselheiro; 10. Arrependimento; 11. Perdoar; 12. Pedir perdão; e 13. A cruz de Cristo.
- Autoavaliação para entender se precisamos de um processo mais profundo de restauração através de grupos de apoio.

Nesse livro, definimos a restauração da alma desta forma:

A restauração é santificação da alma ferida por meio de:
1. Reconhecer nossas feridas, defesas e responsabilidades.
2. Experimentar Jesus levando sobre si essas feridas.
3. Receber o perdão e a libertação de Deus.
4. Poder transmitir o mesmo para os que nos machucaram e abusaram de nós.

Nesta segunda fase, as pessoas em grupos de apoio têm a oportunidade de passar por uma ministração de restauração e, desse modo, experimentar uma transformação profunda em sua vida. Podemos comparar essa mudança a uma cirurgia espiritual, na qual um câncer espiritual é tirado e o Espírito de Deus fica liberto para agir de uma maneira diferente. Na primeira fase do curso "Introdução à restauração da alma", não recomendamos a ministração de restauração da alma, exceto para pessoas em estado de crise aguda que não aguentariam até a chegada desta segunda fase. Antes de começar a segunda fase (os grupos de apoio), imagino que os membros da equipe tenham recebido e ministrado restauração da alma suficientemente e, portanto, estejam preparados para ficar à disposição dos membros do grupo de apoio quando eles pedirem tal ministração.

O grupo de apoio complementa uma função indispensável em relação à restauração da alma. As mudanças que a cura traz em geral não se firmarão se não houver um sério prosseguimento para mudar velhas formas de pensar, de sentir e de agir. Podemos comparar isso ao necessário processo de terapia física para recuperar músculos atrofiados. Quanto mais machucados estiverem os "músculos" emocionais e espirituais, maior será a necessidade de uma "terapia física" para encorajar a recuperação. Sem terapia, não haverá recuperação; com terapia parcial ou fraca, haverá recuperação parcial ou fraca. Por isso, o grupo de apoio precisa ser um grupo de alto compromisso, determinado a reunir-se semanalmente durante mais ou menos um ano.

A restauração sem o grupo de apoio geralmente não funciona. Jesus ilustra esse problema com a história de um endemoninhado que é liberto, mas deixa a casa de seu coração vazia. O demônio procura outros sete espíritos piores do que ele e os traz consigo de volta à pessoa. O estado final dessa pessoa, Jesus diz, é pior do que o inicial (Mt 12.43-45). Ela não encheu seu coração do Espírito Santo, que gera novos pensamentos, atitudes e ações boas conforme cooperamos com ele. Assim, os demônios e os problemas do passado voltam. De forma parecida, sem o trabalho sério de um grupo de apoio para ajudar a pessoa nas mudanças de que ela precisa, a restauração facilmente a deixará ainda mais deprimida quando descobrir que sua vida voltou ao mesmo buraco onde estava antes. O grupo de apoio encoraja e fortalece a pessoa que recebeu a ministração de restauração, firmando mudanças sérias em sua vida.

O grupo de apoio sem a restauração da alma também não funciona. Se a raiz do câncer espiritual não for tirada com a "cirurgia" da restauração da alma, ainda que o grupo encoraje a pessoa a pensar, sentir ou agir de uma nova maneira, a causa cancerosa da amargura ou outros sentimentos e atitudes negativos continuarão. A pessoa, pela disciplina e pela força do grupo, poderá aprender a agir de forma melhor em lidar com a vida. Contudo, se as raízes não forem tratadas, ela acabará dependendo do grupo de apoio ou voltando à antiga vida, ainda mais deprimida do que antes, por sentir que nem o grupo de apoio conseguiu ajudá-la.

Este manual de trabalho combina as treze dinâmicas espirituais de restauração da alma com o processo dos Doze Passos dos Alcoólicos Anônimos. Desde a fundação dos Alcoólicos Anônimos, em 1935, os Doze Passos têm sido, para milhões de pessoas, um meio poderoso de restaurar vidas arruinadas. Os Doze Passos são o odre, e as dinâmicas espirituais, o vinho. Os passos oferecem uma estrutura firme e objetiva para o grupo de apoio progredir, e as dinâmicas da restauração da alma e a reflexão bíblica que acrescentamos permitem ao poder de Deus fluir dentro dessa estrutura. Tanto a estrutura como o poder é importante. A estrutura sem poder é morta. O poder sem a estrutura acaba sendo como o vinho derramando no chão, em lugar de ser retido e benéfico na vida de alguém.

Por que estamos usando os Doze Passos, se eles têm a ver com alcoólatras e nós não estamos focalizando os grupos de apoio neles? Os alcoólatras geralmente foram criados de forma disfuncional, ou seja, numa família que não funcionava de forma saudável. Os familiares em geral procuram proteger a pessoa doente, enquanto ela manipula outras para seus fins. Essa pessoa acaba dominando a todos, muitas vezes aterrorizando-os, já que ela vive na iminência de ter um ataque de raiva e agredir verbal, emocional ou fisicamente os membros da família. A família acaba se caracterizando pela falta de amor, gerando um ambiente de raiva, medo, rejeição, às vezes violência imprevisível e falta de comunicação, em particular, da comunicação aberta e saudável em relação aos sentimentos.

Nas últimas décadas, tem-se percebido que pessoas criadas em lares disfuncionais acabam assumindo as mesmas formas de comunicação em que foram criadas. São pessoas disfuncionais, cujos comportamentos não saudáveis impedem a função normal de outros, principalmente da família. Quando tais pessoas formam a própria família, esta se torna disfuncional também, mesmo sem a presença do álcool. Quando adultas, essas pessoas são caracterizadas por uma síndrome de "filhos de famílias disfuncionais". A grande maioria das pessoas com traumas e feridas emocionais foi criada ou ainda vive em um lar disfuncional. Os Doze Passos foram desenvolvidos para ajudar as pessoas a sair de uma vida traumatizada e fora de controle.

Através da leitura deste "Prefácio" e da "Introdução", você é convidado a ter uma pequena experiência de um grupo de apoio informal, sem precisar comprometer-se. Ao final de um mês, entrando no primeiro passo, reestruturaremos os grupos com base nas pessoas dispostas a se comprometer. Dependendo da situação, é possível que ele se torne um grupo fechado. Faça um favor para si mesmo: participe de todos os encontros desse mês para poder tomar uma decisão sensata com respeito a continuar ou não nos grupos de apoio.

> ### Primeiro exercício
>
> 1. Anote suas expectativas e suas dúvidas acerca dos grupos de apoio, usando um caderno de trabalho.
>
> 2. De acordo com seu entendimento do que um grupo de apoio deve ser, existem outras pessoas que gostaria de convidar para participar? Nesse caso, anote o nome delas e procure contatá-las o mais rápido possível. Ajuda muito se casais puderem participar juntos, sabendo que estarão em grupos pequenos diferentes

Os benefícios e os custos dos grupos de apoio

Com base no que foi explicado, veja nove benefícios para os que se comprometem com um grupo de apoio:

1. Um contexto no qual receber a restauração dos traumas emocionais e nela se firmar. De maneira geral, pelas razões já indicadas, não ministramos restauração da alma para alguém que não tenha um grupo de apoio para ter sequência. As pessoas que se beneficiam de ministração são as que lutam há bastante tempo com depressão, ira, medo, autoestima baixa, culpa, estresse crônico, vícios, álcool, um contexto familiar difícil ou algo parecido.

2. Um grupo em que fluem amor e verdade. Você aprenderá a encarar a vida honestamente, quebrando o padrão de artificialidade e manutenção de aparências que tem sugado sua energia. Esse grupo é diferente de qualquer outro, porque cada pessoa admite ter problemas fora de seu controle. Com esse reconhecimento, as máscaras caem; não de imediato mas com certa rapidez. A honestidade consigo mesmo os transformará profundamente, gerando no grupo verdadeiro amor, que fala a verdade com amor.

À medida que confiar mais em si mesmo e nos outros, você descobrirá que está sendo mais aberto e comunicativo, valorizando o conselho dos membros do grupo. Essas pessoas se tornarão parte importante de sua vida. Tal abertura trará um novo nível de comunhão e de amizade, criando um pacto de compromisso no grupo.

3. Renovo em sua vida emocional. Traumas e feridas sentimentais bloqueiam a vida emocional. Sentimentos como dor, medo ou raiva não se expressam livremente; o amor não flui. A vida nos ensinou que uma expressão aberta das emoções enfrenta o risco de rejeição. Em vez de correrem esse risco, muitos compensam os sentimentos reprimidos usando de extremos: trabalho em excesso, alimento em excesso, ou então usando recursos que alteram o humor, como drogas e álcool. Na igreja, podemos até nos dedicar em extremo ao ministério ou a outras atividades religiosas.

Por meio de reconhecimento e superação desses bloqueios, sua vida emocional será revitalizada, surpreendendo-o com um novo bem-estar físico, emocional e espiritual. A energia emocional investida para manter máscaras e negar realidades de seu passado será libertada. Os pensamentos negativos que muitas vezes o dominavam serão reconhecidos como mentiras. Eles serão trocados por pensamentos positivos, pela verdade que revela e elimina o poder da mentira.

4. Renovo em sua vida espiritual. O amor de Deus, antes mais teoria do que realidade, se tornará real. Rios de águas vivas encherão o vazio de sua vida, abrindo espaço para a presença de Deus. Ele liberará poder, energia, amor e alegria, além do que você tinha experimentado anteriormente. Ainda que os Doze Passos requeiram bastante trabalho de sua parte, sentirá o Espírito de Deus trabalhando em você.

Ao se aproximar de Deus, pouco a pouco você receberá força para deixar o passado para trás e construir uma vida nova. O processo leva tempo e exige paciência, pois os problemas demoraram anos para estabelecer padrões disfuncionais de relacionamento em sua vida. Mas Deus lhe dará, no tempo dele, a força de caráter que vem por intermédio de um relacionamento saudável com ele.

A oração se tornará mais real, pois você verá o impacto de suas preces e das orações do grupo em sua vida. Isso será facilitado com a manutenção de um relatório desses pedidos e das respostas de Deus. Sugiro fazer isso nas últimas páginas de seu caderno.

5. Um ambiente de comunicação familiar saudável. Uma família disfuncional não ensina a se comunicar bem no contexto familiar. O grupo de apoio se tornará uma nova família, um contexto de amor e aceitação que muitos jamais experimentaram. O grupo permitirá que você se arrisque a abrir os próprios sentimentos e o ajudará a entender e respeitar os sentimentos e as opiniões dos outros, bem como responder a estes de forma saudável. Para que a confiança mútua possa crescer, manter sigilo é essencial, falando fora do grupo apenas com a equipe de restauração, se houver necessidade. Pode ser que, em algum momento no passado, você já tenha desabafado. A diferença é que agora terá um grupo que, além de ouvi-lo, vai acompanhá-lo na busca de soluções.

Pessoas criadas dentro de um lar disfuncional tendem a ser solitárias. O grupo providenciará companheirismo e amizade, superando essa tendência de manter distância de outras pessoas.

6. Pessoas que o amam o suficiente para corrigi-lo quando for preciso. O grupo não somente o ouvirá e o apoiará, mas também o ajudará a entender o que pode fazer para mudar sua vida. Vai encorajá-lo a assumir a responsabilidade para com sua própria vida e seus comportamentos, em vez de se esconder atrás de desculpas ou de outras defesas.

Às vezes, existem hábitos e tipos de comportamento autodestrutivos que precisam ser corrigidos. Quando avaliar suas formas de relacionar-se, é importante lembrar o modo pelo qual esses hábitos tiveram início em sua vida. Por causa das condições caóticas em que muitas pessoas crescem, desenvolvem tipos de comportamento que as sabotam e prejudicam o sucesso da vida delas na fase adulta. Há bastantes habilidades da vida que precisam ser reaprendidas, e o grupo ajudará a fazer isso num ambiente de aceitação e amor.

7. Você se conhecerá como nunca antes. As pessoas, com frequência, escondem as feridas e os momentos negativos do passado, não querendo admiti-los ou reconhecê-los. Para muitos, a negação tem sido uma ferramenta importante de sobrevivência. Podem conscientemente negar a realidade usando uma mentira absurda para esconder uma verdade sobre si mesmos ou outra pessoa. No outro extremo, podem não ter consciência de sua negação, por esconderem certos segredos, inclusive de si mesmos. A negação pode bloquear toda ou qualquer realidade da mente. Isso os protege astutamente, impedindo-os de enxergar as consequências de seus atos; na verdade, não se sentem obrigados a assumir qualquer responsabilidade por eles.

Em vez de correr de seus problemas, pare e reflita. Deixe Deus usar as perguntas e os exercícios deste livro para ajudar você a se entender melhor e a mudar o que ele mostra que quer mudar. Dedique regularmente um tempo para estar em silêncio diante de Deus. Os resultados deste curso serão proporcionais ao tempo e à oração que você investir. Se levar a sério o que propõe este livro, pode ser que mude mais neste ano do que em qualquer outro.

Deixe de brincar de esconde-esconde com você mesmo e comece a se conhecer. Não apenas começará a conhecer mais de seus problemas e feridas, mas também, por meio da restauração, passará a conhecer mais a pessoa que Deus teve em mente quando o criou e remiu. Muitos têm testificado que a ministração da restauração da alma significa algo como começar uma nova vida ou receber um novo coração.

8. Um laboratório para aprender novos comportamentos, novas atitudes e novas formas de pensar. À medida que se aprofundar na restauração e nos passos e fizer uma análise disso com honestidade, verá o estrago causado por sua história pessoal de disfunção. No entanto, também enxergará como pode mudar. Existe sempre alguma dificuldade

no início de qualquer esforço novo, como aprender a andar de bicicleta, a cozinhar, a trocar um pneu, a digitar etc. No começo, não estamos à vontade. Erramos. Sentimos vergonha se estamos com outras pessoas. O grupo providenciará um ambiente no qual você pode experimentar novas formas de se expressar e agir. Poderá errar sem que ninguém fique zangado ou magoado. Sem dúvida, haverá momentos nos quais você magoará alguém, mas o grupo o ajudará a reconhecer o que aconteceu e você aprenderá a pedir e receber o perdão, bem como a crescer por meio do erro. Trata-se de um projeto ambicioso, mas, com a ajuda de Deus, esperamos atingi-lo.

Este "laboratório" também o ajudará a balizar o grau de seu problema. Como você andou sozinho até aqui, não tem parâmetros para medir o tamanho do estrago ou o grau de sua negação. Ouvir outras pessoas vai ajudá-lo a fazer uma escala mais real.

9. O privilégio de ser grandemente usado na vida de pessoas feridas e traumatizadas. O líder do grupo de apoio não é um especialista ou um conselheiro, com soluções para cada pessoa. Cada membro do grupo servirá para ajudar os outros com seus problemas e será, igualmente, ajudado. Aprenderá a ouvir as emoções de outros, não só suas palavras. O membro do grupo se desenvolverá como um verdadeiro ministro a pessoas com dificuldades. Isso pode incluir o cônjuge ou outros familiares seus que possivelmente enfrentam problemas, mas não têm nenhum interesse em participar do grupo.

Ao ler esses nove benefícios dos grupos de apoio, por certo você se assustou uma ou outra vez, com pensamentos como os seguintes:

- "Não sei se quero um grupo assim!"
- "Ele diz que o grupo é bom, mas será que eu aguento um grupo tão bom? Não sei se estou pronto para toda essa honestidade e amor."

- "E o que acontece quando alguém no grupo não expressa tal honestidade e amor?"
- "Pensando uma segunda vez, duvido que meus problemas sejam tão importantes que precisem de todo esse esforço e atenção. Eu lidei com meus problemas até aqui; acho que posso lidar com eles mais alguns anos... ou décadas!"

Então, é possível perceber que, com os benefícios de um grupo de apoio, existem os custos. Os custos são altos, mas se os benefícios para você forem maiores do que os custos, vale a pena ir em frente. Deixe-me descrever de forma objetiva os custos. É preciso ter quatro qualificações para participar de um grupo de apoio:

1. Ter lutas com feridas e traumas do passado, problemas emocionais, depressão, vícios, culpa, estresse, autoestima baixa, medo, ira, solidão, problemas sexuais ou conjugais ou circunstâncias difíceis. Reconhecer que essas lutas podem ser vencidas no grupo de apoio nos ajuda a perceber que o custo vale a pena.

2. Estar disposto a admitir que não esteja ganhando a luta. O primeiro dos Doze Passos diz: "Admitimos que éramos impotentes perante o dano causado por nossa separação de Deus e tínhamos perdido o domínio sobre nossa vida". Quando reconhecemos que sentimos dor e temos problemas que não conseguimos resolver, somos candidatos para os grupos de apoio, pois eles nos ajudarão nesse sentido.

3. Estar disposto a se esforçar para superar os problemas, usando este manual de trabalho. Os encontros serão de duas horas semanais, com mais duas horas de tarefa semanal. Além desse alto compromisso, ao final do primeiro mês, se decidir prosseguir, você fará um pacto com um grupo de quatro ou cinco pessoas, isto é, retribuir o apoio que você espera receber.

4. Estar disposto a abrir-se com um grupo pequeno e entregar-se a ele para dar e receber apoio. Pode ser que você tenha lutas, esteja

disposto a admitir isso e a se esforçar para resolvê-las, mas este último critério o assusta demais. Vendo os outros se abrirem, aos poucos você ganhará a confiança de que pode fazer o mesmo.

Ao final do mês introdutório, você poderá indicar quem gostaria de ter em seu grupo (como também quem não gostaria, se for o caso). Em geral, cônjuges, pais, filhos e noivos não ficam no mesmo grupo, para não se sentirem constrangidos. Se for importante para você estar em um grupo formado apenas de homens ou somente de mulheres, procuraremos responder a seu desejo. Daremos mais dicas quanto aos grupos nas semanas seguintes.

Agora, retorne aos quatro itens expostos e dê uma nota para si mesmo, de 0 a 10. Notas baixas indicarão áreas nas quais você pode ter dificuldade em pagar o custo exigido pelos grupos de apoio.

Se você conhece pessoas que preenchem essas quatro características, convide-as a participar também. Elas podem visitar o grupo várias vezes para saber como funciona e, depois, decidir se querem tornar-se membros.

Um compromisso sério com o processo de restauração por meio dos grupos de apoio lhe dará a habilidade de reexaminar seu relacionamento com Deus e descobrir nova intimidade com ele. Aprenderá a encarar sem medo seu passado e verá Deus sarar emoções danificadas. Diminuirá a ansiedade, o sentimento de desvalorização, o complexo de inferioridade e, inclusive, aquela necessidade obsessiva da aprovação dos outros. Lembre-se: este processo inclui convidar Jesus a tratar as raízes desses sintomas, confiando que "todas as coisas são possíveis àqueles que amam a Deus".

Você pode trabalhar o material deste livro individualmente, mas o proveito será multiplicado muitas vezes se fizer isso em grupo e sob a orientação de uma equipe de restauração da alma. Se quiser trabalhar este livro de modo individual, procure alguém de confiança com quem você possa compartilhar suas descobertas. Esse compartilhar é fundamental para firmar as mudanças que Deus está fazendo em você (cf. Tg 5.16).

> ### Segundo exercício
>
> 1. Coloque um visto ao lado de qualquer um dos nove benefícios apresentados que você vê como importante para sua vida.
> 2. Escolha dois ou três desses benefícios mais importantes para você e compartilhe as razões pelas quais esses itens se destacam.
> 3. Os benefícios de um grupo de apoio superam os custos? Explique.

No grupo:

1. Compartilhe suas expectativas e suas dúvidas.
2. Compartilhe isso brevemente com as pessoas que você gostaria que participassem no curso. Você já as convidou?
3. Fale do que mais chamou sua atenção no segundo exercício.
4. Conclua orando, uns pelos outros, com base no que foi compartilhado. Quem prefere orar de forma silenciosa pode fazê-lo. Anote em seu caderno qualquer coisa que venha à mente através da oração.

A tarefa para o próximo encontro é ler a "Introdução" e "Características de filhos adultos de famílias disfuncionais" e responder, em uma a duas horas, em seu caderno de trabalho, às primeiras sete perguntas da autoavaliação. (*Líder, veja com o grupo essa autoavaliação para assegurar-se de que todos entendam como responder.*)

Introdução
Como funciona um grupo de apoio

Cada encontro deve começar com o grupo reunido durante meia hora e depois dividido em subgrupos de cinco a seis pessoas. Chamarei o grupo todo de "grupão" e os subgrupos de "grupos de apoio". Usarei o nome "líder" para o coordenador do grupão e a palavra "facilitador" para cada um dos que coordenam os grupos de apoio. Às vezes, segundo a indicação do líder, alguns encontros começarão diretamente nos grupos pequenos, garantindo, assim, mais tempo para eles. (Líder, você precisa estar bem familiarizado com as dicas do Apêndice 1 sobre como liderar grupos de apoio.)

Como já indicamos, as três primeiras semanas são introdutórias. É o tempo de formar e firmar os grupos de apoio. Sabendo como funcionam os grupos, as pessoas podem decidir se desejam se comprometer por nove meses. Nos primeiros dois encontros, mais tempo será passado no grupão, repassando o "Prefácio" e conhecendo os benefícios e custos dos grupos de apoio.

Para o próximo encontro, as pessoas devem preencher a autoavaliação, que se encontra em "Características de filhos adultos de famílias disfuncionais". Depois da meia hora introdutória no grupão, são formados grupos de cinco ou seis pessoas para compartilhar e orar com base nessa autoavaliação.

Os grupos mistos têm grande valor. Precisamos da perspectiva do outro sexo. Nossos problemas, pelo menos em parte, são com pessoas do sexo oposto: não as entendemos bem. No grupo, podemos chegar a novos entendimentos. É preciso, claro, tomar cuidado para que a intimidade do grupo não leve a laços românticos fora dos propósitos de Deus.

Algumas pessoas podem preferir um grupo com pessoas do mesmo sexo, principalmente as que sofreram abusos por parte de alguém do sexo oposto.

Os grupos podem ou não se organizar de acordo com problemas específicos (por exemplo, os que lutam com depressão). A questão maior é evitar estar no mesmo grupo com pai, filho, cônjuge ou noivo.

A partir do terceiro mês, com os grupos de apoio já firmados, o facilitador de qualquer grupo pode pedir que a equipe de restauração agende uma ministração para um membro de seu grupo. Essas ministrações podem acontecer durante o encontro regular do grupo de apoio, mas em geral são agendadas para outro horário. Sempre que possível, o facilitador e os membros do grupo de apoio devem estar presentes. O papel do grupo é interceder, mas muitas vezes os participantes recebem uma ministração própria através do que Deus opera na vida do outro. Depois, os membros do grupo darão prosseguimento e encorajamento ao ministrado. Cada um deve ser escalado para entrar em contato com a pessoa ministrada durante a semana seguinte, dando-lhe apoio e orando com ela.

Se quiser, o ministrado casado pode convidar o cônjuge, mesmo que este não faça parte dos grupos de apoio. Essa decisão fica a critério do ministrado. Em geral os problemas individuais de cada um deles precisam ser cuidados antes de tratar do casamento. As dificuldades do passado provavelmente prejudicaram os dois. O ideal, para que o casal tenha novo começo, é que ambos façam o curso, cada um em seu grupo e progredindo em seu próprio ritmo.

A equipe de restauração não pretende prestar serviços profissionais, ela deve procurar a assessoria de psicólogos ou psiquiatras cristãos. Este livro e a equipe não substituem a terapia profissional, quando esta se faz necessária.

Na média, cada passo será estudado durante três semanas. Alguns exigirão mais tempo, outros menos. Cada grupão descobrirá o próprio ritmo dentro do padrão sugerido.

Para esta semana, responda com detalhes específicos às primeiras sete questões da autoavaliação, deixando as últimas sete para a próxima semana. Ela serve de transição do curso *Introdução à restauração da alma* para esta fase dos grupos de apoio e da ministração de restauração.

Pedimos que capriche nas respostas, dedicando, em média, cinco minutos para escrever em seu caderno sobre cada item. Não fique satisfeito com respostas curtas, rápidas ou superficiais. Se sua resposta a uma questão lhe parecer curta, faça esta pergunta: "Por que eu respondi assim?".

Características de filhos adultos de famílias disfuncionais

Pesquisas envolvendo famílias e pessoas com dependência química ou oprimidas emocionalmente identificaram certas características comuns de comportamento nos filhos adultos dessas famílias. Tal comportamento revela uma estrutura básica de distúrbio que prejudica os envolvidos. Embora as pessoas, em geral, apresentem diversos distúrbios, as que foram criadas em lares disfuncionais apresentam maior incidência de perturbações. O exercício a seguir pretende ajudá-lo a detectar se existem áreas em sua vida em que essas características de comportamento disfuncional estão presentes.[1]

Responda a cada item abaixo, mesmo que a questão não pareça caracterizar sua vida. Nesse caso, explique, indicando como você age de maneira diferente à do item. Ao final, volte e dê uma nota de 0 a 10 a si mesmo na margem de cada item. O "0" indica ausência de problemas nessa área, enquanto o "10" aponta para a presença de grandes problemas. Se você já passou por algum tipo de restauração, atribua a si duas notas, uma refletindo o passado e a outra, o presente.

1. Temos sentimentos de baixa autoestima que nos levam a julgar a nós mesmos e aos outros sem misericórdia. Tentamos encobrir ou

---

[1] *The Twelve Steps — A Spiritual Journey*, p. 1-4 [Ed. bras.: *Os Doze Passos: Uma viagem espiritual*. São Paulo: Loyola, 1999].

compensar essa falha de diversas formas; por exemplo, sendo perfeccionistas, cuidando excessivamente de outras pessoas, controlando-as, ou sendo críticos e mexeriqueiros.

Que tipo de esforço você faz — seja em pensamentos, ações ou sentimentos — para compensar seu sentimento de baixa autoestima?

2. Temos a tendência de nos isolar e nos sentir inseguros perto de outras pessoas, especialmente autoridades.

A. Dê exemplos de como você se isola das outras pessoas.

B. Quais são suas dificuldades quando lida com pessoas em posição de autoridade?

3. Procuramos a aprovação dos outros e fazemos qualquer coisa para que gostem de nós. Somos leais ao extremo, mesmo quando é evidente que tal lealdade não é merecida.

A. Como você procura a aprovação da família ou dos amigos?

B. Cite um exemplo em que você tenha sido leal com alguém que não merecia.

4. Somos intimidados por pessoas iradas e por crítica pessoal. Isso faz que nos sintamos ansiosos e exageradamente sensíveis.

A. Quando você se sentiu intimidado pela primeira vez por alguém irado ou autoritário?

B. Como você reage às críticas pessoais?

5. Repetidas vezes, escolhemos nos relacionar com pessoas fechadas emocionalmente e com pessoas disfuncionais. Em geral, sentimos menos atração por gente saudável e atenciosa.

A. Descreva seus relacionamentos com pessoas de personalidade viciosa/compulsiva (por exemplo, alcoólatras, os que trabalham em excesso, viciados em jogos de azar, glutões, fanáticos religiosos).

B. Descreva os relacionamentos em que você é nutrido e apoiado emocionalmente.

6. Vivemos como vítimas e somos atraídos por outras vítimas em nossos relacionamentos de amor e de amizade. Confundimos amor com piedade, tendo a tendência de "amar" pessoas necessitadas que possamos resgatar ou proteger.

A. Descreva uma ocasião em que você foi arrastado para uma situação e/ou um relacionamento em que acabou tornando-se vítima.

B. Cite coisas que você faz para outras pessoas que demonstrem que está procurando protegê-las ou resgatá-las.

7. Somos super-responsáveis ou superirresponsáveis. Procuramos resolver os problemas dos outros, ou esperamos que os outros se responsabilizem por nós. Isso nos ajuda a evitar avaliação de nosso próprio comportamento.

Descreva as áreas de sua vida em que se sente super-responsável ou superirresponsável.

8. Sentimo-nos culpados quando lutamos por nós ou agimos positivamente a nosso favor. Fazemos concessões aos outros, em vez de cuidarmos de nós mesmos.

Identifique situações recentes em que você temeu expressar seus desejos e sentimentos, cedendo à vontade de outras pessoas.

9. Negamos, minimizamos ou reprimimos os sentimentos de nossa infância traumática. Perdemos a capacidade de expressar emoções, sem perceber o impacto disso em nossa vida.

De que forma você assume e expressa seus sentimentos quando alguma coisa o aborrece no trabalho ou em suas relações pessoais?

10. Temos uma personalidade dependente e sentimos grande medo da rejeição e do abandono. Nossa tendência é permanecer em empregos

ou manter relacionamentos que nos são prejudiciais. O medo pode nos impedir de pôr fim a relacionamentos nocivos ou de buscar amizades mais saudáveis e gratificantes.

    A. Em quais relacionamentos atuais você tem medo de rejeição ou de abandono?

    B. De que maneira você lida com esse medo?

11. Negação, isolamento, controle e culpa mal direcionada são sintomas de disfunção familiar. Em decorrência disso, nos sentimos sem força e sem esperança.

Descreva o sintoma que mais o aborrece entre os citados.

12. Temos dificuldade em manter relacionamentos íntimos. Sentimos insegurança e não confiamos nos outros. Não temos limites bem definidos e ficamos perdidos perante as necessidades e emoções de nosso parceiro ou amigos.

Descreva o que lhe dá esperança e energia e o que tira sua esperança e seu ânimo.

13. Temos dificuldade em dar seguimento, do começo ao fim, a um projeto de trabalho.

Descreva projetos que você começou e não completou por falta de motivação ou por adiamento constante.

14. Temos uma grande necessidade de estar no controle das situações. Reagimos de forma exagerada às mudanças que não estão sob nosso controle.

O que você mais teme quando não está no controle da situação?

Primeiro passo:

Humildade e quebrantamento

Admitimos que éramos impotentes
perante o dano causado
por nossa separação de Deus
e tínhamos perdido o domínio
sobre nossa vida.

> Sei que nada de bom habita em
> mim, isto é, em minha carne.
> Porque tenho o desejo de fazer o que é
> bom, mas não consigo realizá-lo.
> Romanos 7.18

Posso imaginar o pensamento de algumas pessoas ao ler este primeiro passo: "Impotente? Separado de Deus? Com uma vida fora de controle? Você deve estar falando de outra pessoa. Na verdade, você é muito ousado por jogar essas acusações contra mim!".

Espere! Não estou "acusando" ninguém. Estou convidando você a lançar um novo olhar em sua vida e ver se é candidato para o toque restaurador de Cristo. Ele não veio para ministrar aos saudáveis. Mateus 9.12, Marcos 2.17 e Lucas 5.31 destacam estas palavras de Jesus: "*Não são os que têm saúde que precisam de médico, mas sim os doentes. Eu não vim para chamar justos, mas pecadores*" (grifo do autor).

Em certo sentido, o mundo é composto de dois tipos de pessoas: os que não sentem nem reconhecem fraquezas emocionais e espirituais e os que as sentem e reconhecem. Podemos chamar o primeiro grupo de "independentes" e o segundo, de "dependentes". Já que quase todo adolescente procura sair da dependência para tornar-se independente, e quase todo adulto quer provar que é independente, a maioria das pessoas age como independentes, mesmo que, em muitos casos, sejam dependentes que usam uma máscara para esconder sua fraqueza, dor e carência.

Esses dois tipos de pessoas — os independentes e fortes e os dependentes e fracos — encontram-se em todos os níveis da sociedade: ricos e favelados; homens e mulheres; de formação superior e analfabetos; crentes e não crentes. Na verdade, tanto crentes como não crentes podem ser independentes e insensíveis quanto à sua dependência de Deus e da graça dele a todo momento.

Um crente independente não experimenta em seu dia a dia o fluir do amor e do poder do Espírito Santo. Ele conhece tão bem as normas da igreja, o que deve fazer e falar, que vive em sua própria força. Se lhe perguntassem se a vida cristã é fácil, difícil ou impossível, responderia entre as duas primeiras opções: *fácil*, porque já dominou os costumes e "jeitinhos" do crente; ou *difícil*, mas sente que vai conseguir, esforçando-se. Ele pensa que Deus se importa com comportamentos certos, apesar das lutas e dos conflitos internos.

O crente e o não crente fraco e dependente podem sentir a necessidade de um poder além deles para superar os desafios do dia a dia e para experimentar amor, paz e alegria. Se lhes perguntassem se a vida cristã é fácil, difícil ou impossível, eles provavelmente diriam que é *difícil*, tanto que não estão conseguindo vivê-la.

O segredo do primeiro passo é deixar de pensar que a vida cristã é difícil e reconhecer que é impossível. Nós somos *impotentes* para viver como Cristo, que começa na transformação de nosso coração. Quando reconhecemos nossa fraqueza e abrimos nossa vida para ele viver em nós, a impossibilidade se transforma em maravilhosa realidade: Cristo em nós, a esperança da glória (Cl 1.27).

Em seu maravilhoso livro devocional *Tudo para ele*,[1] Oswald Chambers comenta a pergunta feita ao profeta Ezequiel, que é levado a um vale cheio de ossos humanos: "Filho do homem, acaso poderão reviver estes ossos?" (Ez 37.3, RA).

> Poderá um pecador ser transformado em um santo? Poderá uma vida corrupta ser endireitada? A resposta é uma só: "Oh, Senhor, tu o sabes; eu não". Não venha com a lógica religiosa que diz: "Oh, sim, com um pouco mais de leitura bíblica, devoção e oração, acho que isso pode acontecer".

[1] Rio de Janeiro: Betânia, 1988, p. 120.

Parece que é muito mais fácil *fazer* alguma coisa do que confiar em Deus; confundimos pânico com inspiração. É por isso que há tão poucos cooperadores *com* Deus e tantos que trabalham *para* Deus. Preferimos, muito mais, trabalhar para Deus a confiar nele. Será que tenho absoluta certeza de que Deus fará o que eu não posso fazer? Eu me desespero com os problemas de outras pessoas, à medida que não percebo o que Deus tem feito por mim. Será que minha experiência do poder de Deus é tão maravilhosa que eu nunca venho a me desesperar com os problemas de outra pessoa? Será que Deus já operou em mim alguma obra espiritual? A medida do pânico é proporcional à falta de experiência espiritual pessoal em mim.

"Eis que abrirei as vossas sepulturas [...] ó povo meu." Quando Deus quer mostrar-nos como é a natureza humana separada dele, tem que fazê-lo em nós mesmos. Se o Espírito de Deus já lhe deu uma visão de como você é sem a graça de Deus (e ele só o faz pela operação do Espírito Santo), você deve ter percebido que os crimes do pior criminoso não chegam a ser nem a metade dos que você poderia vir a praticar. Minha "sepultura" foi aberta por Deus e "sei que em mim, isto é, na minha carne, não habita bem nenhum". O Espírito de Deus revela continuamente como é a natureza humana, sem a sua graça.

O crente maduro depende de Deus constantemente. Reconhece que, separado dele, é impotente e não consegue governar bem sua vida. Crentes imaturos até podem entender isso como uma verdade teórica, mas não vivem a realidade dessa dependência.

Deixe-me esclarecer. Quando começamos a treinar pessoas no ministério de restauração, muitas vezes elas ficam maravilhadas com nossa "técnica", "método" ou "ferramentas". Querem entender melhor como usamos o poder do Espírito para ministrar (um pouco parecido a Simão em At 8.13,18-23). Mas nós não usamos o poder do Espírito;

ele usa a *nós*! Ainda que comparemos a ministração com uma cirurgia espiritual, Jesus é o cirurgião e nós somos parte de sua equipe. Se ele não operar, não podemos fazer nada. Nossa competência e confiança não são em nós mesmos; residem em Deus. Confiamos nele e na habilidade dele em usar-nos na ministração.

No momento em que nós nos acharmos aptos para atuar com base em nossa experiência e habilidade, estaremos perdidos. Nesse instante, perderemos nosso sentimento de fraqueza que nos leva a depender dele. Esse sentimento de dependência, de descansar nele e não em nós mesmos, é a chave da vida cristã e precisa penetrar em todas as áreas de nossa vida.

Muitos de nós, provavelmente a maioria, não conseguem viver na graça de uma dependência divina que nos enche de vida e nos permite dar vida a outros. Temos bloqueios, defesas ou muros ao redor de nosso coração que prejudicam o fluir do amor divino em nós. Negamos nossos problemas, mesmo que sejam óbvios para as pessoas que nos rodeiam. Muitas vezes, pessoas independentes são provenientes de famílias disfuncionais que as forçaram a ser autossuficientes e fortes; e agora, como adultos, elas não querem ou não sabem mudar.

Filhos adultos de lares disfuncionais continuam agindo da forma disfuncional na qual foram criados sem um modelo saudável de expressar e receber amor. Em vista da maneira pela qual os pais terrenos os trataram, podem ter grande dificuldade em confiar no Pai celeste como carinhoso e amoroso. Suas melhores intenções, motivações e ambições acabam sendo subvertidas. Tiveram de tornar-se independentes e insensíveis para sobreviver emocionalmente. Sem essa proteção, a personalidade e até a vida deles poderiam ter sido destruídas ou apagadas.

Criado para não depender de ninguém, o filho adulto de lar disfuncional geralmente precisa de uma crise que o faça entender sua impotência e quão longe está de sentir e viver segundo a graça de Deus. Às vezes, escondemos nosso medo, nossa fraqueza e nossa dúvida até de nós mesmos. Deus, em sua misericórdia, permite que nos afastemos dele e de nosso próprio coração até que estejamos prontos para começar a remover as barreiras que nos protegem. Então, ele permite circunstâncias difíceis e provas que nos ajudem a reconhecer nossas máscaras. Quando, por fim, fica claro que não estamos conseguindo manter as aparências, ou quando decidimos que não continuaremos investindo a energia emocional que tal aparência exige, existe esperança para nós.

Talvez tenhamos sido ensinados a crer que a única coisa de que precisamos para ter uma vida boa é aceitar Jesus Cristo como nosso Senhor e Salvador. Talvez essa tenha sido a mágica na qual confiamos para nos preparar para a vida aqui e "depois". As declarações: "Nasci de novo", "Meu passado foi lavado", "Sou uma nova criatura" e "Cristo me transformou totalmente" podem estar nos ajudando a negar a condição atual de nossa vida. De fato, a salvação é alcançada no momento em que aceitamos Jesus Cristo em nossa vida. A santificação, no entanto, é um processo crescente que dura a vida inteira.

O fato de ainda sofrermos por causa do passado não diminui o impacto da salvação, tampouco é um sinal de um relacionamento fracassado com Deus. É apenas um sinal de que existem áreas em nossa vida para Deus mudar e restaurar. De forma parecida, muitos dos heróis da fé na Bíblia lutaram bastante para reparar os erros do passado, para superar as fraquezas da natureza humana e para encarar as muitas tentações.

O *Serenity New Testament* assinala que admitir nossa impotência é absolutamente essencial para quebrar o ciclo de dependência, composto de cinco partes:

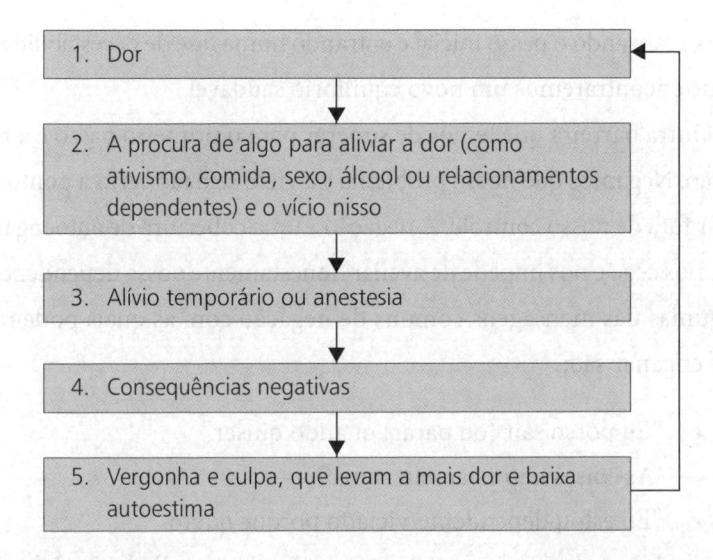

1. Dor
2. A procura de algo para aliviar a dor (como ativismo, comida, sexo, álcool ou relacionamentos dependentes) e o vício nisso
3. Alívio temporário ou anestesia
4. Consequências negativas
5. Vergonha e culpa, que levam a mais dor e baixa autoestima

Por exemplo, a pessoa ativista que tem baixa autoestima (dor) começa a trabalhar demais (agente viciador), o que resulta em sucesso, reconhecimento e produção (alívio). Contudo, seu relacionamento com a família e com Deus sofre por causa da preocupação com o trabalho (consequências negativas). O resultado é um sentimento ainda maior de vergonha e culpa por ser uma pessoa tão inadequada, o que a traz de volta ao primeiro ponto no ciclo de dependência. E nesse ponto ela se sente obrigada a trabalhar ainda mais para superar sua culpa.

Quando dependemos de nossa própria força para quebrar tal ciclo, o problema simplesmente aumenta. Em vez de fazer mais, o primeiro passo nos chama a fazer menos: a nos rendermos.

Para o primeiro passo, precisamos superar o medo de sair do ciclo da dependência. Nós nos acostumamos a esse ciclo; ele se tornou normal em nossa vida. Podemos ter medo das consequências de nos afastar dele. Muitas vezes, sentimos um temor emocional de perder controle sobre nosso estilo de vida. Preferimos a dor e os problemas que conhecemos ao desequilíbrio e ao desconhecido. Todavia, somente saindo do ciclo, realizando o passo inicial e entrando numa fase de desestabilidade é que encontraremos um novo equilíbrio saudável.

Outra barreira que temos de superar para o primeiro passo é a negação. Negamos que nosso problema ou vício seja tão sério a ponto de estar fora de nosso controle. A negação é uma cobertura de autoengano que nos cega e nos impede de avaliar honestamente nossa dependência. Algumas das mensagens comuns de negação com as quais podemos nos enganar são:

- "Eu posso sair (ou parar) quando quiser."
- "As coisas não estão tão ruins."
- "Eu estou dependente/viciado porque quero."
- "Quando as coisas melhorarem (ou piorarem!), deixarei de agir dessa forma dependente."
- Projeção dos problemas em outras pessoas, dizendo: "Você me faz agir assim!"; ou "Eu não tenho nenhum problema, a não ser minha mulher (ou marido)."

Todas essas mensagens negam a força da dependência ou do vício que nos escraviza.

Sair dessa negação, muitas vezes, requer um confronto doloroso com as consequências de nossa dependência ou nosso vício. Chegarmos ao "fundo do poço" nos força a admitir nossa impotência sobre nosso estilo de vida viciado. Os três "poços" que podem levar-nos ao desespero são:

1. Um problema de natureza física, como uma doença ou crise financeira.
2. Um problema relacional ou vocacional, como uma crise conjugal, perda de emprego ou de uma amizade importante para nós.
3. Um problema espiritual, sentindo-nos longe de Deus.

O ciclo vicioso não para até que nos rendemos a alguém acima de nós. Possivelmente, teremos que fazer isso repetidas vezes, descobrindo nossa impotência não só no ponto que mais nos aflige, mas em muitos outros aspectos de nossa vida. Precisamos reconhecer nossa impotência perante pessoas, lugares ou situações e abrir mão de procurar controlar tais coisas. Por exemplo, quando estamos presos no trânsito, em vez de permitir que a ansiedade e raiva cresçam, precisamos admitir que não podemos alterar a situação. Podemos também descobrir que trocamos de vício ou dependência, simplesmente transferindo alguma obsessão; então, teremos que aplicar o primeiro passo de novo a essas novas dependências também.

Muitas pessoas são dependentes de pessoas disfuncionais. Essas pessoas são chamadas de codependentes. Para elas, o controle ou a falta do outro são cruciais para cada aspecto da vida. Somente quando reconhecem essa dependência e a transferem para Deus é que as duas pessoas podem começar a andar de maneira livre.

Não devemos ter medo de que nossa impotência nos leve à passividade. Pelo contrário, admitir tal impotência nos leva a submeter nossa vontade à de Deus, para que possamos alcançar a plenitude e as realizações para as quais fomos criados.

O primeiro passo é o alicerce para todos os outros passos. Reexaminaremos nossa vida, descobrindo nossa impotência e aceitando que nossa vida está desgovernada. Aceitar isso não é fácil. Apesar de nosso comportamento ter nos conduzido ao estresse e ao sofrimento, é muito difícil abrir mão e confiar que as coisas vão acabar bem. Podemos experimentar confusão, inércia, tristeza, insônia ou um sentimento de crise. São reações normais às fortes lutas interiores pelas quais passamos. Não devemos nos surpreender se esses conflitos até aumentarem nos próximos meses. No entanto, se perseverarmos, chegaremos a experimentar uma saúde emocional e espiritual além do que imaginamos ser possível.

O primeiro passo é um passo de humildade e quebrantamento: a humildade de reconhecer que precisamos de ajuda e o quebrantamento da identidade individualista e insensível que até aqui nos tem protegido. Visto que essas atitudes nos serviram bastante no passado, não será fácil mudá-las. Mas, para toda mudança, temos os recursos emocionais e espirituais para administrar bem nossa vida. Por fim, se estamos dispostos a admitir isso, encontramos um grupo em que tal admissão é aceita. Se ainda lhe é difícil admiti-lo, continue com o estudo a seguir, pedindo que, se Deus quiser que você tome esse primeiro passo, ele o torne mais claro. Pare e ore a respeito disso agora, antes de continuar.

Antes de entrarmos na reflexão pessoal sobre o primeiro passo, convido você a ler e a ponderar o acordo do participante, na página seguinte. Anote suas dúvidas ou perguntas para compartilhá-las no próximo encontro. Ore a Deus que ele lhe permita assinar o acordo (possivelmente, com uma ou outra modificação) até o final deste passo.

O sinal ✖ indica uma estimativa de onde parar suas duas horas de tarefa. Se não terminou duas horas de reflexão ou quiser continuar, fique à vontade. Se investir duas horas sem chegar a esse sinal, pode parar. Será perguntado no começo de alguns encontros até onde você chegou e, aproximadamente, quanto tempo gastou, a fim de ajudá-lo a prestar contas e saber se o ritmo do livro é realista. Se estiver terminando muito rápido, é provável que você esteja respondendo às perguntas de forma superficial. Volte e dedique mais tempo a elas.

Acordo do participante

Eu, _____, concordo em participar de um grupo de apoio na procura da restauração e da prática dos Doze Passos. Eu me responsabilizo por:

- Esforçar-me ao máximo para participar ativamente nas reuniões semanais.

- Planejar um tempo fora das reuniões (pelo menos duas horas) para completar o trabalho escrito correspondente a cada passo e estudar esses passos o melhor que puder.

- Acreditar em Deus para me restaurar por meio da cura do Espírito, de sua Palavra, da prática dos Doze Passos e da ajuda do grupo de apoio.

- Orar pelos membros de meu grupo de apoio regularmente, dando atenção especial a cada um, procurando manter contato com eles entre as reuniões.

- Respeitar o sigilo do grupo.

- Ser o mais honesto possível em todas as coisas.

- Compartilhar abertamente meu desconforto quando alguém fizer comentários ofensivos, agir ou falar de forma imprópria.

- Submeter-me humildemente ao processo de cura e dos Doze Passos, esforçando-me para me abster de julgamentos negativos.

- Aceitar o desconforto e as inseguranças causadas pelas mudanças de comportamento que podem acompanhar a restauração e os Doze Passos.

- Compartilhar nas reuniões minhas experiências, derrotas e vitórias, bem como minhas dúvidas e minha fé renascente.

- Procurar não "explicar" ou "desculpar" muito os problemas, quando falar; tentar identificar e compartilhar o melhor que puder meus sentimentos (alegria, tristeza, depressão, ira, amor, rancor, culpa, solidão, sentimento de inadequação e outros).

- Orar e meditar diariamente, começando e terminando o dia com os três primeiros passos.

_____   _____
            Sua assinatura   Uma testemunha

Data: ___/___/___

Nos encontros, dedique os últimos vinte a trinta minutos a orar com os membros do grupo. Anote em seu caderno os pedidos de oração e as datas nas quais forem respondidos.

As perguntas a seguir não têm uma resposta correta. A única resposta certa é sua opinião expressa honestamente. Seja o mais franco e o mais específico possível. Procure responder de acordo com o que está acontecendo em *sua* vida, e não com generalidades que qualquer pessoa poderia escrever. Você não precisa compartilhar o que escrever com seu grupo, se não estiver pronto para abrir-se dessa forma, porém, não responda rápida nem superficialmente.

Para pessoas com pouco hábito de ler e de escrever, o formato de estudo que segue será mais difícil. Outras que lutam com baixa autoestima talvez sintam que nenhuma resposta sua seja boa. Para algumas pessoas, ajudará fazer a tarefa com mais alguém. Para todos: cada vez que você iniciar um estudo, comece em oração, pedindo a Deus que o capacite para que o exercício seja uma forma de se aproximar dele e de se conhecer melhor.

No grupo, todas as pessoas não devem compartilhar, item por item. O que importa é que cada um tenha a oportunidade de comentar o que mais chamou sua atenção e mexeu com ele. Respeite o sigilo dentro do grupo. Isso significa não falar fora do grupo o que for compartilhado. Se não houver esse compromisso, será difícil desenvolver confiança um no outro. Trate os outros membros do grupo como você mesmo deseja ser tratado. Se alguém compartilhar algo que o assusta, ou que seja pesado demais, expresse isso para seu facilitador. Às vezes, é importante relatar a um membro da equipe de restauração o que estiver acontecendo na vida de alguém, mas faça isso com a pessoa ou, no mínimo, com a permissão dela, a não ser que a vida dela esteja em jogo (se estiver pensando em suicidar-se, por exemplo).

Reflexão pessoal

1. Escreva o motivo de você fazer parte de um grupo de apoio.

No grupo, três pessoas terão a oportunidade de compartilhar suas histórias e seu motivo de estar no curso (15 minutos para cada pessoa). Quem não tiver tempo para compartilhar neste encontro compartilhará no próximo. Terminem o encontro orando uns pelos outros.

✹

2. Escreva uma oração a Deus com base no primeiro passo.

3. Relendo o primeiro passo, anote a palavra ou frase que mais chama sua atenção e explique por quê.

4. Anote as dificuldades que você tem para reconhecer sua impotência e sua inabilidade de controlar bem a vida.

5. Descreva com que ou quem você mais se entristece em sua vida.

6. De que modo você tem demonstrado comportamentos destrutivos?

7. Comente o evento principal em sua vida que o levou a entender o grau de sua dor (ou a dor que estava causando a outras pessoas).

As perguntas que se seguem têm por base passagens bíblicas. Se você encontrar perguntas difíceis, fique à vontade para consultar outras pessoas (dentro ou fora de seu grupo) e outros recursos (como uma Bíblia de estudo ou comentário) e, então, anote sua resposta. Quando um texto lhe interessar de forma especial, compare-o com outras traduções e, tendo tempo, leia o contexto da passagem na Bíblia para entendê-la melhor.

De forma geral, nosso formato será: citar uma passagem e então colocar duas ou três perguntas com base nessa leitura. Não fique contente com uma resposta fácil, curta ou superficial. Em média, gaste cinco minutos para responder a cada pergunta.

8. *Prestem atenção!* O Senhor não está fraco demais para salvar! Ele não é surdo; pode ouvir muito bem o que vocês lhe pedem. O problema são os seus pecados; por causa deles, vocês estão separados de Deus. Por causa dos seus pecados, Deus virou o seu rosto de vocês, e não ouve mais o que vocês pedem [...]

Conhecemos bem a nossa desobediência. Nós mentimos ao nosso Deus, fugimos do Senhor; nós maltratamos e exploramos, e ainda nos orgulhamos disso. Fomos injustos e fizemos planos malvados e mentirosos. Em nossos tribunais, o justo é que era condenado; por isso a justiça fugiu de nós. A verdade caiu morta em nossas ruas, e a decência não tem lugar em nossas cidades.

Sim, a verdade sumiu! Quem procura levar uma vida decente e honesta é perseguido como o pior dos criminosos. O senhor viu todo esse mal e ficou zangado por ver que não se tomava nenhuma providência contra o pecado" (Is 59.1-2,13-15, BV).

A. Às vezes, reclamamos porque sentimos que Deus não está prestando atenção às nossas lutas. Segundo Isaías, qual a maior razão por nos sentirmos separados de Deus?

B. Sublinhe as frases em que a verdade, conforme Isaías a destaca, é pervertida pelas pessoas que se afastam de Deus.

C. Cite algumas mentiras que você tende a acreditar e/ou falar.

D. Descreva seu compromisso consigo mesmo e com Deus de ser honesto neste estudo dos Doze Passos.

No grupo, primeiro dê oportunidade a quem não compartilhou na semana passada sua história e seus motivos por participar no grupo de apoio (quinze minutos para cada pessoa). Depois, compartilhem sobre os outros itens deste encontro. Nem todos devem compartilhar sobre cada item. De início, peça que cada pessoa indique qual item mais mexeu com ela e, segundo a ordem dos itens, todos podem compartilhar. (O facilitador deve anotar o nome da pessoa ao lado do item que ela indicar e, então, pedir que compartilhem nessa ordem.) Terminem orando uns pelos outros.

✖

> Antes de começar o estudo seguinte, leia o Apêndice 3.

9. "Mas se alguém fizer tropeçar um destes pequeninos que creem em mim, melhor lhe seria amarrar uma pedra de moinho no pescoço e se afogar nas profundezas do mar. Ai do mundo, por causa das coisas que fazem tropeçar! É inevitável que tais coisas aconteçam, mas ai daquele por meio de quem elas acontecem!" (Mt 18.6-7).

Às vezes, sofremos por nossos pecados; outras vezes, sofremos pelos pecados de outras pessoas, especialmente aqueles cometidos contra nós quando crianças. Relacione algumas das pessoas que têm uma posição ou uma capacidade especial para fazer outras pessoas tropeçar.

10. "Se você tivesse feito o que é certo, estaria sorrindo; mas você agiu mal, e por isso o pecado está na porta, à sua espera. Ele quer dominá-lo, mas você precisa vencê-lo" (Gn 4.7, BLH).

A. Se você conhece o que é certo e deve ser feito e não o faz, quem é o responsável? Por quê?

B. Como o pecado toma o controle de sua vida? Dê um exemplo.

C. Quanto êxito você tem tido em dominar o pecado por meio de seus esforços?

11. Como está escrito: "Não há nenhum justo, nem um sequer [....]. Pois todos pecaram e estão destituídos da glória de Deus" (Rm 3.10,23)

Ser justo significa ser certo, correto, sem falha nem imperfeição. Podemos ser justos por meio de nosso esforço? Por quê?

12. "Pois quando éramos controlados pela carne, as paixões pecaminosas despertadas pela Lei atuavam em nosso corpo, de forma que dávamos fruto para a morte. Mas agora, morrendo para aquilo que antes nos prendia, fomos libertados da Lei, para que sirvamos conforme o novo modo do Espírito, e não segundo a velha forma da Lei escrita" (Rm 7.5-6).

    A. Em quais áreas de sua vida você não enxerga o controle ou o poder do Espírito?

    B. Com base na pergunta acima, escreva uma oração a Deus.

13. A. Sublinhe as frases abaixo com as quais você se identifica:

"Sei que nada de bom habita em mim, isto é, em minha carne. Porque tenho o desejo de fazer o que é bom, mas não consigo realizá-lo. Pois o que faço não é o bem que desejo, mas o mal que não quero fazer, esse eu continuo fazendo. Ora, se faço o que não quero, já não sou eu quem o faz, mas o pecado que habita em mim" (Rm 7.18-20).

    B. Você continua procurando fazer o bem? Está funcionando?

    C. Quantas vezes os três versículos acima expressam a impotência? Enumere cada frase para ver quantas vezes surge esse sentimento.

14. "Miserável homem que sou! Quem me libertará do corpo sujeito a esta morte? Graças a Deus por Jesus Cristo, nosso Senhor! De modo que, com a mente, eu próprio sou escravo da Lei de Deus; mas, com a carne, da lei do pecado" (Rm 7.24-25).

    A. Você pode ser escravo de Deus e da carne ao mesmo tempo? Explique.

    B. É fácil servir a dois mestres? (cf. Mt 6.24). Quais os efeitos?

    C. Qual desses efeitos o preocupa mais?

15. "Portanto, agora já não há condenação para os que estão em Cristo Jesus, porque por meio de Cristo Jesus a lei do Espírito de vida me libertou da lei do pecado e da morte" (Rm 8.1-2).

A. Se não há mais condenação, por que às vezes ainda nos sentimos condenados?
B. O que Deus promete que acontecerá quando Jesus entrar em nossa vida?
C. Como posso persistir na autocondenação se Cristo me libertou?

16. "Portanto, humilhem-se debaixo da poderosa mão de Deus, para que ele os exalte no tempo devido. Lancem sobre ele toda a sua ansiedade, porque ele tem cuidado de vocês. Estejam alertas e vigiem. O Diabo, o inimigo de vocês, anda ao redor como leão, rugindo e procurando a quem possa devorar" (1Pe 5.6-8).

A. Qual a forma que Satanás mais utiliza para atacá-lo?
B. Quando você é atacado por ansiedade, preocupação ou outras coisas, o que deve fazer para não ser derrotado?
C. Como você pode se humilhar debaixo da poderosa mão de Deus?
D. Quais são suas responsabilidades, de acordo com esses versículos?
E. O que significa: "no tempo devido"?

17. Faça um repasse do que você escreveu a respeito deste primeiro passo, marcando as partes que foram verdadeiramente importantes para você, com uma caneta fosforescente ou marca-texto. Isso vai ajudá-lo no futuro, quando quiser fazer um repasse rápido desses pontos importantes. Faça-o agora e no final de cada passo.

18. O primeiro passo diz: "Admitimos que éramos impotentes perante o dano causado por nossa separação de Deus e tínhamos perdido o domínio sobre nossa vida". Escolha uma resposta:
1. Não concordo.
2. Concordo de forma parcial.
3. Concordo com quase tudo.

4. Concordo plenamente.
5. Concordo plenamente e estou pronto para o segundo passo.

No encontro, comentem as respostas seguindo as dicas oferecidas para o encontro anterior. Terminem orando uns pelos outros.

Segundo passo:

Fé e esperança

Viemos a acreditar que um poder
superior a nós mesmos
poderia devolver-nos a sanidade.

>Pois é Deus quem efetua em vocês
>tanto o querer quanto o realizar,
>de acordo com a boa vontade dele.
>
>Filipenses 2.13

O primeiro passo nos leva para o fundo do poço para reconhecer que perdemos o controle de algumas áreas de nossa vida e somos incapazes, com nossos recursos, de recuperá-las. A pessoa que chega ao fundo do poço, no final de si mesma, tem duas opções: ou olhar para dentro e render-se à depressão e à vaidade da vida, ou olhar para cima e descobrir que existe Alguém disposto a oferecer a mão de que precisamos.

Até aqui, nosso estudo pintou um quadro bem negro. Somente quando entendemos claramente as más notícias, podemos apreciar as boas. *Existe uma saída.* Alguém com poder muito além do nosso pode nos tirar do buraco. Não só *pode*, mas *quer*. Ele espera que façamos nossa parte: acreditar que ele existe e pode e quer nos ajudar.

Deus pode devolver-nos nossa sanidade mental. Enquanto não nos conscientizarmos de que somos impotentes e necessitamos da ajuda de Deus, não chegaremos a lugar nenhum. Nossa mente tem sido formada de maneira tão errada, que acreditamos em enganos e mentiras. Nossa perspectiva dele tem sido bastante distorcida; muitas vezes, vemos Deus parecido com nosso pai ou com outra figura de autoridade.

Colocamos outros deuses em nossa vida. Este passo nos confronta com nossa idolatria. A idolatria não tem a ver, simplesmente, com ídolos (imagens) católicos ou de centros espíritas. Qualquer coisa ou pessoa que valorizamos acima de Deus é um ídolo. O segundo passo nos leva a fazer uma faxina espiritual e emocional, tirando os outros deuses de nossa vida para que creiamos em um só Deus, em que está nossa esperança para a sanidade: o equilíbrio emocional e mental. Esses "deuses" precisam ser encarados, porque eles colocam nossa vida fora do eixo, fora do equilíbrio de uma mente sã.

Alguns ídolos a que precisamos renunciar são:

1. O deus do intelecto, que nos faz depender de nossa habilidade intelectual para entender tudo. Para alguns de nós, a confiança na própria força de vontade e na habilidade de poder manejar nossa vida parece ser tudo de que precisamos. Deus, para essas pessoas, é uma espécie de muleta que só serve para inválidos ou para os que não têm fibra e capacidade de tocar a vida sozinhos.

2. Pessoas ou instituições das quais dependemos, que tomaram o primeiro lugar em nossa vida: filhos, cônjuge, namorado, pastor, igreja, empresa etc.

3. Agentes viciadores dos quais temos ficado dependentes: trabalho, sexo, carreira, drogas como o álcool e outras, comida, dinheiro ou poder, reconhecimento ou fama, boas obras, legalismo, perfeccionismo e religiosidade... Um ou mais desses (ou outros) têm dominado seus pensamentos, sentimentos ou ações?

4. Nós mesmos: colocando nosso "eu" no lugar de Deus. É hora de amadurecer e deixar para trás o egocentrismo, o narcisismo (estar apaixonado por nós mesmos) e o orgulho. Oswald Chambers[1] fala do desafio de depositar nossa confiança totalmente em Deus:

> Será que tenho confiado na carne? Ou terei superado toda a confiança em mim mesmo, e em homens e mulheres de Deus, em livros e orações e êxtases, e agora minha confiança está firmada no próprio Deus, e não em suas bênçãos? "Eu sou o Deus Todo-Poderoso" — El Shaddai, o Deus Pai-Mãe. A única razão de sermos disciplinados é sabermos que Deus é real. Assim que Deus se torna real, as outras pessoas

---

[1] *Tudo para ele*. Betânia, Rio de Janeiro, 1988, p. 19.

transformam-se em sombras. Nada do que os outros possam fazer ou dizer pode perturbar aquele que está firme em Deus.

Um dos grandes paradoxos do cristianismo é justamente este: o homem nunca é de fato livre, se não for submisso. Em João 8.32, Jesus nos dá uma promessa ao declarar: "[...] e conhecerão a verdade, e a verdade os libertará". Neste passo, começamos a reconhecer que Deus verdadeiramente tem o poder e o desejo de mudar o curso de nossa vida. Se você já aceitou a realidade de sua própria condição humana (primeiro passo) e está disposto a acreditar que Deus pode mudar sua vida (segundo passo), está no caminho certo. A submissão ao Senhor e, como consequência, a verdadeira libertação espiritual se tornarão realidade.

O segundo passo é um passo de esperança, oferecendo a saída do buraco no qual nos encontrávamos anteriormente. Essa é uma saída lógica porque, quando admitimos nossa impotência, o próximo passo é procurar uma nova fonte de poder ou força para nos ajudar e nos resgatar. Para algumas pessoas, o encontro com Deus é dramático, como no caso do apóstolo Paulo no caminho de Damasco; para a maioria, é bastante gradual. Mas ganhamos nova esperança quando começamos a perceber e receber a ajuda que Deus nos oferece. O que se segue ao avançarmos pelos passos é um processo de aproximação de Deus, fazendo-nos crescer em amor, saúde e graça.

O segundo passo apresenta problemas realmente significativos para muitos de nós. A solidão de nossa condição atual demanda que dependamos de nossas próprias forças. Nós não confiamos em nós mesmos e nem nos outros. Podemos até não acreditar que Deus pode nos restaurar, ou mesmo desconfiar que Ele esteja interessado em ajudar-nos. Se não nos livrarmos dessa desconfiança e começarmos a depender de Deus, continuaremos agindo de forma irracional. O caos e a confusão de nossa vida somente aumentarão.

Livros como este e como *Tudo para ele* podem ajudar a quebrar as barreiras entre Deus e você, mas você precisa de nova experiência com Deus para poder ter novos olhos na leitura de sua Palavra. Essa nova experiência pode vir através de uma ministração de restauração da alma, em que a graça e o amor de Deus se manifestem de forma sobrenatural. Quando você estiver pronto para tal experiência, peça à equipe de restauração que ministre a você. Para isso acontecer, a equipe precisa que você:

1. Preencha o teste de traumas emocionais no Apêndice 6.
2. Escreva um relatório, ou história, de suas feridas e traumas até agora, em duas ou três páginas.
3. Consagre-se, preparando-se espiritualmente para um encontro especial com Deus.

Em geral, essas ministrações começarão após o terceiro passo, quando seu grupo de apoio tiver se firmado e você se sentir à vontade nele. O ideal é que seu grupo participe dessa ministração para interceder e para ajudar no acompanhamento posterior. Muitas vezes, a graça estendida para a pessoa ministrada acaba atingindo os intercessores. Outras vezes, só o líder ou um membro escolhido do grupo participará como intercessor secretário, caso a pessoa que receberá a ministração não se sinta à vontade em ter as demais presentes.

> Leia as dicas no Apêndice 3 antes de responder às perguntas a seguir.

Reflexão pessoal

1. Escreva uma oração a Deus com base no segundo passo.

2. Relendo o segundo passo, anote a palavra ou a frase que mais lhe chama a atenção e explique por quê.

3. Crer em um poder superior a nós mesmos requer fé. No passado, acreditávamos que éramos capazes de dirigir nossa vida, crença que provou não ter valor nenhum, pois depositávamos nossas esperanças no lugar errado. Por mais que tentássemos, jamais conseguíamos nos ajudar. Agora, precisamos colocar nossa fé em Deus. No começo, pode parecer irracional depositar nossa fé em um poder que não podemos nem tocar. Porém, a mera existência do universo, em toda a sua glória, é prova mais do que suficiente do verdadeiro poder, amor e majestade do Deus a quem buscamos.

Faça uma lista de experiências que desafiaram, dificultaram ou diminuíram sua confiança em Deus.

4. Identifique aspectos ou qualidades de Deus com que você tem mais dificuldade. Explique por quê.
5. A. Descreva seu pai.
   B. Descreva quem é Deus para você.
   C. Descreva até que ponto você enxerga Deus por meio das qualidades de seus pais.
6. Anote os defeitos de seus pais que mais atrapalham sua imagem de Deus como um Pai amoroso.

No encontro, terminem orando juntos, com base no que foi compartilhado.

> **Antes de começar o estudo seguinte, releia o Apêndice 3.**

7. "Portanto, ponham em primeiro lugar nas suas vidas o Reino de Deus e aquilo que Deus quer, e ele lhes dará todas as outras coisas" (Mt 6.33, BLH).
   A. Quais são as atividades ou pessoas em que você mais investe?

B. Essas coisas competem com Deus com relação ao que ocupa o primeiro lugar em sua vida. Quais dessas têm maiores possibilidades de tomar o lugar de Deus, tornando-se assim ídolos?

8. "Nunca se pode agradar a Deus sem fé, sem confiar nele. Qualquer um que queira ir a Deus deve crer que existe um Deus, e que Ele recompensará aqueles que sinceramente O procuram" (Hb 11.6, BV).

Por meio das experiências traumáticas da infância, muitos de nós passamos a ser hostis, apáticos, ressentidos, dissimulados e egocêntricos. Precisamos de restauração, ou seja, encontrar um maior equilíbrio. Poderemos conseguir isso se estivermos dispostos a crer que Deus pode nos devolver a sanidade, o equilíbrio emocional.

A. Boas obras e grandes esforços, sem fé, agradam a Deus? Por quê?

B. Segundo esse versículo, cite quatro qualidades de que precisamos para nos aproximar de Deus. Dê uma nota a si mesmo (de 0 a 10) em cada qualidade.

C. Comente qualquer nota baixa que você indicou acima.

9. "Confie no Senhor de todo o seu coração; nunca pense que sua própria capacidade é suficiente para vencer os problemas. Em tudo quanto for fazer, lembre-se de colocar Deus em primeiro lugar. Ele guiará os seus passos e você andará pelo caminho do sucesso. Não fique cheio de si, pensando que sua própria sabedoria é a razão do seu sucesso. A verdadeira sabedoria é amar e obedecer ao Senhor, fugindo do mal. Se você fizer isso, terá sempre saúde e vigor para enfrentar a vida. Pois isso será como um bom remédio para curar as suas feridas e aliviar os seus sofrimentos" (Pv 3.5-8, BV).

A. Sublinhe as frases que indicam o que devemos deixar de fazer.

B. Por que não devemos depender de nossa própria capacidade ou sabedoria?

C. Em qual área de sua vida a dependência em si mesmo está lhe trazendo problemas sérios?

D. O que Deus quer que você faça nessa área?

10. "Os discípulos perguntaram a Jesus por que não conseguiram expulsar demônios de uma pessoa. Ele respondeu: 'Porque a fé que vocês têm é pequena. Eu lhes asseguro que se vocês tiverem fé do tamanho de um grão de mostarda, poderão dizer a este monte: "Vá daqui para lá", e ele irá. Nada lhes será impossível"' (Mt 17.20).

Cite um exemplo demonstrando que sua fé nem chega ao tamanho de "um grão de mostarda".

11. "Um homem trouxe seu filho a Jesus, um menino que desde a infância era afligido por demônios, tendo convulsões, caindo no chão e rolando, espumando pela boca e se jogando no fogo e na água para se matar. O pai explicou isso para Jesus e acrescentou: 'Mas, se podes fazer alguma coisa, tem compaixão de nós e ajuda-nos. 'Se podes?', disse Jesus. 'Tudo é possível àquele que crê'. Imediatamente o pai do menino exclamou: 'Creio, ajuda-me a vencer a minha incredulidade!'." (Mc 9.22-24).

Nossa dependência doentia ou comportamento viciado nos mantêm cativos. É difícil acreditar que jamais nos livraremos deles. As palavras: "Pois nada é impossível para Deus" (Lc 1.37) precisam criar raízes profundas em nossos corações.

Quando quisermos acreditar verdadeiramente no poder grandioso de Deus para nos libertar, ele nos ajudará a soltar nossa dúvida, render nossa dependência doentia e pôr nossa confiança nele.

A. Descreva a situação, o hábito ou o relacionamento que você mais gostaria que Jesus mudasse.

B. O que você crê que Jesus fará nessa situação?

C. Em quais áreas você precisa que Jesus aumente sua fé, tendo em vista a dificuldade de acreditar no que ele fará por você?

12. A fé cresce com a prática. Toda vez que fazemos uma afirmação com base no caráter e na vontade dele, e agimos de acordo com tal

afirmação, nossa fé se fortalece. Toda vez que pedimos a ajuda de Deus, e a recebemos, nossa fé é fortalecida. Por fim, passamos a aceitar o fato de que ele é confiável e nunca nos deixará. Tudo de que precisamos é pedir ajuda segundo sua vontade e confiar em seu poder.

Faça uma lista de fatos ou situações recentes que provem que sua fé está se fortalecendo.

13. "Num sábado Jesus ensinava numa casa de oração. E chegou ali uma mulher que estava doente havia dezoito anos, por causa de um espírito mau. Andava encurvada e não tinha jeito de se endireitar. Quando Jesus a viu, ele a chamou e disse: — Mulher, você está curada. Aí pôs as mãos sobre ela, e ela logo se endireitou e começou a louvar a Deus" (Lc 13.10-13, BLH).

   A. Há quantos anos você está "doente" (viciado ou dependente)?

   B. A mulher que Jesus curou andava encurvada e não tinha jeito de se endireitar. Como você "anda"? Descreva os efeitos de sua "doença".

   C. Você acredita que Jesus pode restaurá-lo e quer fazer isso? Por quê?

14. A. Nesta passagem, sublinhe as qualidades do Servo que são mais atraentes para você.

> Olhem para o meu Servo. Vejam o meu Escolhido. Ele é o meu Amado, em quem a minha alma se alegra. Eu vou pôr o meu Espírito sobre Ele. E Ele julgará as nações. Ele não guerreia nem grita; ele não levanta a sua voz! Ele não esmaga o fraco, nem apagará a menor esperança que houver; com sua vitória final, ele acabará com todas as lutas, e o seu nome será a esperança do mundo inteiro.
>
> Mateus 12.18-21, BV

Esses versículos citados do profeta Isaías maravilhosamente retratam a ternura e o poder de Deus. Jesus, o Servo Amado, era Deus encarnado, demonstrando seu caráter e interesses. A compaixão dele foi tal que Isaías o descreve como alguém que não quebraria o caniço esmagado. Não apagaria o pavio fumegante lutando para manter seu fogo. Ele demonstrou, repetidas vezes, essa compaixão, uma compaixão expressa por alguém com tremendo poder. O mesmo Salvador que podia falar palavras benignas e encorajadoras para uma mulher pega em adultério podia, com igual facilidade, levantar os mortos, comandar os demônios e controlar as forças da natureza.

O poder que levantou Jesus dentre os mortos é o *mesmo poder* que ele nos oferece para levantar nossa vida da morte, expressa em nossas dependências, podendo alterar o rumo de nossa vida.

B. O que lhe dá mais esperança nessa passagem?

C. Descreva o efeito em sua vida de alguém que responde sem gritar, sem levantar a voz e sem "esmagá-lo".

15. "Senhor, eu te amo! Tu és a minha fonte de poder! O Senhor é a fortaleza onde me escondo e fico em segurança. Ele é o meu Libertador. Ele é aquela grande pedra sobre o qual me apóio; ali nenhum dos meus inimigos pode me alcançar. O meu Deus é o meu escudo, Ele é uma torre alta e bem firme para me proteger; o seu poder é a garantia da minha salvação. Sempre que peço ajuda ao Senhor, Ele me livra dos meus inimigos. Por isso o Senhor merece todo o louvor! [...] Lá do alto Ele estendeu sua mão e me tirou das águas agitadas. Ele me livrou das mãos do meu forte inimigo; salvou-me de quem me odiava, gente mais forte e poderosa do que eu. Meus inimigos tinham me atacado de surpresa no dia em que eu estava mais fraco e triste. Apesar disso, o Senhor foi o meu apoio; Ele me sustentou. Livrou-me de um terrível aperto e me levou para um lugar bem espaçoso. Ele me salvou porque tem prazer em mim" (Salmos 18.1-3,16-19, BV).

A. Quais são seus inimigos?

B. Você enxerga Deus como o salmista indicou? Por quê?

C. Quando seus "inimigos" o atacaram pela última vez, aproveitando o fato de você estar fraco ou triste?

D. Como Deus o socorreu desse ataque?

16. "Não sobreveio a vocês tentação que não fosse comum aos homens. E Deus é fiel; ele não permitirá que vocês sejam tentados além do que podem suportar. Mas, quando forem tentados, ele mesmo lhes providenciará um escape, para que o possam suportar" (1Co 10.13).

A. Quando a tentação da pornografia, da bebida, das drogas ou de qualquer outra atividade compulsiva ou destrutiva surge, quais são as portas de escape que Deus providencia para você?

B. Como o grupo de apoio pode ajudá-lo a escapar da tentação?

17. "Pois estou convencido de que nem morte nem vida, nem anjos nem demônios, nem o presente nem o futuro, nem quaisquer poderes, nem altura nem profundidade, nem qualquer outra coisa na criação será capaz de nos separar do amor de Deus que está em Cristo Jesus, nosso Senhor" (Rm 8.38-39).

Você já sentiu esse amor em seu íntimo (não só intelectualmente)? De forma escrita, peça a Jesus que revele esse amor a seu coração.

18. "Você não precisa ter medo porque Eu sou o seu Deus. Eu lhe darei forças; Eu vou ajudar e manter você em pé, firme, com a minha vitoriosa Mão Direita" (Is 41.10, BV).

Memorize esse versículo, escreva-o em um cartão e guarde-o com você.

Quando estivermos prontos a reconhecer totalmente o fato de sermos impotentes e com vida descontrolada (primeiro passo); e quando aceitarmos o poder do alto e enxergarmos nosso desequilíbrio/insanidade (segundo passo), estaremos prontos para entregar nossa vida aos cuidados de Deus (terceiro passo). *Chegou a hora de você despertar do sono* (cf. Rm 13.11). Vá em frente pela fé, para poder prosseguir nos outros passos.

19. O segundo passo diz: "Viemos a acreditar que um poder superior a nós mesmos poderia devolver-nos a sanidade". Escolha uma resposta:
   1. Não concordo.
   2. Concordo de forma parcial.
   3. Concordo com quase tudo.
   4. Concordo plenamente.
   5. Concordo plenamente e estou pronto para o terceiro passo.

Terceiro passo:

Entrega

Decidimos entregar nossa vontade
e nossa vida
aos cuidados de Deus,
como o concebíamos.

> Portanto, irmãos, rogo-lhes pelas
> misericórdias de Deus que se ofereçam
> em sacrifício vivo, santo e agradável a Deus;
> este é o culto racional de vocês.
> ROMANOS 12.1

No *primeiro passo*, reconhecemos que nossa vida, ou parte dela, estava complicada e fora de controle. Chegamos a entender que tínhamos problemas que não eram simplesmente passageiros e éramos impotentes para arrancar suas raízes profundas.

No *segundo passo* procuramos ajuda, a única que oferecia esperança real para nossa vida mudar: Deus. Reconhecemos nosso desequilíbrio mental e emocional e o poder de Deus de devolver-nos a sanidade, liberando-nos de nossas atitudes compulsivas e destrutivas. Esse passo é indispensável para nossa restauração e mudança de vida. Mas a fé (segundo passo) sem obras, sem ação, sem a prática, é morta (Tg 2.14-26).

O *terceiro passo* de entrega nos leva de uma fé intelectual para uma fé real, ativa, verdadeira e poderosa. Essa entrega abre a porta para Deus mexer em nossa vida. Passamos da atitude de simples espectadores nas arquibancadas, observando a ação dele em outras vidas, para vê-lo mudar a *nossa*. Permita-me dar um exemplo disso.

Mais ou menos sessenta anos atrás, havia um grande equilibrista, um homem que conseguia andar num cabo fino como você e eu andamos na calçada. Ele se tornou muito famoso, e seu empresário o levou para andar em cima das cataratas do Niágara, perto da divisa entre Ontário (Canadá) e o estado de Nova York (Estados Unidos). Milhares de pessoas pagaram para ver o espetáculo. O equilibrista andou no cabo, balançando-se só com os braços estendidos, com a morte assegurada se ele caísse. Quando conseguiu atravessar e voltar, a multidão aplaudiu por dois minutos seguidos! Mas ele não havia terminado. Andou de novo empurrando um carrinho de mão. O desafio agora era que não podia usar os braços para se equilibrar. A multidão nem respirava. Uma segunda vez, ele atravessou e voltou.

O empresário dele começou a proclamar as virtudes do equilibrista. "Eu não conheço ninguém que se compare a ele. É tão bom que pode levar uma pessoa no carrinho de mão! Ele é forte! Ele tem uma habilidade inédita! Para provar isso, ele fará a perigosa viagem mais uma vez carregando um saco de areia de 75 quilos no carrinho." A multidão ficou atônita. Dessa vez, quando ele andou, o cabo descia num ângulo mais baixo, por causa do peso. Várias mulheres desmaiaram. Na volta, dava para ver o suor em sua testa quando empurrava o carrinho na subida, ao final. Chegou! A multidão explodiu! Silvos, gritos, abraços, emoções inéditas de alegria, de celebração e de alívio.

Depois de vários minutos, o empresário conseguiu a atenção da multidão de novo. "Agora, senhoras e senhores, o equilibrista fará uma última viagem, só que dessa vez haverá uma pessoa dentro do carrinho! Vocês são testemunhas de que ele pode fazer isso. Ele já o fez em outros lugares antes. Quem se candidata a participar dessa incrível aventura?" Ninguém se ofereceu. O empresário continuou proclamando as virtudes do equilibrista, desafiando a multidão para alguém se oferecer, chegando mesmo a mostrar-se surpreso e triste pela incredulidade da plateia diante de tantas provas. Depois de dez minutos, o equilibrista aproximou-se do empresário e pegou o microfone. Olhando para o empresário, colocou sua mão no ombro dele e perguntou em voz baixa: "Você vai comigo?".

O empresário se assustou. Olhou para um lado e para outro. Não sabia o que dizer. Finalmente, baixou a cabeça e foi embora.

Muitos de nós somos como esse empresário. Às vezes, dizemos para outras pessoas, com absoluta confiança, que existem soluções. Apontamos o caminho. Encorajamos. Exortamos. Desafiamos. Ficamos tristes com a falta de fé dos outros e com o fato de não seguirem o caminho claro que estamos indicando. Mas, quando chega nossa vez de sair da teoria para entregar nossa vida, de nos arriscar nas mãos desse Deus que quer nos carregar, abaixamos a cabeça e vamos embora.

No segundo passo, chegamos a acreditar que Deus pode libertar-nos de nossos problemas e devolver-nos a sanidade. Como o empresário, manifestamos grande confiança em sua habilidade de nos carregar. Agora, no terceiro passo, devemos nos entregar em suas mãos. Não é nada fácil! Repetidas vezes no passado, quando nos entregamos nas mãos de alguém que poderia nos ajudar, ficamos decepcionados e magoados. Como vamos confiar se aprendemos a vida toda a não confiar, a confiar só em nós mesmos?

A resposta é que temos confiado em nós mesmos por muito tempo, mas essa autoconfiança não tem solucionado nada. *É hora de arriscarmos nossa vida em Deus.* Isso se torna difícil quando temos uma imagem distorcida dele. Nesse caso, experiências no passado têm nos levado a percebê-lo como um Deus severo na condenação e no julgamento. Nós o enxergamos como alguém totalmente perfeito, e a nós mesmos como seres que nunca conseguiremos alcançar sua medida, nem satisfazê-lo, muito menos sentir seu prazer. Principalmente se experimentamos violência quando crianças, podemos ser muito resistentes a confiar em qualquer pessoa, até mesmo em Deus.

Para muitos, especialmente aqueles de nós criados em famílias disfuncionais, a imagem de Deus tem sido bastante distorcida. Em teoria, acreditamos no Deus da Bíblia, mas podemos estar lutando com um dos seguintes problemas:

1. Ter feito identificação de Deus com pais abusivos, severos, autoritários, dominadores, controladores ou imprevisíveis. Dependendo de nossa formação religiosa, nos foi ensinado que Deus é uma autoridade a ser temida. Não chegamos a conhecê-lo como um Deus amoroso. Quando éramos crianças, ficávamos ansiosos e amedrontados quando fazíamos algo errado. Os adultos usavam de ameaças, dizendo que seríamos castigados por Deus (ou outra entidade), como um meio de

controlar nosso comportamento. O medo de desagradar a Deus fazia com que o sentimento de culpa e a vergonha tomassem proporções cada vez maiores. Quando adultos, continuamos a temer pessoas em posição de autoridade. A culpa e a vergonha por erros sem importância frequentemente nos derrubam.

2. Possivelmente, tivemos experiências negativas com a igreja. Hipocrisia, preconceito, condenação, rejeição, fofoca e outros podem ter nos ferido. Essas feridas afastaram-nos da igreja e de Deus.

3. Podemos sentir que Deus falhou conosco, permitindo que nossa vida seja a desgraça que é. Pode ser que, desde a infância, tenhamos desconfiado de Deus por ele ter nos desiludido muitas vezes. Alguns de nós rejeitamos Deus por causa das experiências duras do passado, por ele não ter aliviado nossa dor. Apesar da convicção de que Deus está conosco, nos momentos de dificuldade esquecemos de sua presença. Mesmo aqueles que estão conseguindo resolver os problemas pessoais, e que sentem a presença de Deus, têm momentos de dúvidas.

4. Possivelmente, temos raiva porque Deus não nos restaurou instantaneamente de nossas feridas ou nossos vícios. Oswald Chambers[1] comenta o que comumente acontece quando Deus não age da forma que gostaríamos.

> Nós achamos que Deus nos recompensa pela nossa fé, e pode ser que isso aconteça quando somos novos na fé; mas a função da fé não é nos dar recompensas e, sim, levar-nos a um relacionamento correto com Deus, dando a ele espaço para operar. Se você é filho de Deus, frequentemente Deus tem que retirar de você a "muleta" da experiência para que entre em contato direto com ele. Deus quer que compreendamos que a vida cristã é uma vida de fé, e não de um sentimental gozo de suas bênçãos. No início, nossa fé era pequena e

[1] *Tudo para ele*, p. 239-240.

intensa, estabelecida em torno de um pequeno ponto luminoso de experiência que encerrava em si tanto o bom senso quanto a fé, e era cheia de luz e de doçura; então Deus retirou suas bênçãos conscientes com o intuito de ensinar-nos a caminhar pela fé. Temos agora mais valor para ele do que nos tempos de alegria consciente e testemunho emocionante.

A própria natureza da fé exige que ela seja provada, não porque achemos difícil confiar em Deus, mas porque é necessário que tiremos da nossa mente todas as dúvidas em relação ao caráter dele. É essencial ao desenvolvimento da fé que ela passe por períodos de isolamento pelo silêncio. Nunca confrontamos as provas impostas à nossa fé com a disciplina comum da vida; grande parte do que dizemos ser provas de fé é resultado inevitável de estarmos vivos. Crer na Bíblia é crer em Deus, apesar de tudo o que o contradiz: é manter confiança no caráter de Deus, faça ele o que fizer. "Ainda que ele me mate, nele esperarei." Essa é a mais sublime declaração de fé de toda a Bíblia.

Entregar nossa vida nas mãos de Deus pode parecer muito difícil. Contudo, se a alternativa for a perda do emprego, da família, da saúde ou da sanidade, pode ser mais fácil aceitar a direção de Deus. Já admitimos que não conseguimos administrar ou controlar bem nossa vida. Agora, é hora de pedir que ele assuma o controle dela e cuide de cada aspecto para nós.

Jesus nos convida a parar de confiar em nós mesmos. Isso se chama morrer para nós mesmos. Entregando nossa vida para ele, morremos para nós mesmos e começamos uma nova vida, a vida dele. Paulo diz que os cristãos foram "sepultados com ele [...] a fim de que, assim [...], também nós vivamos uma vida nova" (Rm 6.4). Oswald Chambers[2] acrescenta o seguinte comentário:

---

[2]Idem, p. 16 (grifo do autor).

Ninguém entra na experiência de total santificação sem antes passar por um "enterro espiritual": o enterro da velha vida. A menos que essa "morte" ocorra, a santificação não passa de um anseio. É preciso que haja esse enterro, essa morte, que tem uma única ressurreição — um ressurgimento com a vida de Jesus Cristo. Nada pode perturbar essa vida; é uma vida com Deus, que tem um só objetivo: ser testemunha dele.

Você já encerrou sua própria vida? Do ponto de vista do sentimento, certamente isso já ocorreu muitas vezes, mas terá *realmente* acabado com ela? Você não pode ir ao seu enterro apenas em sentimento, nem morrer só em sentimento. Morrer significa parar de existir. Você concorda com Deus em parar de ser o tipo de cristão esforçado e zeloso que tem sido? Ficamos rondando o cemitério, mas o tempo todo nos recusamos a morrer. Não se trata de esforçar-nos para chegar à morte, mas de morrer — de sermos "batizados na sua morte".

Você já presenciou seu "enterro espiritual" ou está enganando a si mesmo? Você se lembra especificamente do dia que ficou marcado como o último de sua própria vida, um marco ao qual a memória retorna com humilde e grata satisfação: "Sim, foi ali, naquele 'enterro espiritual', que fiz um acordo com Deus"?

"Esta é a vontade de Deus, a vossa santificação." Quando percebemos qual é a vontade de Deus, entramos na santificação da maneira mais natural possível. Você está disposto a presenciar esse "enterro espiritual" agora? Considera este o seu último dia na terra, conforme é o desejo dele? É você quem decide o momento desse acordo.

O terceiro passo é o passo central de todos — é nossa entrega a Deus. Acontece uma vez de forma especial, mas tem que ser repetida diariamente. A repetição dos primeiros três passos é o alicerce para todos os outros, como também para uma vida de liberdade.

Um paradoxo neste passo é que personalidades viciadas ou co-dependentes, com frequência, são muito fortes e egocêntricas, ao mesmo tempo que esse egocentrismo esconde um sentimento profundo de insegurança. Uma pessoa assim pode ser conhecida, na tradição oral dos Alcoólicos Anônimos, como "um egomaníaco com complexo de inferioridade". O terceiro passo nos convida a sair do centro de nosso universo e devolver esse lugar para Deus.

Quando desenvolvemos qualquer vício ou dependência de alguém ou alguma coisa, passamos a ser mais egocêntricos, absorvidos em nós mesmos e preocupados conosco quanto a responder à dor que nos leva a essa atitude viciada. Tragicamente, tal preocupação só nos leva a aprofundar o vício ou a atitude de dependência doentia. Procurando responder à dor, nos tornamos mais egocêntricos e preocupados com nós mesmos; mas nossa atitude só cria mais dor, solidão e isolamento. O vício ou a atitude de dependência doentia sempre nos leva a aprofundar o ciclo vicioso da dor (cf. introdução ao primeiro passo). Para quebrar esse ciclo, precisamos sair de nosso egocentrismo e olhar além de nós mesmos.

Sair dessa escravidão não quer dizer que estejamos ignorando ou negando nossas necessidades. De fato, acontece o oposto. Se podemos descobrir formas saudáveis e divinas para preencher nossas necessidades emocionais e físicas, então nos tornamos menos necessitados, menos egocêntricos, menos preocupados com nós mesmos. Aqui, encontramos outro paradoxo da recuperação. Descobrir nossas necessidades e pedir que elas sejam preenchidas pode ser uma das coisas *menos* egocêntricas que fazemos! Todos temos necessidades e escolhas de como as preencher. Vícios, atitudes compulsivas e codependência são formas erradas de procurar preenchê-las. Com a ajuda de Deus, podemos encontrar formas genuínas para satisfazê-las.

Queremos nos entregar a Deus, mas como? Como podemos sair do trono de nosso universo? A chave é prontidão. Se abrirmos um pouco a porta, Deus entrará e nos ajudará. Apocalipse 3.20 (BV) diz: "Atenção! Eu tenho permanecido à porta e estou batendo constantemente. Se alguém me ouvir chamá-lo e abrir a porta, eu entrarei e farei companhia a ele, e ele a mim".

Minha oração é de que Deus use essas semanas de meditação, estudo bíblico e oração, com base no terceiro passo, para que você experimente o "enterro espiritual" e consiga entregar sua vida completa a ele: a sujeira, as feridas, os pecados, os problemas, tudo enfim. Os braços dele são fortes; ele o carregará sem a menor dificuldade. Na entrega total, encontramos o sossego total, o descanso para nossa alma atribulada.

Quanto mais nos entregamos a Deus, mais fracas se tornam nossas atitudes disfuncionais e doentias. O elemento-chave nessa entrega é o compromisso de manter uma mente clara e racional e deixar os resultados, finalmente, nas mãos de Deus. Quanto mais confiarmos em Deus, mais teremos confiança saudável em todos os nossos relacionamentos e atividades. A entrega a Deus nos liberará da escravidão às atitudes negativas e abrirá a porta para atitudes positivas. Nossa impaciência, frustração e ira serão substituídas pelo amor de Deus. Nossa vida será transformada no que Deus nos criou para sermos — pessoas formosas, realizadas, cumprindo com alegria sua vontade, sendo ministros de graça e amor para outras pessoas. Aleluia!

> Antes de começar o estudo seguinte, releia o Apêndice 3.

Reflexão pessoal

1. Escreva uma oração a Deus com base no terceiro passo.

2. Relendo o terceiro passo, anote a palavra ou a frase que mais lhe chama a atenção e explique por quê.

3. No terceiro passo, fazemos uma decisão importante. Rendemos nossa vida a Deus. Reconhecemos a necessidade da presença divina

em nossa vida e nos entregamos a Deus. Ele se torna nosso novo gerente, e aceitamos a vida segundo os termos dele. Ele nos oferece uma forma de viver que nos livra da poluição emocional de nosso passado, permitindo-nos, assim, desfrutar novas e maravilhosas experiências. O terceiro passo nos dá uma oportunidade de abandonar o comportamento que gera vício, desânimo, doença e medo.

Descreva sua prontidão para entregar sua vida aos cuidados de Deus.

4. Descreva o que impede você de fazer essa entrega.

5. Uma ministração de restauração da alma faria diferença em relação a esses empecilhos? Como?

6. Qual é maior: o custo de entregar sua vida nas mãos de Deus ou o custo de não entregá-la? Por quê?

No encontro, terminem orando juntos, com base no que foi compartilhado.

✖

> Antes de iniciar o estudo seguinte, faça uma pausa para orar.

7. Quando começamos este curso, talvez esperássemos resultados imediatos. Desde nossa infância, podemos lembrar-nos do sentimento de raiva e confusão quando as coisas não se resolviam na hora. Neste curso, as mudanças rápidas são a exceção, não a regra. A restauração que buscamos requer paciência e perseverança. Somos únicos, diferentes uns dos outros, e o profundo agir de Deus começa, para cada um, em diferentes momentos nos passos. Alguns poderão sentir alívio imediato, outros só se sentirão melhor muito mais tarde. Não existe regra básica. Sua melhora vai ocorrer, portanto, na hora certa, no momento certo.

O que você sente ao saber que a recuperação exige paciência e compreensão e não acontece de uma hora para outra?

8. As perguntas de número 8 a 14 baseiam-se no salmo 23. Ao fazer a leitura, sublinhe as frases com as quais você se identifica hoje.

> O Senhor é o meu pastor. Ele me dá tudo de que eu preciso! [Nada me faltará (RA)]. Ele me leva aos pastos de grama bem verde e macia para descansar. Quando sinto sede, ele me leva para os riachos de águas mansas. Ele me devolve a paz de espírito quando me sinto aflito. Ele me faz andar pelo caminho certo para mostrar a todos quão grande ele é. Eu posso andar pelo vale escuro, onde a morte está bem perto, mas continuo tranquilo e não sinto medo. Tu, Senhor, me guias e proteges constantemente. Preparas uma refeição deliciosa para mim, na presença dos meus inimigos. Tu me recebes como um convidado de honra, e a minha vida fica cheia das tuas bênçãos! Eu tenho absoluta certeza de que a tua bondade e o teu amor cuidadoso me acompanharão todos os dias da minha vida. Sim, eu viverei na presença do Senhor para sempre!
>
> Salmos 23.1-6, BV

A. Faça uma lista das qualidades de Deus que você percebe nesse salmo.

B. Escreva uma oração de agradecimento a Deus pelas qualidades que você anotou e são reais para você.

9. "O Senhor é o meu pastor. Ele me dá tudo de que eu preciso!" [Nada me faltará (RA)] (Sl 23.1, BV).

A. O terceiro passo diz: "Decidimos entregar nossa vontade e nossa vida aos cuidados de Deus, *na forma em que o concebíamos*". Em que sentido você enxerga Deus como *seu* pastor?

B. Qual a diferença entre Deus me dar tudo que eu *quero* e tudo de que eu *preciso*?

C. Faça uma lista das coisas de que você mais precisa.

D. Coloque um visto na frente de cada item da lista acima que Deus está lhe dando.

10. "Ele me leva aos pastos de grama bem verde e macia para descansar. Quando sinto sede, ele me leva para os riachos de águas mansas" (Sl 23.2, BV).

   A. Leia esse versículo em voz alta, depois feche os olhos e visualize-se nesse lugar na companhia de Jesus, seu Pastor. Converse com ele. Então anote o que Deus fala para você.

   B. Você está conseguindo descansar? Por quê?

11. "Ele me devolve a paz de espírito quando me sinto aflito. Ele me faz andar pelo caminho certo para mostrar a todos quão grande ele é" (Sl 23.3, BV).

   A. Qual a última vez em que você se sentiu aflito?

   B. Como foi que Deus lhe deu paz de espírito? (Se não lhe deu ainda, por quê?)

   C. Qual é o caminho certo pelo qual ele o está levando?

12. "Eu posso andar pelo vale escuro, onde a morte está bem perto, mas continuo tranquilo e não sinto medo. Tu, Senhor, me guias e proteges constantemente" (Sl 23.4, BV).

   A. Como você se sente nos vales escuros de sua vida?

   B. Como você pode se sentir tranquilo e sem medo nesses vales?

   C. Deus tem propósitos em tudo. Que propósito ele pode ter em você passar pelo que passa hoje ou passou recentemente?

13. "Preparas uma refeição deliciosa para mim, na presença dos meus inimigos. Tu me recebes como um convidado de honra, e a minha vida fica cheia das tuas bênçãos!" (Sl 23.5, BV).

   A. Quais são seus inimigos principais? Seja específico, explicando por que são inimigos.

   B. Leia o v. 5 novamente, em voz alta, e mais uma vez feche os olhos e procure imaginar essa cena. Sendo o convidado de

honra e sentado à mão direita de Jesus, converse com ele. Depois, anote o que foi significativo para você nesse encontro.
C. Para cada tipo de inimigo (no ponto "A"), anote a qualidade oposta.
D. O v. 5 diz que Deus enche nossa vida de suas bênçãos. Ele está enchendo sua vida das qualidades positivas que você anotou acima? Como?

14. "Eu tenho absoluta certeza de que a tua bondade e o teu amor cuidadoso me acompanharão todos os dias da minha vida. Sim, eu viverei na presença do Senhor para sempre!" (Sl 23.6, BV).
A. De quais coisas você tem absoluta certeza?
B. Qual a diferença entre um amor comum e o amor desse versículo: um "amor cuidadoso" que acompanha você a cada dia?
C. Seu Deus o ama? Como você sabe?

15. "Venham a mim, todos os que estão cansados e sobrecarregados, e eu lhes darei descanso. Tomem sobre vocês o meu jugo e aprendam de mim, pois sou manso e humilde de coração, e vocês encontrarão descanso para as suas almas. Pois o meu jugo é suave e o meu fardo é leve" (Jesus, citado em Mt 11.28-30).

(Cf. *Tudo para ele*, dia 8/10 para um bom devocional sobre a frase, "Venham a mim".)
A. Sublinhe o fardo que mais tem cansado você: culpa, vergonha, amargura, medo, desânimo, raiva, ativismo, inferioridade ou outro (especifique).
B. Por que você carrega esse fardo?
C. O que o impede de entregar esse fardo a Jesus?
D. Nos tempos bíblicos, um fazendeiro colocava um boi novo com outro maduro para que o novo aprendesse a arar corretamente. Você não precisa puxar o arado sozinho. Jesus o convida a

entrar no jugo dele para você aprender como pode ser suave. Como você poderia entrar no jugo dele?

16. "Portanto, meus irmãos, por causa da grande misericórdia divina, peço que vocês se ofereçam completamente a Deus como sacrifício vivo, dedicado ao seu serviço e agradável a ele. Esta é a verdadeira adoração que vocês devem oferecer" (Rm 12.1, BLH).

    A. Como a misericórdia de Deus para com você o incentiva a entregar-se a ele?
    B. O que impede você de se oferecer completamente a Deus?
    C. Por que Deus quer um sacrifício vivo em vez de um sacrifício morto?

17. O terceiro passo diz: "Decidimos entregar nossa vontade e nossa vida aos cuidados de Deus, na forma em que o concebíamos". Escolha uma resposta:

    1. Não estou pronto a fazer isso.
    2. Concordo de forma parcial.
    3. Concordo com quase tudo.
    4. Concordo plenamente.
    5. Concordo plenamente e estou pronto para o quarto passo.

Quarto passo:

Autoavaliação

Fizemos minuciosa e destemida autoavaliação moral.

> **E**xaminemos seriamente o que temos feito e voltemos para o Deus Eterno.
> LAMENTAÇÕES 3.40, BLH

Para cumprir este passo com maior apoio da parte da equipe de restauração e de seu grupo, recomendamos um retiro de dois dias, com início no café de manhã de sábado e término no almoço de domingo. O ritmo seria o seguinte: introdução do passo na reunião semanal normal, seguido na próxima semana pelo retiro e, na reunião normal posterior, por uma consolidação do passo. (O plano proposto para o retiro se encontra no final deste capítulo.) Se sua equipe decidir não fazer o retiro, siga o ritmo normal como indicado a seguir. No caso, levará quatro a cinco semanas para completar o passo.

Uma vez que entregamos nossa vida a Deus (terceiro passo), agora precisamos entender mais claramente *o que* entregamos a ele. No quarto passo, identificamos melhor as áreas problemáticas de nossa vida, como elas se expressam e por que nos atingem com uma força exagerada. Do quarto ao sétimo passos será uma aventura de autodescobrimento. Nesse período, prepararemos um inventário pessoal, compartilhando-o com nosso grupo de apoio e convidando Deus a tirar de nós esses defeitos.

Este passo não é fácil. Requer que olhemos cuidadosamente para nós mesmos, algo que não gostamos muito de fazer. Muitos nem têm costume ou habilidade para tal. Não gostamos de olhar para nós mesmos por vários motivos: 1. Muitos não gostam de si mesmos; 2. Outros têm medo de encarar certas características, que têm evitado por muito tempo; e 3. Alguns de nós precisam de esforço emocional especial para escrever o que estão vendo e sentindo. Muitos até sentirão um grande cansaço, dor de cabeça, falta de concentração ou outros sintomas que concorrem para o não cumprimento dos exercícios de autoavaliação. Honestamente, este passo requer mais esforço do que qualquer outro. Mas não desanime. Você colherá frutos muito especiais!

Este passo é desafiador porque todos nós construímos defesas para não ter que encarar diretamente nossos defeitos ou nossas dores e feridas. Quando éramos crianças e adolescentes, essas defesas nos permitiram sobreviver; todavia, como adultos, elas se tornam disfuncionais. Consideremos mais tarde uma lista parcial dessas defesas.

A negação, uma dessas defesas, passou a agir como chave para nossa sobrevivência. Na infância, aprendemos cedo a negar os sentimentos, e isso atrofiou nosso crescimento emocional, mantendo-nos em um mundo de faz de conta. Foram muitas as vezes em que fantasiamos situações, cientes de que os sonhos eram melhores do que a realidade. A negação nos protegia de sentimentos penosos e nos ajudava a sufocar a dor do ambiente familiar. Vergonha, culpa e medo da opinião alheia faziam-nos calar. Esse retraimento nos impediu de nos tornar adultos maduros e emocionalmente saudáveis. Chegou a hora de admitir nossa negação e começar a encarar a realidade.

O *Serenity New Testament* indica seis componentes na autoavaliação, ou inventário, de nossa vida.

1. Contar nossa história. Se o grupo não fez isso ainda, durante as próximas quatro a cinco semanas seria bom marcar encontros extras para cada pessoa contar sua história. Terminem orando por ela.

2. Descobrir a raiz de nossos vícios e comportamentos compulsivos e dependentes. Em geral, isso requer uma pesquisa de nossa infância. Quais necessidades não foram preenchidas? Que experiências ou mensagens negativas absorvemos da família nessa época? O *Serenity New Testament* destaca seis tipos de disfunção na família de origem que podem gerar vícios, codependência ou disfunção quando nos tornamos adultos:

A. *Abuso ativo*: a dor ou a frustração do pai ou da mãe é ventilada, ou projetada no filho. Inclui toda forma de abuso físico, verbal ou sexual.

B. *Abuso passivo*: isso acontece quando elementos-chave de amor fundamental estão faltando para a criança. Uma criança precisa de afirmação verbal, afeição física e investimento pessoal de tempo e atenção. A ausência dos pais, física ou emocional, leva ao abuso passivo.

C. *Incesto emocional*: os pais usam os filhos para preencher as próprias necessidades. Nas famílias em que um dos pais, ou ambos, é emocional, física ou financeiramente deficiente, a criança começa a assumir o papel de mãe ou pai para eles (ou para as outras crianças), cuidando, protegendo, procurando ganhar a vida desde cedo. Ela perde a experiência de ser uma criança normal.

D. *Problemas hereditários*: quando os pais têm feridas, defeitos e limitações que não resolveram, eles tendem a estender tais problemas aos filhos. Por exemplo, um pai que está frustrado e infeliz no trabalho pode forçar os filhos a serem compulsivos, perfeccionistas e viciados no trabalho, a fim de compensar as próprias limitações dele.

E. *Mensagens negativas*: tanto as verbais como as não verbais destroem os sentimentos de valor e se tornam parte da personalidade da criança. Por exemplo: "Você nunca chegará a nada", "Você nunca faz nada certo", "Você não entende quão infeliz me tem feito?". O pai que trabalha excessivamente e não tem tempo para a criança, por sua vez, transmite uma mensagem não verbal de desprezo.

F. *Emoções reprimidas*: em famílias disfuncionais, os membros negam sentimentos, desejos e necessidades. Esses sentimentos guardados surgem mais tarde, muitas vezes de maneiras que machucam outras pessoas. Por exemplo, uma esposa forçada a assumir um papel passivo, sem espaço para expressar os sentimentos, mais tarde pode tornar-se agressiva em outras áreas da vida: gastando demais, abusando das crianças, querendo se vingar do marido ou se divorciando emocional ou legalmente.

Nós não estamos procurando culpar a geração anterior quando examinamos o que nos machucou ou nos faltou quando crianças. Precisamos entender as raízes mais profundas por trás dos comportamentos compulsivos como adultos, para poder lidar com elas.

3. Confrontar e avaliar a força de nossos comportamentos dependentes. Não raro, nossa dependência principal gera outras atitudes negativas. Uma lista desses vícios ou comportamentos dependentes, adaptada do *Serenity New Testament* (p. 13-14), está reproduzida a seguir. Coloque um visto na frente dos itens que atingem você ou sua família. Se for o caso, escreva do lado de cada área o nome do familiar com dificuldade nessa área.

    1. Viciado em álcool ou drogas.
    2. Viciado no trabalho ou em obter sucesso.
    3. Vícios financeiros como: gastar demais, jogos de azar, ou ficar dominado por ganhar ou acumular dinheiro.
    4. Vício de controlar outras pessoas, especialmente em relação à família, ao trabalho e ao sexo.
    5. Vícios relacionados à comida.
    6. Vícios sexuais.
    7. Necessidade de agradar a outras pessoas (dependência da aprovação: não conseguir dizer "não").
    8. Necessidade de resgatar outras pessoas (escondendo suas necessidades atrás da constante ajuda a outros).
    9. Codependência: apoiando e protegendo pessoas doentias, como também dependendo delas, que machucam você ou a outras pessoas.

10. Doença física, que pode incluir raízes emocionais ou hipocondria.
11. Exercício e condicionamento físico excessivo.
12. Preocupação exagerada com a aparência exterior.
13. Dedicação excessiva aos estudos.
14. Religiosidade ou legalismo religioso (preocupação com a forma, regras e regulamentos da religião, em vez de beneficiar-se da mensagem espiritual).
15. Perfeccionismo.
16. Limpeza excessiva, medo de contaminação, sujeira e outros sintomas obsessivo-compulsivos.
17. Excesso de organização e estruturação (necessidade de que tudo sempre esteja no lugar certo).
18. Materialismo.

Lembrando o ciclo de dependência (introdução ao primeiro passo), todos os vícios acima são formas pelas quais procuramos diminuir a dor que sentimos. Essa dor surge da falta de amor fundamental, de não sermos aceitos, compreendidos, respeitados e apoiados. Para sermos restaurados e curados, precisamos de duas coisas:

A. Uma experiência profunda recebendo esse amor fundamental, que encha o vazio de nosso coração. A ministração de restauração responde em grande parte a isso.

B. Uma experiência contínua e repetida de uma família que expresse amor, aceitação, apoio e compreensão. O grupo de apoio pretende ser essa família, ajudando-nos a aprender e praticar novas formas de nos relacionar e nos comunicar, de pensar, agir e sentir. Ao término do grupo de apoio, deve haver grupos familiares ou células que possam dar continuidade à experiência de uma família que se importa conosco.

4. Avaliar a história de nossos relacionamentos com pessoas importantes em nossa vida: pais, professores, mentores e amigos. Precisamos alistar todas as áreas nas quais elas nos feriram ou em que nós as ferimos. Trata-se de passo fundamental para nos liberar de ressentimento.

Se não formos curados de nossos ressentimentos e de nossas atitudes compulsivas e dependentes, acabaremos afetando a outros, principalmente nossos filhos. Tais atitudes são transmitidas de uma geração para outra e continuarão sendo passadas, se não quebrarmos essa herança destrutiva. Precisamos encontrar cura para a fome de amor de nosso coração.

5. Responder a nossos sentimentos de culpa. A maioria dos vícios e comportamentos compulsivos e dependentes está baseada na vergonha. Precisamos distinguir entre dois tipos de culpa:

    A. *Culpa falsa ou vergonha.* Esta é a culpa não merecida que temos assumido pelas pessoas ou situações sobre as quais não exercemos controle. Filhos adultos de famílias disfuncionais, não raro, carregam muita culpa falsa pelos problemas dos pais ou de outras pessoas.

    B. *Culpa verdadeira.* Por causa de nossos problemas e do pecado, temos machucado outras pessoas de várias formas. Precisamos assumir essa culpa, nos arrepender, pedir perdão a Deus e às pessoas envolvidas e, quando possível, fazer restituição.

6. "Procurar o bem." Uma autoavaliação completa deve incluir o aspecto *positivo* a nosso respeito e de nosso passado, não somente o negativo. Muitos de nossos pontos fracos ou negativos estão ligados a pontos fortes e positivos. Por exemplo, às vezes sou bastante insensível a outras pessoas, sobretudo minha esposa. O lado positivo dessa característica é que não sou excessivamente sensível quando

outras pessoas discordam de mim. Eu aceito as críticas que percebo que podem me ajudar e não me preocupo muito com o resto. Não fico abalado por críticas ou pela resistência de outras pessoas.

A elaboração de autoanálise, ou inventário pessoal, requer que busquemos a direção de Deus. Depois de renovar e aprofundar nosso relacionamento com ele no segundo e no terceiro passos, começamos a pedir sua ajuda. Vamos examinar de perto nossas histórias pessoais e assumir o que for necessário. Saber que Deus está conosco vai tornar a tarefa mais fácil. Com a ajuda de Deus, podemos rever corajosamente todas as nossas forças e fraquezas. À medida que esclarecemos esses pontos, vamos sentir a necessidade de mudar.

O quarto passo nos dá a oportunidade de reconhecer que certos comportamentos adquiridos na infância são impróprios para a vida adulta. Culpar os outros pelos infortúnios, negar nossa própria responsabilidade nas condutas prejudiciais e resistir à verdade são padrões de comportamento que devemos rejeitar. Desenvolvidos no começo da vida, esses comportamentos se tornaram distorções de caráter. Encará-los pode ser difícil. Lembranças dolorosas ameaçam voltar, até algumas que pensávamos esquecidas. A vontade de sermos honestos em relação a essas descobertas nos dará clareza de mente, que será vital para uma recuperação completa.

É de grande valor e necessário pôr nossos pensamentos no papel, ao estudarmos o quarto passo. O processo de escrever focaliza os pensamentos vagos e permite concentração no que está realmente acontecendo. Isso traz à consciência sentimentos reprimidos, gerando uma compreensão mais profunda de nós mesmos e de nosso comportamento. Uma análise ousada esclarecerá nossa força e fraqueza. Precisamos aceitar o que descobrimos, cientes de que essa revelação é mais um passo em direção a uma vida saudável. Para que os exercícios do quarto passo deem resultado, é preciso que sejamos honestos e íntegros. Com a ajuda de Deus, e com muita coragem, receberemos benefícios surpreendentes.

> Antes de ler a reflexão pessoal, reveja as dicas no Apêndice 3, como sempre deve fazer.

Reflexão pessoal

1. Escreva uma oração a Deus com base no quarto passo.

2. Releia o quarto passo, anote a palavra ou frase que mais lhe chama a atenção e explique por quê.

3. Faça uma lista das pessoas que o machucaram (ou ainda o machucam) de forma significativa.

4. Nessa lista, coloque um visto ao lado do nome de pessoas que lhe trazem (ou trouxeram) uma dor ainda não resolvida.

Antes de entrar no grupo de apoio, preencha o item 15 (p. 101) e escolha as duas áreas em que você quer trabalhar no retiro. Entregue um papel para a equipe com seu nome e as duas áreas. Assim, a equipe terá tempo para organizar o retiro.

No grupo, comente os pontos sobressalentes da leitura do quarto passo. Conclua com um bom período de oração.

✶

Em preparação para o retiro, responda às perguntas 5 a 14.

Se não estiver fazendo o retiro, trabalhe com as perguntas 5 a 15 nesta semana. Nas próximas duas semanas, você fará uma a uma as duas áreas que escolher para sua autoanálise, deixando uma última semana para a consolidação do passo.

5. Coloque um visto ao lado de cada defesa com a qual você se identifica. Se você reconhece esse jeito de agir por parte de um parente ou um amigo, anote o nome dele na margem.

Mecanismos de defesa

Nossas defesas psicológicas nos ajudam a nos mascarar. Aparecem de diferentes formas e operam de várias maneiras. Abaixo, são listadas vinte das formas mais conhecidas.

Artifício: mudar de assunto para evitar temas ameaçadores (por exemplo: tornar-se adepto de conversas superficiais).

Ataque: ficar com raiva e irritado quando alguém se refere a um problema seu, evitando assim tocar no assunto (por exemplo: uma pessoa comenta um defeito seu, e você responde atacando e demonstrando algum defeito dela; ela recua ou fica na defensiva, evitando assim que seu defeito seja trabalhado).

Compensação: diminuir ou vencer uma fraqueza ou limitação chamando a atenção para uma característica ou atributo forte ou favorável. O ativismo é um exemplo disso.

Desculpa: oferecer desculpas e justificativas por uma conduta sua ou dos outros (por exemplo: faltar a uma reunião dizendo que estava doente, quando na verdade estava bêbado).

Egocentrismo: ganhar reconhecimento não mediante realizações socialmente aprovadas, mas chamando atenção para si de alguma outra maneira (por exemplo: fazer palhaçadas, ou mesmo falar como se fosse autoridade na área em discussão).

Fantasia: esse mecanismo, bem conhecido, leva a pessoa a um mundo imaginário no que ela é bem-sucedida, principalmente nas áreas em que não é bem-sucedida na vida real. Sem perceberem, algumas pessoas se perdem em romances, novelas ou televisão, não vivendo uma vida real, mas se sentindo vivas por meio de terceiros.

Formação reativa: uma emoção disfarçando-se em outra oposta. Por exemplo: alguém que cultiva sentimentos negativos contra outra pessoa age com expressões de carinho, ocultando o verdadeiro sentimento. Essas expressões são exageradas e fora do comum, causando mal-estar.

Generalização: lidar com os problemas de maneira genérica, superficial, evitando tomar consciência pessoal ou emocional da situação (por exemplo: ser solidário com a gripe de um amigo, quando se sabe que a dependência química é a causa básica do problema).

Identificação: agir como outros que admira ou cujo sucesso gostaria de ter. Por exemplo: copiar a roupa, o estilo pessoal, as formas de falar ou agir, ou outras características de uma pessoa ou de um grupo.

Minimização: estar disposto a reconhecer um problema, mas não aceitar sua gravidade (por exemplo: admitir que há desavença num relacionamento, quando, de fato, há uma evidente infidelidade).

Negação: fingir que algo não existe, quando sabe que na realidade existe (por exemplo: desconhecer sintomas físicos que possam indicar a presença de problemas).

Perfeccionismo: fugir de culpa ou críticas, tentando fazer tudo perfeitamente. Esse mecanismo também permite à pessoa sentir-se justificada em apontar a imperfeição nos outros. Um exemplo claro disso é o legalista.

Projeção: atribuir suas fantasias, seus problemas ou suas emoções a outra pessoa. Chama a atenção para comportamentos, traços ou motivos indesejáveis nos outros, a fim de desviar a atenção desses mesmos traços em si próprio. Pessoas críticas, céticas e julgadoras, muitas vezes, usam essa defesa.

Racionalização: justificar conduta, crenças e sentimentos com argumentos que não são os verdadeiros motivos envolvidos. Por exemplo: alguém que procura alguma coisa por muito tempo, sem contudo obtê-la, e mantém-se dizendo que na verdade essa coisa não serve.

Regressão: voltar à conduta infantil, chorando, gritando, ficando mal-humorado. Geralmente, a pessoa ganha o que quer porque outros se envergonham com esse comportamento. (Isso é diferente da regressão por hipnose, que nós não praticamos nem encorajamos.)

Repressão: manter fora do campo da consciência sentimentos e lembranças dolorosas que a pessoa não tem condições de enfrentar. Às vezes, quem sofreu abuso sexual ou outro grande trauma não consegue lembrar-se de certos períodos ou pessoas de seu relacionamento no passado.

Responsabilização: culpar outra pessoa por suas próprias condutas. Por exemplo: o filho culpar os pais pelo comportamento atual inadequado dele.

Sublimação: direcionar uma emoção negativa ou frustração de forma positiva (por exemplo: apaziguar a raiva por meio de participação nos esportes).

Substituição: descarregar frustração em uma pessoa inocente e mais fraca, em vez de confrontar o agressor. Por exemplo: alguém que sofre abuso do chefe e, quando chega em casa, desconta nos filhos.

Transferência: atribuir a alguém no presente um relacionamento carente do passado. Na transferência *positiva*, a pessoa espera que alguém cumpra o que lhe faltou no passado. Na transferência *negativa*, atribui-lhe motivações, sentimentos, atitudes e comportamentos ruins, refletindo características da pessoa que a decepcionou. Pastores e líderes de igrejas facilmente se tornam objetos de transferência positiva, que fatalmente se torna negativa quando não conseguem preencher as expectativas da transferência. Alguém em transferência pode tornar-se altamente destrutivo, gerando divisão ou forçando o pastor a sair.[1]

Vale dizer: *cada defesa é construída para não sentirmos dor*. No entanto, cada uma delas exige um custo alto, como se houvesse um

---

[1] Para mais detalhes, cf. o artigo "Transferência: ovelhas vestidas de lobos", em www.mapi-sepal.org.br, *link* ferramentas/artigos.

imposto diário de energia emocional para mantê-la. Quanto maior o número e tamanho de nossas defesas, menor a energia emocional disponível para tratarmos dos estresses normais da vida.

6. A negação origina-se no ambiente infantil. Essa reação é um mecanismo de defesa contra a confusão, a instabilidade e a violência dos adultos que cuidaram de nós. Para nos proteger, racionalizamos o que estava acontecendo e inventamos razões aceitáveis para o comportamento inaceitável de quem era responsável por nós. Assim, enganávamos o caos em que vivíamos, ao mesmo tempo negando problemas que não conseguíamos superar. Mostrando-se uma forma eficaz de proteção contra o que não conseguíamos controlar, virou um hábito de vida. Como adultos, temos ainda a tendência de negar a realidade e nos esconder atrás de ilusões e fantasias.

Cite exemplos de fatos que confirmem que você se esconde da realidade.

7. "O coração é a coisa mais mentirosa e traiçoeira [enganador (RA)] que existe no mundo; o coração do homem é terrivelmente cheio de maldade. Não há ninguém capaz de saber até que ponto é mau e pecador o coração humano!" (Jr 17.9, BV). Seu coração é capaz de negar a condição de sua própria vida? Como?

8. Sublinhe as frases a seguir que se aplicam a você.

> Ai de vocês, professores da Lei e fariseus [líderes religiosos], hipócritas [fingidos (BV)]! Pois dão a Deus a décima parte até mesmo da hortelã, da erva-doce e do cominho, mas deixam de obedecer aos ensinamentos mais importantes da Lei, como a justiça, a bondade e a obediência a Deus [a fidelidade (NVI)]. Vocês deviam fazer estas coisas, sem desprezar aquelas. Guias cegos! Coam um mosquito, mas engolem um camelo! Ai de vocês, professores da Lei e fariseus, hipócritas [fingidos

(BV)]! Pois lavam o copo e o prato por fora, mas por dentro estes estão cheios de coisas que vocês conseguiram pela violência [exploração de outros (BV)] e pela ganância [cobiça (BV)]. Fariseu cego! Lave primeiro o copo por dentro, e então a parte de fora ficará limpa também! Ai de vocês, professores da Lei e fariseus, hipócritas! Pois são como túmulos caiados de branco, que por fora parecem bonitos, mas por dentro estão cheios de ossos de mortos e de podridão. Por fora vocês parecem boas pessoas, mas por dentro estão cheios de mentiras e pecados.

Jesus, citado em Mateus 23.23-27, BLH

A. O que levou os fariseus a ter dificuldade de ser honestos consigo?

B. Qual é sua dificuldade de ser honesto consigo?

C. Escreva de que forma seu exterior é diferente de seu interior:

Fazer uma autoanálise ou autoavaliação moral é parecido com limpar um guarda-roupa. Faz-se uma vistoria para ver o que se tem, escolhe o que se quer guardar e descarta-se o que não é útil. Precisamos fazer isso não uma vez só, mas em diversos momentos de nossa vida.

Essa autoanálise pode provocar lembranças boas e ruins. O objetivo não é permanecer no passado. Essa reflexão é apenas uma ferramenta para nos ajudar a entender nosso padrão atual de comportamento. A maior preocupação agora é com o futuro. Fazendo um inventário de nossa vida, vamos diminuir os medos relacionados à nossa habilidade de encarar o futuro.

9. "Examinemos seriamente o que temos feito e voltemos para o Deus Eterno" (Lm 3.40, BLH).

   A. O exame de sua vida pode ajudá-lo a se aproximar do Senhor?

   B. Faça uma lista dos comportamentos que mais prejudicam sua vida atualmente.

10. "Ó Deus, examina a minha vida em detalhes! Põe os meus pensamentos e emoções à prova, toma conhecimento de tudo! Descobre qualquer caminho errado e mau e orienta-me para que eu ande sempre pelo caminho da vida eterna" (Sl 139.23-24, BV).

Na sua lista proposta acima (9 B), coloque a letra "P" na frente das áreas que mais parecem ter suas raízes no *pecado* e a letra "F" nas que mais se baseiam em *feridas* internas. Depois, anote comentários ou perguntas que vêm à sua mente com base nesse exercício.

11. "Sejam honestos na avaliação de si mesmos" (Rm 12.3, BV).

"[...] Ninguém tenha de si mesmo um conceito mais elevado do que deve ter; mas, ao contrário, tenha um conceito equilibrado, de acordo com a medida da fé que Deus lhe concedeu" (Rm 12.3).

"Se alguém pensar que é importante demais para se sujeitar a isto, está se enganando a si próprio. Na realidade é um joão-ninguém. Que cada um de vocês esteja seguro de estar fazendo o melhor, pois assim terá a satisfação pessoal de uma obra bem feita e não precisará se comparar com outra pessoa. Cada um de nós tem de suportar alguns de seus próprios defeitos e fardos. Nenhum de nós é perfeito!" (Gl 6.3-5, BV).

A. Um dos paradoxos da recuperação é que uma autoestima baixa gera um sentido exagerado de preocupação e importância de si mesmo. Temos uma tendência de nos avaliar de forma dura e negativa ou de forma branda e positiva. Explique sua tendência.

B. Identifique as consequências dessa tendência.

C. Descreva as resistências ou os temores que você sente em relação a fazer o inventário pessoal de sua vida.

12. "Façam uma autoavaliação. Vocês são realmente cristãos? Passam pela prova? Sentem cada vez mais a presença e o poder de Cristo

dentro de vocês? Ou estão apenas fingindo-se cristãos, quando não são absolutamente nada?" (2Co 13.5, BV). Você é realmente cristão?

1. Sim, tenho completa certeza disso, mesmo que eu enfrente problemas.
2. Não sei, gostaria que alguém me explicasse mais sobre isso.
3. No passado, eu tinha tal confiança, mas agora estou inseguro.
4. Não, sei que não sou cristão e gostaria que alguém me explicasse isso, como ser cristão.
5. Não, sei que não sou cristão, mas estou satisfeito com isso.

13. "Mas pela graça de Deus sou o que sou, e a graça que ele me deu não ficou sem resultado. Ao contrário, tenho trabalhado muito mais do que todos os outros apóstolos. No entanto, não fui eu quem fez isso, e sim a graça de Deus que trabalhou comigo" (1Co 15.10, BLH).

Nos estudos que fazemos neste livro, geralmente focalizamos nossos problemas. Porém, graças a Deus, nossa vida não é só problema! As próximas cinco perguntas nos ajudarão a lembrar a herança abençoada que Deus tem nos concedido.

A. Reconheça a herança positiva que você recebeu como criança e adolescente.
B. Que atitudes ou habilidades positivas vieram com as lutas? (P. ex.: o estudante compulsivo, que sempre precisa de notas altas, e desenvolve boas habilidades para um tipo de serviço.)
C. Faça uma lista de suas habilidades, seus talentos, seus dons e suas qualidades.
D. Escreva as coisas positivas que você se permite desfrutar. (P. ex.: música e louvor, habilidade de descansar, saúde física, crescente confiança nos membros do grupo de apoio etc.)

E. Quais mudanças e passos positivos de recuperação você percebeu que aconteceram em sua vida desde o começo de seu grupo de apoio?

14. Escreva uma oração a Deus para expressar sua gratidão pela parte abençoada de sua formação.

As áreas abaixo dão ênfase aos sentimentos e comportamentos mais comuns observados em filhos adultos de famílias disfuncionais. (Muitas das ideias desta seção foram adaptadas do livro *The Twelve Steps — A Spiritual Journey*.) Vamos identificar as áreas mais problemáticas para nós e trabalhar nessas áreas para nossa autoanálise.

15. A. Dê uma nota de 0 a 10 a si mesmo nas áreas a seguir. O número 0 (zero) assinala que você tem pouco da respectiva característica; o 10 (dez) mostra que ela é marcante em sua vida. (As perguntas de autoavaliação de cada área se encontram, a seguir, na ordem indicada.)

   _____ 1. Isolamento, solidão
   _____ 2. Ira, raiva, frustração, espírito crítico
   _____ 3. Medo
   _____ 4. Amargura, ressentimento, rancor reprimido
   _____ 5. Busca de aprovação, inabilidade de dizer "não"
   _____ 6. Super-responsabilidade
   _____ 7. Controle ou domínio
   _____ 8. Medo de abandono
   _____ 9. Carência de afeição física
   _____ 10. Depressão
   _____ 11. Estresse crônico
   _____ 12. Culpa falsa ou verdadeira

_____ 13. Dificuldade com pessoas em posição de autoridade.
_____ 14. Frieza de sentimentos, dificuldade em expressá-los
_____ 15. Baixa autoestima, sentimento de inferioridade ou superioridade
_____ 16. Perfeccionismo
_____ 17. Ativismo
_____ 18. Sexualidade reprimida
_____ 19. Vício sexual: pornografia, pensamentos impuros, masturbação compulsiva, relações sexuais fora do casamento etc.
_____ 20. Rejeição
_____ 21. Outro (especifique)

B. Agora, faça um círculo nos números mais altos. Escolha as duas áreas nas quais você deseja trabalhar no retiro. Essas áreas não serão necessariamente as de notas mais altas, mas sim aquelas em que você mais quer crescer.

C. Escreva uma oração, entregando a Jesus qualquer sentimento de ansiedade, vergonha ou culpa. Peça a ele as forças necessárias para completar sua autoanálise de forma honesta, visando à libertação que esse processo trará para sua alma. (No retiro, você terá bastante apoio para trabalhar de forma eficaz.)

Normas importantes para a autoanálise

No retiro, vamos trabalhar as duas áreas que você identificou no relatório do item 15. Para cada área, você primeiro terá tempo para trabalhar de forma individual as perguntas associadas às suas áreas, consecutivamente. Depois, você se juntará às outras pessoas que estão priorizando essa mesma área, para discutir os desafios dela com o apoio de um membro da equipe.

As perguntas se dividem em duas partes: a autoanálise e os passos iniciais de recuperação. Ainda que seja interessante ler a respeito de cada área, apenas responda às perguntas sobre as duas áreas mais problemáticas para você. Ao escrever, use acontecimentos recentes, palavras e ações da forma mais precisa possível. Não se apresse. É melhor fazer pouco e bem do que fazer muito, mas superficialmente. Evite generalidades. Responda com vários parágrafos a cada uma das seis perguntas em sua área. Por meio disso, você se prepara para o quinto passo. *O primeiro a ser beneficiado por sua honestidade e inteireza nesse trabalho será você mesmo.* Nesse exercício, você pode começar a sentir mais claramente sua necessidade de restauração.

Quando falar de uma situação específica, inclua as circunstâncias do acontecimento: quem, quando, onde e o quê. Anote da melhor maneira possível o nome de todas as pessoas envolvidas na situação (quem); a data do acontecimento (quando); indique onde aconteceu (local); e finalmente descreva sua impressão e reação no caso.

Veja, a seguir, um exemplo das perguntas sobre a primeira área no inventário: o isolamento. Em itálico, está o tipo de resposta que gostaríamos que você fornesse. As respostas nessa ilustração são breves; você deve ser muito mais detalhado, escrevendo tudo que vem à mente quando se pensa na pergunta. Leia essa ilustração mesmo que a área não lhe seja problemática, para entender melhor como responder em qualquer área.

1. Isolamento, solidão

Muitas vezes, achamos mais seguro nos afastar de ambientes não confortáveis para nós. Com o isolamento, evitamos que os outros nos vejam como realmente somos. Afirmamos no íntimo que não valemos nada e, por isso, não merecemos amor, atenção ou aceitação das pessoas. Como não queremos ser castigados por não expressar os sentimentos, preferimos nos esconder, eliminando assim a necessidade de encarar resultados incertos.

Quando nos isolamos, é possível que estejamos:

• Sentindo-nos derrotados.	• Temendo a rejeição.
• Achando-nos diferentes/inferiores.	• Adiando problemas.
• Deixando o medo tomar conta.	• Pensando só em nós mesmos.

1. Dê exemplos de seu processo de isolamento, como:

    A. *"Recusei um convite para a festa de aniversário de meu irmão no sábado passado porque não queria ter que falar de mim para alguém que não conhecesse. Também me acho feia e não queria envergonhar meu irmão."*

    B. *"Eu fiquei envergonhado no serviço quando meu supervisor me perguntou por que não participei ativamente da reunião de negócios. Tive vontade de pedir demissão."*

2. Olhando para o passado, identifique e explique as causas básicas desse isolamento, possivelmente identificando outras raízes, como o medo, o ressentimento, a ira, a culpa etc. Veja a seguir alguns exemplos:

    A. *"Em duas ocasiões aos 14 anos eu fiz uma bobagem numa festa e todo mundo riu de mim. Agora fico com medo de que aconteça o mesmo de novo. Isso afeta qualquer possibilidade de me divertir. Faço força para não aparecer, pois tenho medo de não me comportar adequadamente."*

    B. *"Várias vezes no colégio eu fiquei com vergonha quando a professora me ridicularizou. Tenho medo de que me critiquem ou* contem piadas pelas minhas costas se eu me expressar livremente. Então, eu me isolo e fico calado."

3. Identifique os resultados negativos de seu isolamento. Podem causar impacto: a autoestima, os objetivos de vida, a segurança, as relações pessoais e sexuais etc. Por exemplo:

   A. *"Não me sinto inserido no círculo de amizades de meus colegas, mesmo quando estamos juntos. Não me sinto à vontade para conversas leves como as que costumam ter, mas também não sei falar sobre coisas sérias e profundas. Fico quieto. Fico na minha."*
   B. "Meu chefe e meus companheiros de trabalho não me conhecem e, por isso, não valorizam minhas ideias. Acho que meu emprego está em perigo."

Recuperação de ser solitário

À medida que nos sentimos melhor, passamos a nos permitir correr riscos e nos expor a situações novas, buscando amigos e relacionamentos criativos, seguros e encorajadores. Aprendemos a nos divertir em grupo. A partir daí, para nós torna-se mais fácil expressar sentimentos, pois conseguimos desenvolver uma autoestima mais forte, reconhecendo que as pessoas nos aceitarão pelo que somos. Essa autoaceitação permite que experimentemos o precioso dom de viver de forma mais serena e confortável.

À medida que não nos isolamos, começamos a:

• Expressar livremente nossas emoções.	• Aceitar-nos.
• Cultivar relacionamentos encorajadores.	• Finalizar projetos.
• Ter coragem para novas aventuras.	• Pensar nos outros.

4. Faça uma lista de exemplos específicos de seu comportamento que mostre como seria se você se isolasse com menos frequência que antes. Por exemplo:

   A. "Hoje fui almoçar com minhas amigas. Eu me senti à vontade e pude conversar bastante. Consegui compartilhar alguns sonhos pessoais e meu desejo de viajar e de fazer um curso de culinária árabe. Não me senti ameaçada, porque pude ver que elas escutavam com seriedade e respeitaram minha confidência."

   B. "Na reunião de diretoria de segunda-feira passada, mostrei preocupação em relação aos riscos de determinados negócios. Em vez de me criticarem, todos agradeceram minha opinião sobre o assunto."

5. Quais suas esperanças com relação às situações em que você se isolou no passado? Por exemplo:

   A. "Quero ter relacionamentos novos e saudáveis para melhorar minha confiança. Eles vão me ajudar a me sentir mais à vontade em reuniões sociais. Espero tornar-me mais flexível para aprender a ser espontâneo e para me divertir mais."

   B. "Quero ser mais confiante e participante nas reuniões de negócios. Creio que isso vai me dar oportunidade de usar todo o meu potencial."

6. Para refletir: 1Reis 19; Provérbios 18.1; Eclesiastes 4.7-12; Hebreus 10:24,25. Anote o que você aprender nessas passagens a respeito de compartilhar a vida com outros.

O exemplo anterior ilustra como você pode responder nesses exercícios, entendendo que sua resposta deve ser mais extensa. Preencha pelo menos uma página com as primeiras três perguntas e ao menos mais uma página com os últimos três itens, incluindo um estudo bíblico dos textos.

Agora veja a primeira área que você vai trabalhar e responda às perguntas. (Se for trabalhar na área de isolamento, volte a ler as perguntas nas páginas anteriores e escreva com suas próprias respostas.)

2. Ira, raiva, frustração, impaciência, espírito crítico

A ira consiste geralmente numa das principais fontes de problemas na vida de filhos adultos de famílias disfuncionais. Reprimimos com frequência esse sentimento, pois não sabemos administrar bem nossa raiva sem passar vergonha ou magoar alguém. O tumulto era tão grande nos lares caóticos de onde viemos, que nós negávamos essa ira ou a expressávamos de modo impróprio. Achávamos mais seguro nos proteger e simplesmente esperar que a raiva passasse. Não tínhamos consciência de que a ira reprimida pudesse levar a sérios problemas de depressão e ressentimento. A ira causa complicações físicas que levam a doenças relacionadas com o estresse. Negá-la ou não expressá-la de forma apropriada causa problemas de relacionamento, porque não somos verdadeiros em relação a nossos sentimentos e precisamos fingir o tempo todo. Expressar nossa ira sem um controle apropriado pode levar a brigas, violência, desentendimentos e problemas relacionais.

Quando reprimimos a raiva, a dor ou o ódio, sentimos:

• Ressentimento.	• Depressão.
• Autopiedade.	• Tristeza.
• Ciúme.	• Ansiedade.
• Estresse, esgotamento.	• Desconforto físico/doenças.

1. Faça uma lista detalhada de situações em que fica irado. Você tende a reprimir ou a expressar a raiva? Como você costuma expressá-la?
2. Identifique e explique as raízes de sua ira. De onde ela surge?
3. Comente os resultados negativos de sua ira, para você e para outros.

Recuperação do poder da ira, da raiva, da impaciência e do espírito crítico

Aprender a expressar ira é um passo grande em nossa recuperação, visto que libera muitas emoções escondidas e permite que a restauração aconteça. Em geral, expressar nossa dor (que inclui raiva) é um dos primeiros passos ao ministrar a restauração da alma. Quando expressamos a ira livremente permitimos às pessoas conhecer nossos limites além de ajudar-nos a ser honestos conosco.

Quando aprendemos a expressar a ira de modo mais apropriado, conseguimos lidar melhor com a própria hostilidade e com a ira dos demais. Nossos relacionamentos começam a melhorar à medida que nos expressamos melhor. Os problemas de relacionamento e de estresse vão diminuindo de modo a nos sentir melhor até fisicamente.

Quando nos recuperamos da raiva reprimida, começamos a:

• Impor limites a nós mesmos.	• Expressar ira de forma boa.
• Identificar sentimentos feridos.	• Desfrutar paz interior.
• Diminuir o estresse e a ansiedade.	• Fazer pedidos razoáveis.

4. Dê exemplos específicos de como você poderia expressar sua ira de forma saudável.
5. Descreva o que você espera conseguir quando identificar e liberar sua ira.

6. Escreva o que Deus está lhe falando a respeito da ira, com base nos textos de Efésios 4.26-27 e Tiago 1.19-21. Se quiser aprofundar o tema, leia o Capítulo 4 do livro *Introdução à restauração da alma*, preenchendo a autoavaliação no início do capítulo. Caso já o tenha feito, preencha-a novamente e compare as notas obtidas.

3. Medo

O medo é a causa básica de muitas doenças espirituais. Esse sentimento forte surge facilmente quando começamos a nos analisar. Quando o medo está presente, a necessidade de negar, ignorar e evitar a realidade aumenta. A perspectiva irrealista torna-se imensamente exagerada e intensifica nossas reações emocionais. Muitas doenças físicas e mentais são consequência direta desse estado doentio. O medo pode nos causar grandes dores. Ele nos ataca fisicamente e nos leva a sentimentos que vão da apreensão ao pânico. Podemos nos tornar nervosos, sentir náusea, ficar desorientados ou ter um ataque de pânico. Aprender a lidar com o medo de forma saudável é necessário para o processo de recuperação.

Quando somos dominados pelo medo, sentimos:

• Desejo de fugir ou nos isolar.	• Falta de confiança.
• Dificuldade quanto à intimidade.	• Tristeza.
• Dificuldade com novas aventuras.	• Necessidade de controlar as pessoas ou coisas ao nosso redor.
• Ansiedade.	• Frustração no amor.

1. Faça uma lista de seus maiores medos.

2. Para *cada* item que você listou, responda às questões a seguir, descrevendo seus sentimentos. Por exemplo, se você anotou quatro itens na pergunta anterior, você tem quatro jogos de respostas com base nestas perguntas:

   A. O que ou quem você teme? (Pessoas, consequências e instituições?)
   B. Por que você se sente assim? (O que gerou esse medo?)
   C. Por que essa pessoa ou situação o afeta tanto?

   Exemplo simples e resumido (sua resposta será mais detalhada):

   A. Eu tenho medo de meu marido.
   B. *Porque* sinto que nunca serei capaz de lhe agradar.
   C. *Isso afeta* minha autoestima e minha sexualidade e reaviva meu medo de ser abandonada.

3. Quais os resultados negativos de seu medo? (Por exemplo: piorou minha auto-estima, dificultou meus relacionamentos, diminuiu meus objetivos, levou à procrastinação, ativou minha necessidade de controlar as pessoas, gerou um medo de abandono etc.)

Recuperando-se do medo

Quando superamos nosso medo, nos sentimos aliviados. Pela primeira vez, passamos a verdadeiramente gostar de nós mesmos e dos outros. Começamos a sentir a liberdade de sermos nós mesmos e de não nos preocuparmos demais com o que outras pessoas pensam. Podemos receber críticas sem que isso nos derrote, entendendo-as ou transformando-as em críticas construtivas. Descobrimos a liberdade de rir, de chorar, de ficar quietos e de abrir o coração sem ficar preso ao que outros possam pensar. Agora, estamos livres para amar, sem temor de sermos rejeitados, e para receber o amor de outros, sem o receio de que possam aproveitar-se de nós ou defraudar-nos de alguma forma. Enfim, começamos a viver!

Quando nos recuperamos do domínio do medo, começamos a:

• Amar: a outros e a nós mesmos.	• Pensar objetivamente.
• Ficar à vontade.	• Ser mais criativos.
• Ter mais energia emocional.	• Arriscar mais.

4. Dê exemplos de como será sua vida sem os medos listados na pergunta 1.
5. Descreva o que você espera como decorrência da superação do medo.
6. Escreva o que Deus está lhe falando a respeito do medo com base nos textos de 1Pedro 5.6-8 e 1João 4.16-18. Se quiser aprofundar o tema, leia o Capítulo 5 do livro *Introdução à restauração da alma*, preenchendo a autoavaliação no início do capítulo. Caso já o tenha feito, preencha-a novamente e compare as notas obtidas.

4. Amargura e ressentimento

Amargura é a raiz de muitas outras doenças espirituais e emocionais. Nossas doenças mentais e físicas podem ser a consequência direta desse estado doentio. Aprender a lidar com sentimentos de ressentimento e ser curado da amargura são necessários para nossa recuperação. A amargura acaba destruindo nossos relacionamentos e afastando as pessoas de nós. Intimidade? Nem pensar! Alegria? Satisfação? Dificilmente, a não ser que seja pelo sofrimento de alguém de quem não gostamos. A amargura nos dá óculos que escurecem a luz da vida, sempre fazendo-nos enxergar a vida pior do que ela é.

Como pessoas amargas, podemos:

- Ser muito críticas, machucar e afastar outras pessoas.
- Ser pessimistas, sempre vendo o lado negativo de tudo.
- Ser muito sensíveis a qualquer rejeição.
- Facilmente sentir que as pessoas estão nos discriminando.
- Espalhar amargura e tristeza ao nosso redor.

1. Cite exemplos recentes que mostram sua amargura ou seu ressentimento.

2. Para *cada* item que você listou, responda às questões abaixo ao descrever seus sentimentos. Por exemplo, se você anotou quatro itens na pergunta anterior, você tem quatro jogos de respostas com base nas perguntas abaixo.

    A. Você está ressentido com alguma coisa ou com alguém (ou seja, pessoas, princípios ou instituições)?

    B. Por que você está ressentido? (O que aconteceu que lhe causou ressentimento?)

    C. Por que esse assunto o afeta tanto? Que fraqueza ou defeito de caráter está se escondendo atrás de seu ressentimento? (Por exemplo, desejo e necessidade de aprovação, necessidade excessiva de controlar as situações, medo do abandono.)

Exemplo breve:

   A. *Estou sentido* com meu chefe.
   B. *Porque* ele não se preocupa em saber por que estou deprimido.
   C. *Isso me afeta tanto porque* minha autoestima é fraca, e a atitude dele reaviva rancores escondidos.

3. Quais os resultados negativos de sua amargura e seu ressentimento?

Recuperando-se da amargura e do ressentimento
Quando somos restaurados da amargura e aprendemos a reconhecer e a superar sentimentos de ressentimento, nos sentimos muito mais leves. Já não carregamos dentro de nós um veneno que nos suga a energia, requer nossa atenção e acaba ferindo outros, mesmo quando não queremos. Estamos livres para amar, para afirmar outros e sermos afirmados. Começamos a acreditar na sinceridade de outras pessoas e, quando nos elogiam, conseguimos aceitar e agradecer o que dizem. Ganhamos a habilidade de demonstrar gratidão e de desfrutar a vida.

À medida que nos recuperamos da amargura e do ressentimento, começamos a:

• Redescobrir a verdadeira alegria.	• Gostar da vida.
• Não ficar tão facilmente feridos.	• Não ferir os outros.
• Alcançar novos níveis de louvor.	• Recuperar nosso senso de humor, sem cinismo nem sarcasmo.
• Ter mais amigos.	• Ter mais energia.

4. Dê exemplos específicos de como mudaria sua vida se ficasse livre da amargura e do ressentimento.

5. Descreva o que você espera alcançar à medida que a amargura e o ressentimento diminuírem:

6. Para refletir: Deuteronômio 29.18; Efésios 4.29-32; Hebreus 12.14-15. Escreva sobre o que lhe chama a atenção nessas passagens a respeito da amargura.

5. Busca de aprovação
Em virtude de uma criação disfuncional, tememos a crítica e a desaprovação dos outros. Quando crianças, ansiávamos desesperadamente pela

aprovação de nossos pais, avós, irmãos e de outras pessoas significativas para nós. Isso raramente aconteceu. O resultado é que passamos hoje a procurar constantemente a aprovação de todo mundo.

Essa necessidade de aprovação começa na infância e se estende até a idade adulta, levando-nos a orientar nossa vida de acordo com as necessidades e os desejos de outras pessoas. Em vez de buscar a aprovação de forma positiva, procuramos aprovação apenas para nos sentir melhor, para que os outros gostem de nós. Com isso, acabamos perdendo o contato com os próprios sentimentos e desejos, impedidos de reconhecer as próprias necessidades e os anseios legítimos. Nosso ponto referencial acaba se voltando para as ações alheias, por isso procuramos fazê-las mudar de ideia, visando a tornar suas atitudes positivas para nós. Lutamos constantemente para agradar a todos que nos rodeiam e mantemos, com frequência, relacionamentos altamente destrutivos.

Quando precisamos da aprovação dos outros, talvez estejamos tentando:

• Esconder que nos sentimos inúteis.	• Agradar às pessoas.
• Ignorar as próprias necessidades.	• Evitar críticas.
• Esconder nossa falta de confiança.	• Impedir o fracasso.

1. Dê exemplos específicos de seu comportamento que mostrem que você busca a aprovação dos outros de maneira exagerada.
2. Identifique e descreva as razões de você buscar essa aprovação.
3. Identifique e comente os resultados negativos de sua busca de aprovação.

Recuperando-se da busca de aprovação

Quando começamos a melhorar nossa autoimagem e a confiar em nós mesmos e no poder de Deus, compreendemos que não há nada de mais em querer a aprovação dos outros. Aprendemos a pedir a opinião de outras pessoas, em vez de manipulá-las. Aceitamos elogios e aprendemos a dizer "obrigado(a)", confiando na sinceridade do elogio. Dizemos "sim" quando a resposta for merecida; e respondemos "não" quando for apropriado.

À medida que nos recuperamos da busca imprópria de aprovação, começamos a:

- Reconhecer as próprias necessidades, os desejos e as preferências.
- Dizer a verdade sobre o que sentimos.
- Ser leais a nós mesmos.
- Construir a autoconfiança.

4. Dê exemplos objetivos de seu comportamento que mostrem que você não está buscando apenas a aprovação dos outros.
5. O que você espera que aconteça quando sua necessidade da aprovação alheia diminuir?
6. Para refletir: Mateus 10.37-39; 1Coríntios 4.1-5; 2Timóteo 1.7.

6. Super-responsabilidade

Nunca temos tempo de olhar para nós mesmos porque estamos ocupados e preocupados em tomar conta dos outros, resolver seus problemas, supri-lhes as necessidades. Quando essa característica se torna muito acentuada, perdemos nossa própria identidade. Quando crianças, assumimos responsabilidades por problemas e preocupações que estavam muito além de nossa capacidade; em consequência disso, ficamos privados de uma infância normal. Essas exigências fora de época e os elogios que recebemos por sermos "pequenos adultos" nos fizeram acreditar que éramos tão fortes como super-heróis. A autoestima se viu encorajada por cuidarmos dos outros e nos sentirmos indispensáveis, atribuindo um propósito à nossa vida. *Como super-responsáveis, nos sentimos mais à vontade em situações caóticas nas quais seríamos indispensáveis.* Apesar de ficarmos ressentidos com o fato de os outros receberem sempre e não darem nunca, somos incapazes de aceitar que os outros cuidem de nós. Não permitimos que sintam a alegria de nos ajudar ou cuidar de nós.

Como super-responsáveis, podemos:

- Sentir-nos dispensáveis.
- Socorrer os outros, apesar de carências próprias gritantes.
- Ignorar as próprias necessidades.
- Perder a identidade.
- Sentir-nos super-heróis.
- Tornar-nos codependentes.

1. Dê exemplos objetivos que mostrem que você está agindo como alguém super-responsável. (Um super-herói!)

2. Indique as causas básicas, as raízes que levam você a cuidar de outras pessoas de forma compulsiva.

3. Identifique e explique os resultados negativos de você agir como super-responsável.

Recuperando-se da super-responsabilidade
Ao desistirmos do papel de "super-responsável", nos tornamos cada vez menos preocupados com tudo e com todos e deixamos que cada

um encontre o próprio caminho. Aprendemos a *entregar as pessoas nas mãos de Deus*, que é a melhor fonte de orientação, amor e apoio para elas. Tirando de nossos ombros o peso de cuidar de outros, descobrimos tempo para desenvolver nossa própria personalidade. A obsessão de cuidar dos outros é substituída pela aceitação do fato de que, no final das contas, não temos poder sobre a vida de ninguém. *Reconhecemos que nossa maior responsabilidade é pelo próprio bem-estar e pela felicidade*, entregando os que nos cercam nas mãos de Deus.

Quando paramos de carregar os problemas dos outros, começamos a:

• Deixar que cada um cuide de si.
• Cuidar de nós mesmos.
• Estabelecer a própria identidade.
• Reconhecer relacionamentos de dependência e codependência.

4. Dê exemplos objetivos de como será seu comportamento quando você deixar de carregar os problemas dos outros.
5. Descreva o que você espera conseguir à medida que se torne mais consciente das próprias necessidades e deixar de ser super-herói.
6. Para refletir: Mateus 11.28-30; Lucas 10.38-42; 1Pedro 5.5-7.

7. Controle ou domínio

Quando crianças, tínhamos pouco ou nenhum controle sobre nosso ambiente ou sobre nossa própria vida. Como adultos, temos uma necessidade enorme de controlar sentimentos e comportamentos, não só os nossos, como também dos outros. Podemos nos tornar rígidos e incapazes de qualquer gesto de espontaneidade. Confiamos somente em nós para fazer alguma coisa de maneira "certa" ou para resolver situações. Manipulamos os outros para conseguir a aprovação deles e procuramos manter uma medida de controle que nos faça sentir seguros. Tememos que nossa vida venha a se desestruturar, caso desistamos de tal posição de comando. Ficamos estressados e ansiosos sempre que ameaçam nossa autoridade ou nosso controle.

Em razão dessa necessidade de estar sempre no controle, podemos:

- Ter dificuldade em aceitar mudanças ou ser flexíveis.
- Ter dificuldade de confiar em alguém.
- Temer o fracasso.
- Ser excessivamente críticos e rígidos.
- Ser intolerantes.
- Manipular as pessoas.

1. Dê exemplos em que você esteja tentando controlar ou manipular pessoas ou situações.
2. Fale sobre as causas básicas, as raízes de sua necessidade de estar no controle.
3. Identifique os resultados negativos de sua necessidade de estar no controle.

Recuperando-se do fato de ser controlador
Ao nos conscientizarmos de como procuramos controlar pessoas e coisas, começamos a perceber que todos esses esforços foram, na realidade, inúteis. *Só podemos, na verdade, controlar e mudar a nós mesmos.* Descobrimos melhores formas de satisfazer nossas necessidades quando aceitamos o Senhor como fonte de nossa segurança. À medida

que entregamos a vida e os desejos aos cuidados de Deus, sentimo-nos menos estressados e ansiosos. Crescemos na habilidade de participar de atividades, sem preocupação com as consequências. É bom fazer a *Oração da Serenidade* sempre que reconhecermos que essa necessidade de controlar o meio em que vivemos esteja reaparecendo.

Quando desistimos de controlar nosso meio, começamos a:

- Aceitar mudanças.
- Confiar em nós mesmos.
- Delegar poderes.
- Dar uma força para outros se realizarem.
- Reduzir o nível de estresse.
- Encontrar formas de nos divertir.
- Aceitar as pessoas como são.

4. Dê exemplos que mostrem como será seu comportamento quando você não mais sentir necessidade de controlar pessoas e situações.
5. O que você espera conseguir quando se tornar menos controlador?
6. Para refletir: Mateus 20.25-28; Filipenses 2.1-8; 1Pedro 5.2-3,5-7.

8. Medo de abandono

O medo do abandono é uma reação ao estresse que se inicia na infância. Quando crianças, nós fomos vítimas da instabilidade de comportamento dos adultos responsáveis por nós. Muitos de nós sofremos abandono físico ou emocional, sem saber se nossos pais estariam ou não ali conosco no dia seguinte. À medida que a instabilidade deles aumentava (às vezes, com vícios), acentuava-se a incapacidade desses adultos de agir como pais. Nós, como filhos, simplesmente não existíamos. Como adultos, somos inclinados a escolher parceiros que nos levem a sentir o mesmo medo, a ter a mesma insegurança. Tentamos satisfazer todas as vontades do parceiro, para evitar a dor do abandono. O medo pode nos dominar a ponto de nos impedir de lidar com nossos problemas ou conflitos, gerando, assim, um ambiente tenso e de pouca comunicação saudável.

Quando tememos o abandono, podemos:

- Sentir insegurança.
- Tornar-nos super-responsáveis (carregar os problemas de todos).
- Evitar ficar sozinho.
- Preocupar-nos excessivamente.
- Sentir culpa quando queremos nos recuperar.
- Tornar-nos dependentes ou codependentes.

1. Dê exemplos específicos que demonstrem seu medo de ser abandonado.
2. Fale sobre as raízes de seu medo de abandono.
3. Identifique os resultados negativos de seu medo de abandono.

Recuperando-se do medo de ser abandonado
Quando aprendemos a confiar cada vez mais no amor sempre presente de Deus, aumenta nossa capacidade de lidar com relacionamentos íntimos. O medo de abandono diminui e é substituído pela sensação de que somos pessoas de valor. Passamos a buscar relacionamentos saudáveis com pessoas que se amam e cuidam de si mesmas. Sentimos mais segurança em revelar nossos sentimentos. Transferimos aquela antiga dependência dos outros para uma confiança em Deus. Aprendemos a compreender e a aceitar com serenidade as amizades, sem exigências

e carências. A autoconfiança cresce ao percebermos que, com Deus, nunca mais estaremos sós.

À proporção que o medo de abandono diminui, começamos a:

- Ser honestos para com nossos sentimentos.
- Sentir-nos à vontade em ficar sozinhos.
- Expressar confiança.
- Considerar as próprias necessidades em um relacionamento.
- Diminuir a necessidade compulsiva de querer resolver os problemas dos outros.
- Reduzir nossa dependência (ou co-dependência) de outras pessoas.

4. Dê exemplos de como deverá ser sua atitude quando você não tiver tanto medo de abandono.

5. Identifique objetivos que você gostaria de atingir à medida que o medo de abandono diminuir.

6. Para refletir: Salmo 23; Romanos 8.35-39; Efésios 3.14-21; Hebreus 13.5-6.

9. Carência de afeição física

Muitos de nós foram criados sem afeição física. Pode ser que tenhamos até sofrido abuso emocional, físico ou sexual. Quando a mão do pai ou da mãe se levantava, era motivo de medo em vez de expressão de carinho. Chegamos a nos distanciar do toque físico e de tudo o que representava. Quando alguém tenta nos abraçar ou nos tocar, um alarme soa dentro de nós, às vezes acompanhado pela rigidez. Como adultos, temos dificuldade em estender amor físico a outros. Dói muito, mas não conseguimos agir e responder com liberdade no ato sexual. Somos reprimidos. Não conseguimos exprimir amor de forma física a nossas crianças. Possivelmente, descobrimos que estamos abusando delas de forma parecida como nós sofremos abuso.

Entretanto, por conta de nossa carência de afeição física, podemos nos envolver com outras pessoas de maneira inapropriada, por exemplo, cometendo adultério com alguém que nos dá mais atenção do que nosso cônjuge. Ou podemos considerar nosso corpo físico sem valor e, assim, não nos respeitar, entregando-nos facilmente aos outros. Nossa carência, às vezes, parece um buraco negro que nunca se preenche.

A exemplo das outras áreas tratadas neste quarto passo, precisamos continuamente de restauração da alma para atingir o âmago dos problemas que nos afligem. Isso se torna especialmente óbvio no caso de pessoas que sofreram abuso emocional, físico ou sexual. Não raro encontramos mulheres que se sentem vítimas de abuso ou de violação por parte do marido por terem mantido relações sexuais antes do casamento ou por terem sido forçadas a isso na própria vida conjugal.

A carência de afeição física pode causar:

- Constrangimento no ato sexual ou extrapolação dos limites.
- Sentimentos de inferioridade com relação ao corpo.
- Tendência a abusar de outras pessoas, agredindo fisicamente.
- Distanciamento nos relacionamentos, dificultando bastante a intimidade.
- Tristeza e forte sentimento de solidão.
- Sentimento de rejeição, dificuldade em aceitar a si e aos outros.

1. Dê exemplos que mostrem sua carência de afeição física.
2. Explique as causas básicas, as raízes dessa carência.
3. Identifique os resultados negativos de sua carência de afeição física.

Recuperando-se da carência

À medida que aprendemos a sentir satisfação em tocar as pessoas e ser tocado por elas, começamos a redescobrir o prazer e a alegria. Emoções há muito tempo negadas começam a surgir. Descobrimos que somos mais do que espírito ou mente, que nossa vida é bem mais cheia, plena. Passamos a redescobrir a espontaneidade, além de novas dimensões de criatividade. Descobrimo-nos rindo muito mais, cantando muito mais, sentindo-nos bem mais soltos.

Quando nos sentimos à vontade para expressar e receber amor de forma física, passamos a:

- Superar nossa dureza de coração.
- Sentir alegria, bem como o fluir mais pleno do Espírito.
- Sentir prazer nas coisas pequenas da vida.
- Ser liberados para desenvolver intimidade.
- Ter um sentimento geral de maior bem-estar.

4. Dê exemplos que mostrem como será quando você estiver superando sua carência de afeição física.

5. Descreva o que você espera em decorrência de ficar mais livre para exprimir-se por meio de afeição física.

6. Reflita em: Provérbios 5.18-19; Malaquias 2.16; Marcos 10.13,16; 1Pedro 5.14.

10. Depressão

A depressão tem sido chamada de "gripe" da psicologia, por ser tão frequente e comum. Quase todos nós passamos por algum período de depressão, como reação à morte de alguém importante para nós ou à perda de emprego ou de outra coisa, à qual estava ligada nossa identidade ou forma de viver. Para muitos, a depressão é consequência de sentir-se rejeitado, menosprezado ou desvalorizado, seja no casamento, seja no trabalho. É decorrência natural de termos sido rejeitados profundamente na condição de criança, levando-nos a viver a vida toda com um peso nos ombros, sugados e cansados emocionalmente por causa do fardo que carregamos. De modo geral, desconfiamos das pessoas e da vida, temos uma perspectiva pessimista e não nos alegramos quando as coisas dão certo, porque sabemos que logo alguma coisa mudará para tirar a aparente alegria que surgiu.

A depressão pode ser causada por esgotamento, o que ocorre quando passamos por um tempo prolongado de alto estresse. Também pode ser provocada por problema químico, devendo ser tratada com medicamentos.

Para entender melhor como superar a depressão, leia o Capítulo 6 de *Introdução à restauração da alma*. A autoavaliação ao começo desse capítulo indica vinte características de alguém que está lidando com a depressão.

A pessoa deprimida pode:

• Sentir-se abatida e triste.	• Ter crises de choro.
• Sentir-se pior no começo do dia.	• Achar-se sem energia, esgotada.
• Ter dificuldade em tomar decisões.	• Sentir-se derrotada.
• Ter dificuldade de dormir à noite.	• Sentir-se inútil.
• Ter desejos de sumir ou morrer.	• Sentir-se sem futuro.

1. Dê exemplos que mostrem que você está deprimido.
2. Explique as causas básicas, as raízes de sua depressão.
3. Comente os resultados negativos de sua depressão.

Recuperando-se da depressão

Existem vários tipos de depressão, e alguns deles exigem tratamento profissional. Por isso, importa distinguir entre a depressão química, que precisa de tratamento médico; a depressão circunstancial, que muitas vezes é aliviada quando as circunstâncias melhoram ou com o passar de tempo; e a depressão com raízes no passado (como rejeição, medo, ira etc.) que precisam ser tratadas. O ideal é passar por um exame médico para descobrir se há necessidade de tratamento com antidepressivos.

Mesmo com a ajuda de medicamentos, há necessidade de avaliar nossa maneira de viver, de lidar com estresse, de lidar com os relacionamentos etc. À medida que passamos a nos sentir apoiados para lidar com as dimensões difíceis da vida, nosso nível de estresse se normaliza, aliviando a depressão. Essas mudanças, como as que ocorrem em qualquer das áreas destacadas neste capítulo, podem requerer um encontro divino, uma restauração da alma, que transforme nossas feridas e perspectivas do passado. Também nos beneficiamos com o fato de aprender a determinar limites saudáveis em nossa vida e a reconhecer e expressar nossas emoções, em vez de negá-las e guardá-las. "Descongelamos" assim nossos sentimentos.

À medida que saímos da depressão, começamos a:

• Sentir restaurada a alegria.
• Ter confiança de que nossos esforços darão bons frutos.
• Sentir-nos realizados e valorizados.
• Sentir energia para trabalhar.
• Ter liberdade e prazer em relaxar ou descansar.

4. Dê exemplos objetivos que mostrem como será seu comportamento quando você estiver saindo da depressão.
5. À medida que for superando a depressão, quais mudanças você espera ver?
6. Para refletir: Salmos 77.1-10; Romanos 8.17-29; 15.13.

11. Estresse crônico

Visto que muitos de nós foram criados em um ambiente disfuncional, precisávamos investir energia emocional em combater e em manter atitudes disfuncionais. Gastamos recursos emocionais nisso, ficando desgastados para lidar com todo o estresse cotidiano. Esse problema se acentua nas cidades grandes, onde a correria e o consequente estresse geralmente são maiores. Quando o estresse acumula, ficamos esgotados e não conseguimos responder adequadamente nem às pequenas demandas. Nossa reação a coisas pequenas é desproporcional. Até nosso corpo responde como se estivesse preparando-se para atacar ou fugir, manifestando uma série de sintomas físicos que acabam nos desgastando mais.

Para mais detalhes sobre como entender e superar o estresse, leia o Capítulo 8 de *Introdução à restauração da alma*. A autoavaliação no início desse capítulo o ajudará a avaliar até que ponto o estresse está afetando você e sua vida.

Quando estamos estressados, podemos:

- Ter pressão alta, sudoração, tensão muscular, dor de cabeça e cansaço crônicos ou problemas intestinais.
- Experimentar outros sintomas físicos estranhos.
- Sofrer uma queda de produtividade.
- Ficar irritados e até explosivos, perdendo o senso de humor.
- Querer fugir de todas as pessoas e desejar sumir.
- Ficar hipersensíveis, chorando ou gritando facilmente.
- Perder a alegria e o prazer de viver.
- Perder o interesse sexual.
- Ter muitos projetos não cumpridos.

1. Dê exemplos que ilustrem que você está estressado.
2. Explique as causas básicas, as raízes de seu estresse.

3. Descreva os resultados negativos de seu estresse.

Recuperando-se do estresse

À medida que conseguimos descansar e diminuímos o ritmo de nossas atividades, o estresse diminui. Sentimo-nos melhor, recuperando a energia, paixão e criatividade. Aprendemos a dizer "não", principalmente, a atividades desgastantes. É bom entendermos nossos dons e as áreas em que somos bem-sucedidos, para poder concentrar as atividades nessas áreas. Esclarecer as prioridades divinas e viver de acordo com elas afastam de nós a tirania do urgente. Recuperamos nossa visão de Deus e a alegria que acompanha essa visão. Cuidamos melhor de nós mesmos, sem sentir culpa em fazê-lo; exercício físico e comida equilibrada nos ajudam a recuperar a saúde.

À proporção que saímos do estresse, começamos a:

• Sentir a alegria de ter boa saúde.
• Ser mais produtivos.
• Ter paciência, administrando bem os assuntos imprevistos.
• Finalizar projetos.
• Desfrutar a companhia de outras pessoas.
• Redescobrir o prazer, a alegria e nosso senso de humor.

4. Dê exemplos que mostrem como será quando você estiver superando o estresse.

5. Descreva o que você espera que mude quando deixar de ficar estressado.

6. Para refletir: Tiago 1.2-5; Mateus 11.28-30; Hebreus 12.1-2.

12. Culpa falsa ou verdadeira

A culpa está ligada a quase todas as outras áreas neste capítulo. Sempre que agimos com raiva ou com medo, quando estamos deprimidos ou lutamos com uma autoimagem negativa, geralmente temos de lidar também com sentimentos de culpa. Até o estresse traz sequelas de culpa por não agirmos com amor, sensibilidade, paciência e alegria, ou quando perdemos o desejo de ajudar ou servir mais alguém. Alguns de nós foram criados em um contexto legalista, aprendendo a sentir culpa que não vinha de Deus. Alguns de nós, ainda, vieram de lares autoritários, onde não desenvolvemos uma consciência saudável, e nossa visão do bem e do mal acaba sendo definida pela pessoa autoritária — a outra parte de nós criada em ambientes nos quais o bem e o mal não foram apresentados de forma objetiva e a punição era imprevisível.

Para saber mais detalhes sobre como superar culpa falsa e resolver culpa verdadeira, aprendendo a distingui-las, leia o Capítulo 9 de *Introdução à restauração da alma*. A autoavaliação no começo desse capítulo lhe permitirá avaliar até que ponto a culpa o está atingindo.

Quando lidamos com uma culpa não resolvida, podemos:

- Entrar em depressão.
- Tornar-nos hipócritas, escondendo nosso sentimento de culpa.
- Nutrir autoimagem negativa.
- Sentir-nos sujos, inferiores e inadequados.
- Andar tristes, sem ter liberdade e alegria no Senhor.
- Confundir culpa falsa com culpa verdadeira.
- Esgotar-nos, carregando grande peso emocional.
- Racionalizar nosso comportamento errado.

1. Dê exemplos que mostrem seu sofrimento com sentimento de culpa e a dificuldade em resolvê-la.

2. Explique as causas básicas de seu sentimento de culpa.

3. Identifique os resultados negativos de não conseguir resolvê-lo.

Recuperando-se do sentimento de culpa

Para resolver a culpa verdadeira, são necessários três passos: arrepender-se, pedir perdão e fazer restituição. O Espírito Santo nos dá a convicção da culpa verdadeira, sempre apontando nossos erros de forma objetiva e específica. A culpa falsa tende a ser vaga, generalizada, algo que não conseguimos identificar de forma objetiva a fim de buscar arrependimento. Surge quando nós mesmos (ou mesmo outros ou Satanás) nos acusamos de haver pecado ou errado, e o Espírito de Deus não está nos convencendo disso. A culpa falsa se baseia em acusações que não conseguimos resolver ou superar.

À proporção que resolvemos nossa culpa, começamos a:

• Andar na luz, sem medo nem o que esconder.
• Sentir uma alegria e uma liberdade maravilhosas.
• Sentir-nos íntegros.
• Aceitar-nos, a gostar de nós mesmos.
• Discernir melhor o bem do mal.
• Distinguir culpa falsa e culpa verdadeira.

4. Dê exemplos de como será quando você estiver resolvendo sua culpa.

5. Identifique mudanças que você espera que aconteçam à medida que for resolvendo sua culpa.

6. Para refletir: Salmos 32.1-5; 2Coríntios 7.9-10; Gálatas 5.1-4; 1João 1.7-9.

13. Dificuldade com pessoas em posição de autoridade

Nosso medo dos que estão em posição de autoridade pode ser produto de expectativa não realista de nossos pais a nosso respeito, no desejo deles de que fôssemos mais do que podíamos ser. Achamos que as pessoas em posição de autoridade mantêm expectativa irreal a nosso respeito, à qual tememos não corresponder. Uma simples observação pode ser mal interpretada. Isso pode nos intimidar e nos tornar supersensíveis. Não importa o grau de competência que tenhamos, pois vamos sempre nos comparar aos outros e concluir que somos absolutamente inadequados. Por consequência disso, nossa integridade fica comprometida, pois não temos condições de confrontar críticas.

Alguns enfrentam dificuldade com pessoas em posição de autoridade porque têm um espírito independente, não conseguindo submeter-se ou ser liderado. Às vezes, estão seguindo o modelo autoritário de um de seus pais, acostumando-se a ter a última palavra e a nunca precisar prestar contas do que faz a ninguém. Outros sofreram abusos nas mãos de pessoas em autoridade, portanto, dificilmente confiam nelas ou se submetem.

Quando temos dificuldade com pessoas em posição de autoridade, podemos:

- Ter medo de rejeição, sentindo-nos inseguros.
- Levar as coisas sempre para o lado pessoal.
- Exprimir comportamento arrogante para encobrir o medo.
- Comparar-nos com os outros.
- Reagir contra elas em vez de agir com liberdade no Espírito.
- Sentir-nos inadequados (às vezes, procurando esconder isso).

1. Dê exemplos que mostrem sua dificuldade com quem está em posição de autoridade.
2. Explique as causas básicas, as raízes dessa dificuldade.
3. Identifique os resultados negativos de sua dificuldade com pessoas em posição de autoridade.

Recuperando-se da dificuldade de lidar com autoridades
À medida que tratamos das causas e nos sentimos mais à vontade com as pessoas em posição de liderança, aprendemos a prestar atenção a nós mesmos e descobrimos que não temos nada a temer. Vemos que os outros são como nós, que igualmente guardam medos, autodefesas e inseguranças. O comportamento das outras pessoas não controla mais o que sentimos por nós mesmos. Quando respondemos aos outros, passamos a agir, em vez de reagir. Reconhecemos que Deus é a figura de autoridade máxima, que ele está sempre conosco, nos aceitando, nos defendendo, nos protegendo e nos corrigindo em amor quando necessário.

Quando nos sentimos mais à vontade com a autoridade, passamos a:

- Agir com autoestima sempre crescente.
- Apoiar as próprias escolhas.
- Aceitar a crítica construtiva.
- Submeter-nos de forma saudável, com alegria e liberdade.
- Ter mais confiança para liderar de forma saudável.
- Trabalhar mais facilmente com a autoridade.

4. Dê exemplos que mostrem como será quando você ganhar maior confiança e aprender a lidar com a autoridade de forma saudável.
5. Identifique o que você espera à medida que passar a ter boa relação com os líderes em sua vida.
6. Para refletir: Efésios 6.5-9; 1Pedro 5.2-3,5-8; Hebreus 13.6,7-17.

14. Frieza de sentimentos

Muitos de nós mostramos dificuldade em expressar sentimentos, ou até em perceber que os temos. Escondemos, assim, dores emocionais profundas, sentimentos de culpa e vergonha. Quando crianças, esses sentimentos foram recebidos com reprovação, rancor ou rejeição. Como meio de sobrevivência, aprendemos a ocultá-los ou reprimi-los inteiramente. Já quando adultos, perdemos o contato com eles. Para permanecermos "seguros", nos permitimos somente as expressões "aceitáveis" de afeto. Mascaramos e reprimimos nossos verdadeiros sentimentos por temor das consequências, se disséssemos o que estávamos sentindo. Sentimentos distorcidos e reprimidos causam ressentimento, rancor e depressão, os quais nos levam a doenças físicas.

Quando alimentamos frieza de sentimentos:

- Perdemos a consciência deles.
- Nossos sentimentos ficam distorcidos.
- Reprimimos os sentimentos.
- Sofremos de depressão.
- Desenvolvemos doenças físicas.
- Tornamo-nos frios e emocionalmente distantes.
- Tendemos a nos sentir inferiores ou superiores.

1. Dê exemplos objetivos de seu comportamento que mostrem que você não está expressando os sentimentos.

2. Identifique e explique as causas básicas, as raízes de sua incapacidade para exprimir sentimentos.

3. Descreva os resultados negativos de sua dificuldade em expressar os sentimentos.

Recuperando-se da frieza de sentimentos

À medida que entramos em contato com os sentimentos e aprendemos a exprimi-los, coisas estranhas começam a acontecer. Baixa o nível de estresse, pois passamos a nos expressar honestamente. Percebemos que valemos alguma coisa. Aprendemos que expressar sentimentos verdadeiros é algo saudável para a comunicação e vemos que muitos de nossos anseios vão se resolvendo. À medida que começamos a liberar sentimentos penosos, começamos a sofrer, todavia, de forma saudável, o que dá lugar também a sentimentos de paz, alegria e tranquilidade. Quanto mais vontade tivermos de aceitar os riscos da liberação das emoções, mais eficaz será a recuperação.

À medida que expressamos sentimentos, começamos a:

• Sentir liberdade para chorar.
• Sentir emoções que não tínhamos sentido por muito tempo, possivelmente nunca.
• Desenvolver intimidade.
• Conhecer nosso verdadeiro "eu".
• Descobrir a alegria (e o desafio) de amizades verdadeiras.

4. Dê exemplos objetivos de como deverá ser quando você se conscientizar de seus sentimentos e puder expressá-los.

5. Indique o que você espera conseguir à medida que for se sentindo mais à vontade para expressar sentimentos.

6. Para refletir: João 12.17; Romanos 8.23,26; 2Coríntios 2.4; Efésios 4.15,25-27.

15. Baixa autoestima

A deficiência na autoestima está geralmente enraizada em nossa infância, quando não fomos adequadamente encorajados a acreditar que tínhamos valor. Em virtude de sermos alvo de uma crítica constante, passamos a acreditar que éramos realmente "maus" e a causa de todos os problemas da família. Para que nos sentíssemos aceitos, a todo momento tentávamos agradar. Porém, quanto mais tentávamos, mais frustrados ficávamos. A falta de autoestima afeta a capacidade de estabelecer e alcançar objetivos. Temos medo de nos arriscar. Sentimo-nos responsáveis quando as coisas dão errado e, quando tudo vai bem, não nos damos crédito. Ao contrário, achamos que esse sucesso não vai durar.

Para mais detalhes sobre as lutas com a autoimagem (identidade), leia o Capítulo 7 de *Introdução à restauração da alma*. A autoavaliação no começo desse capítulo lhe permitirá avaliar a seriedade de seus problemas relativos à autoimagem.

Com falta de autoestima, podemos:

• Temer o fracasso.	• Sentir-nos inadequados.
• Temer a rejeição.	• Isolar-nos dos outros.
• Ter autoimagem negativa.	• Sentir necessidade de ser perfeitos.

1. Dê exemplos de seu comportamento que indiquem falta de autoestima.

2. Explique as causas básicas, as raízes de sua falta de autoestima.

3. Identifique os resultados negativos de sua falta de autoestima.

Recuperando-se da baixa autoestima

A auto-estima melhora sempre que entendemos corretamente a visão de Deus para conosco, descobrindo nossa verdadeira identidade. Passamos a conviver melhor com os outros, a nos aceitar como realmente somos, a enxergar nossos pontos fortes e limitações; aprendemos a nos aceitar como indivíduos. Já não temos correr riscos. Vemos que é possível conseguir coisas que jamais sonhamos ter antes. Partilhar com os outros nossos sentimentos torna-se mais confortável. Sentimo-nos mais seguros à medida que conhecemos melhor as pessoas, permitindo que também elas nos conheçam. Os relacionamentos se tornam mais saudáveis, pois estamos mais confiantes e nos valorizamos mais; não precisamos tanto da aprovação dos outros.

À medida que a autoestima aumenta, começamos a:

• Agir mais positivamente.	• Ficar mais confiantes.
• Amar a nós mesmos.	• Relacionar-nos melhor com os outros.
• Arriscar-nos mais.	• Expressar sentimentos abertamente.

4. Dê exemplos que mostrem como será quando sua autoestima estiver melhorando.
5. Descreva o que você espera alcançar à medida que sua autoestima melhorar.
6. Para refletir: 1Coríntios 15.10; 2Coríntios 5.16-18,21;6.1; Filipenses 4.11-13.

16. Perfeccionismo

Como filhos de lares disfuncionais, respondemos a nosso ambiente imprevisível e, às vezes, destrutivo procurando estabelecer uma atmosfera na qual tudo estivesse sob controle. Procuramos organizar e manter tudo no lugar. Tornamo-nos "crianças-modelo" ou "pequenos adultos" para ser aceitos e evitar críticas; mas, principalmente, agimos assim para nos aceitar, descobrindo áreas em que sobressaímos e para as quais nos entregamos. Nós nos tornamos compulsivos com relação às demandas e às exigências. E, ao estender essa atitude exigente a outros, ficamos críticos.

Cedo perdemos a habilidade de brincar, de gostar das coisas espontâneas e de ter a alegria simples de uma criança. Ser criança não nos interessava tanto quanto ser um pequeno adulto, pois nossa autoestima dependia da qualidade de nosso trabalho. Evitávamos as áreas nas quais não podíamos sobressair, com medo de fazer coisas novas, que não estariam sob controle e não teríamos habilidade de fazer bem. Para nós, o fato de ser aceito significa não errar, e isso é de importância vital. A possibilidade de nos sentir bem depende disso.

Quando somos perfeccionistas, em geral:

- Levamos a vida a sério demais.
- Agimos com rigidez.
- Orgulhamo-nos de coisas externas.
- Somos muito exigentes.
- Somos legalistas.
- Temos dificuldade em descansar.
- Não atingimos as próprias expectativas.
- Somos tensos e ansiosos.
- Sentimos falsa culpa.

1. Dê exemplos de sua tendência para o perfeccionismo.
2. Explique as causas básicas, as raízes de seu perfeccionismo.
3. Descreva os resultados negativos de seu perfeccionismo.

Recuperando-se do perfeccionismo

Quando melhoramos, começamos a nos aceitar, ainda que nosso trabalho não seja de alta qualidade. Continuamos com a habilidade de fazer as coisas com excelência, mas a autoaceitação e a satisfação própria não vêm disso. Nossa satisfação começa a ter base dentro de nós, em vez de depender do que fazemos. Somos organizados, mas não presos a isso, podendo valorizar a espontaneidade, a criatividade, as brincadeiras e a bagunça que, às vezes, acompanha a vida e contribui para ela. Confiamos que Deus está no controle e aprendemos a relaxar e a descansar. Aceitamos nossa própria humanidade e limitações e, da mesma forma, passamos a aceitar essas características nas outras pessoas.

À proporção que deixamos de ser perfeccionistas, começamos a:

• Encorajar, mais do que exigir.	• Ser mais flexíveis.
• Aceitar nossas limitações.	• Desfrutar mais a vida.
• Diminuir nossas expectativas.	• Aceitar os outros.
• Aprender a descansar e relaxar.	• Desfrutar mais a vida.
• Confiar mais.	• Valorizar a formosura interior, mais do que formas exteriores.

4. Dê exemplos que indiquem como será quando você deixar de ser perfeccionista.

5. Identifique o que você espera conseguir à medida que deixar de ser dominado pelo perfeccionismo.

6. Para refletir: Mateus 18.1-4;19.13-15; João 15.15; Gálatas 3.2-5; 1Pedro 5.7.

17. Ativismo

O ativista é compulsivo; não consegue parar de trabalhar. Seu ativismo é um tipo de vício doentio bem mais difícil de quebrar, pois traz a aprovação de outros, especialmente de chefes no trabalho e do pastor na igreja. Algumas vezes, o ativista está procurando ganhar essa aprovação, não conseguindo dizer "não" porque ele é escravo da opinião dos outros, procurando satisfazer a todas as pessoas o tempo todo. Isso o leva a compromissos exagerados, mais do que ele é capaz de realizar.

Com frequência, o ativista encontra satisfação e autoaceitação em sua habilidade de render. A identidade e o valor dele dependem da produção. Muitas vezes, também, ele não se preocupa tanto em ser produtivo, mas simplesmente em ficar ativo para não ter que parar e encarar o terrível vazio, ou a grande dor, que existe em sua vida. Evitando reflexão, meditação, silêncio e quietude, ele consegue esconder-se de si mesmo. Um excelente recurso para aprender a superar o ativismo é observar as orientações do livro *O poder curador da graça*, de David Seamands.[2]

Quando somos ativistas, podemos:

- Exigir o mesmo dos outros.
- Não reconhecer nossos limites.
- Não conseguir descansar ou relaxar.
- Negligenciar e abusar de nossas famílias.
- Sentir culpa quando procuramos descansar.
- Oferecer-nos constantemente para mais algum trabalho.
- Valorizar as pessoas segundo a atividade e a produtividade delas.
- Assumir responsabilidade pelos outros.
- Ficar estressados e irritados, tensos e ansiosos.
- Não saber como dizer "não".

1. Dê exemplos de sua tendência para o ativismo.
2. Explique as causas básicas, as raízes de seu ativismo.
3. Descreva os resultados negativos de seu ativismo.

[2] São Paulo, Vida.

Recuperando-se do ativismo

Quando começamos a melhorar, passamos a ter prazer nas coisas pequenas como nunca tivemos. Passamos a desfrutar também as coisas maiores, tais como sentar na presença de Deus, ouvi-lo e conhecer seu coração, além de fazer o mesmo com nosso cônjuge e filhos. De igual importância, começamos a ouvir a nós mesmos, a entender e conhecer nosso próprio coração. Pararmos de ser ativistas nos libera de estar presos ao estilo de Marta, para então entrar no estilo de Maria (Lc 10.38-42).

Aprendemos a desfrutar as férias, os feriados e o tempo especial nos fins de semana com a família. Não estamos presos ao trabalho e à produção nem aos desejos de outros. Aprendemos a dizer "não" sem sentir culpa. A mudança de estilo de vida é tão grande, que normalmente requer bastante ajuda de um *discipulador* ou de um grupo de apoio. Pode requerer mudança de emprego, caso este exija extrema dedicação e horas extras, ao que nos sentimos presos.

À medida que deixamos de ser ativistas, começamos a:

• Aceitar mais os outros como são.
• Dizer "não" sem sentir culpa.
• Redescobrir Deus e o prazer nele.
• Reconhecer nossos limites.
• Cuidar e desfrutar de nossa família.
• Descansar e não nos culpar por isso.

4. Dê exemplos que indiquem como será quando você se libertar do vício do ativismo.

5. Descreva o que você espera conseguir à medida que se libertar do ativismo.
6. Para refletir: xodo 20.8-11; Isaías 30.15; Mateus 11.28-30; Hebreus 3.18-4.11.

18. Sexualidade reprimida

Não sentimos alegria, prazer e liberdade com nossa sexualidade, em nossa feminilidade ou masculinidade. Uma mãe dominadora, um pai passivo ou ausente, qualquer um deles pode ter nos deixado confusos quanto à sexualidade saudável. Fomos treinados a pensar que a atração sexual é algo anormal ou contrário às leis naturais da vida, um assunto do qual não se fala. Por causa desse tipo de perspectiva, não compartilhamos nossos sentimentos com os outros nem nos damos a oportunidade de criar uma atitude saudável em relação à própria sexualidade. Sentimos confusão e insegurança quanto a sentimentos sexuais, sobretudo em relação às pessoas com quem desejamos estar emocionalmente íntimos.

Alguns de nós, quando crianças, foram severamente repreendidos por causa de interesse pelo sexo. A mensagem que nos passaram foi: "Sexo é sujo, não é assunto de conversa; precisa ser evitado". Alguns de nós enxergam os pais como pessoas com aversão ao sexo ou totalmente assexuadas. Talvez tenhamos sido perturbados ou sofrido abusos sexuais de alguém da família, ou alguém que estávamos namorando. Em decorrência disso, nos sentimos desconfortáveis ou com aversão ao sexo. Não discutimos o assunto abertamente com nossos parceiros, por medo de sermos mal interpretados e até abandonados. Quando nos tornamos pais, evitamos conversar com nossos filhos sobre sexualidade e fechamos os olhos para a necessidade deles de desenvolver a própria identidade sexual.

Por causa da sexualidade reprimida, podemos:

- Sentir-nos culpados e envergonhados.
- Não sentir liberdade sexual com nosso cônjuge.
- Sentir-nos confusos sobre nossa própria identidade sexual.
- Sentir-nos sujos.
- Ser vítimas de incesto ou abuso sexual.
- Tornar-nos frios ou impotentes.

1. Dê exemplos de comportamentos e sentimentos que lhe indiquem problemas em relação à sua sexualidade.
2. Explique as causas, as raízes dessa confusão sobre sua sexualidade.
3. Identifique os resultados negativos de sua sexualidade reprimida e em quais áreas você se sente incapaz, preso ou escravizado.

Recuperando-se da sexualidade reprimida
Quando começamos a sentir que somos amados por Deus e pelas pessoas, percebendo também que somos importantes aos olhos dele e dos que nos cercam, nossa autoestima cresce. Por consequência, crescemos na aceitação e na habilidade de desfrutar nossa feminilidade e/ou masculinidade. Cuidando de nós mesmos e com autorrespeito, procuramos conviver com pessoas saudáveis que nos amam e respeitam. Passamos a ter menos medo de compromisso e a desenvolver relacionamentos emocional, social e sexualmente saudáveis. Sentimo-nos mais seguros em compartilhar nossos sentimentos, pontos fortes e fracos. A confiança cresce, e isso nos permite ser mais vulneráveis. Paramos de exigir a perfeição de nós mesmos e de outros, e isso nos torna abertos para crescer e mudar. Também nos tornamos honestos perante nossos filhos em relação à nossa própria sexualidade. Aceitamos a necessidade deles de informação correta, assim como a busca saudável de sua própria identidade sexual.

Quando aceitamos nossa própria sexualidade, começamos a:

• Gostar de nós mesmos.
• Poder desenvolver intimidade saudável com o sexo oposto.
• Falar abertamente sobre sexo.
• Aceitar e desfrutar nossa identidade sexual.
• Descobrir e aprofundar o prazer sexual, se formos casados.
• Amar a Deus e a nosso futuro cônjuge o suficiente para esperar (sexualmente) o casamento, se formos solteiros.

4. Dê exemplos de como será sua sexualidade quando estiver tornando-se saudável.

5. Identifique o que você pretende alcançar à medida que se sentir mais confiante em sua sexualidade.

6. Para refletir: Gênesis 1.27; 2.18,24-25; Provérbios 5.15-19; Cantares de Salomão.

19. Vício sexual ou sexualidade pervertida

Não conseguimos controlar nossos pensamentos e, às vezes, nossas atitudes e ações. A impureza nos domina. Sentimos-nos muito mal, abandonamos a impureza por um período, mas depois voltamos a ela. Repetidamente, a raiz disso está no abuso sexual sofrido quando criança ou adolescente, causando um despertar sexual antes do tempo. Algumas vezes, pelo menos um de nossos pais foi adúltero ou pervertido, e fomos criados nesse ambiente. Outras vezes, a promiscuidade antes do casamento continua depois. No pior dos casos, nossas atividades sexuais podem ser uma expressão de violência ou raiva, ora contra nós mesmos, ora contra o sexo oposto, ora contra alguém mais fraco, como uma criança. Podemos ser levados por tendências homossexuais, que podem ter raízes na sexualidade reprimida descrita anteriormente.

Por causa do vício sexual ou da sexualidade pervertida, podemos:

- Perder o senso do que é ou não moral.
- Sentir-nos confusos sobre a própria identidade sexual.
- Sentir-nos sujos.
- Sentir uma lascívia fora de controle.
- Ser vítimas de incesto ou abuso sexual.
- Manipular os outros ou nos vingar deles pela sedução.
- Sentir desejo de abandonar nosso cônjuge (para seu bem), a igreja, ou até de nos matar.

1. Dê exemplos de comportamentos seus que indiquem perversões ou vícios sexuais.
2. Explique as causas, as raízes de seus problemas sexuais.
3. Identifique os resultados negativos desses problemas sexuais.

Recuperando-se do vício sexual e da sexualidade pervertida
Quando começamos a ser curados das raízes de nossa perversão, Deus nos libera da escravidão sexual. Fomos atados emocional e espiritualmente a outras pessoas quando nos tornamos uma carne com elas. Visualize duas folhas de papel coladas uma à outra. Para separá-las, parte de uma ficará grudada na outra, e vice-versa. O mesmo acontece, de forma emocional e espiritual, com o ato sexual. Como parte da cura, em oração com a equipe de restauração ou nosso pastor, precisamos devolver para cada parceiro sexual ilegítimo as partes dele que ficaram em nós e pegar de volta as partes nossas que ficaram nele. Tal transação espiritual nos libera dessas pessoas. Precisamos andar na luz e prestar contas das tentações e vitórias (ou a falta delas) a alguém de nossa confiança, semanalmente, durante o ano seguinte. Devemos manter isso com alguma frequência pelo resto da vida.

Quando nos recuperamos da sexualidade pervertida, começamos a:

- Sentir liberdade e poder espiritual.
- Prestar contas nessa área com regularidade.
- Andar com humildade, conhecendo nossa fraqueza.
- Andar na luz e ser íntegros, em vez de gastar muita energia mantendo uma vida dupla.
- Desfrutar de nosso cônjuge de forma mais profunda.

4. Dê exemplos de como você estará quando superar a perversão e o vício sexual.

5. Identifique o que você pretende alcançar à medida que se libertar da perversão e do vício sexual.

6. Para refletir: Provérbios 5; Romanos 1.18-32; 1Coríntios 6.9-11, 15-20.

20. Rejeição

Trata-se de uma "megárea": a rejeição está na base de muitas das outras áreas abordadas até aqui, podendo até estar relacionada com a maioria delas.

Muitos de nós experimentam profunda rejeição em momentos formativos da vida. Se a personalidade for passiva, acabam não gostando de si mesmos, sofrendo de complexo de inferioridade, achando que são pessoas más, não apenas pessoas que fazem coisas más. Se a personalidade for ativa (forte), rejeitam quem está ao redor com facilidade, dificilmente encontrando pessoas de fato confiáveis. Achamos que, sob qualquer aparência boa, na verdade elas são pessoas más que levarão vantagem sobre nós, se não tomarmos cuidado. Tanto a personalidade passiva como a ativa tendem a manter uma distância emocional das pessoas, a não se abrir e, por consequência, ter relacionamentos superficiais ou rasos. A pessoa apresenta visão pessimista da vida; a taça está sempre meio vazia, nunca meio cheia. Ela pode sentir profunda angústia por não poder escapar do sentimento de rejeição, ou se endurecer para não ter que sentir a dor.

Quando sofremos de rejeição, podemos:

- Ficar distantes das pessoas; ter dificuldade nos relacionamentos.
- Temer a rejeição.
- Falar alto ou gritar; ou o oposto, ficar sem voz verdadeira.
- Viver como vítimas.
- Pensar só em nós mesmos; ser profundamente egocêntricos.
- Sofrer de complexo de inferioridade ou de superioridade.
- Levar vantagem ou sentir que os outros fazem isso conosco.
- Ter dificuldade em confiar nas pessoas.

1. Dê exemplos que mostram que você sofre de uma raiz de rejeição.

2. Olhando para o passado, identifique e explique as causas básicas dessa rejeição, possivelmente identificando pessoas-chave ou momentos críticos de profunda rejeição.

3. Identifique os resultados negativos de sentir-se rejeitado. Pode exercer impacto sobre a autoestima, os objetivos de vida, a segurança, as relações pessoais e sexuais etc.

Recuperando-se do sentimento de rejeição
À medida que nos sentimos aceitos e amados, começamos a realmente viver. O tom de nossa vida muda de preto para azul. Começamos a confiar em Deus, em nós mesmos e em outras pessoas. Nasce esperança... Descobrimos que a vida é boa e que podemos nos arriscar em nos abrir, em expressar nosso coração e em experimentar alegria. Amizades

saudáveis se desenvolvem, e aprendemos a curtir a vida. Saímos da solidão para a riqueza de amar e ser amado. Paramos de ser o centro de nosso universo, vivendo no amor de Deus e, por essa razão, amando a outros como nós somos amados.

À medida que nos sentimos aceitos e amados, começamos a:

• Saber ouvir e elogiar os outros.	• Aceitar-nos cada vez mais.
• Ter postura de humildade e simplicidade.	• Ser gratos.
• Confiar nos outros.	• Ter consideração por outras pessoas.
• Estar dispostos e com bom humor.	• Ser prestativos e atenciosos.

4. Faça uma lista de exemplos específicos de seu comportamento que mostrem como você será ao se sentir mais aceito e amado.

5. Identifique objetivos que você imagina atingir à medida que se sentir mais amado e aceito.

6. Para refletir: Romanos 8.35-39; 1Coríntios 15.10; Efésios 3.14-21.

21. Outra área

Especifique o problema e descreva-o. Indique possíveis sintomas desse problema:

1. Dê exemplos que indiquem sua escravidão nessa área.
2. Explique as causas básicas, as raízes de sua escravidão nessa área.
3. Identifique os resultados negativos de sua escravidão em tal área.

Recuperando dessa área de escravidão

Descreva como alguém em processo de recuperação agiria. Indique sinais de saúde nessa área:

4. Dê exemplos de como você será quando superar esse problema.
5. O que você pretende alcançar à medida que for superando esse problema?
6. Para refletir: busque três passagens bíblicas que tratam desse assunto.

A seguir, está a proposta de agenda para o retiro. A equipe de restauração deve procurar dicas para este retiro no site www.mapi-sepal.org.br (*link* Rever). *Se quiserem aumentar o tempo do retiro, começando na noite anterior com um tempo recreativo, será uma oportunidade de aprofundar a comunhão.*

	Retiro do quarto passo	
	sábado	domingo
08:00	• Café da manhã	• Café da manhã
08:30	• Louvor e devocional (Sl 139.23-24)	• Louvor e devocional (Gl 6.1-5)
09:30	• Palestra sobre mecanismos de defesa	• Trabalho individual na segunda área escolhida
10:30	• Coffee-break	• Coffee-break
11:00	• Grupo de apoio (repassando os itens 5–14)	• Grupos de trabalho (segunda área
13:00	• Almoço	• Almoço
15:00	• Trabalho individual na primeira área escolhida	• Saída
16:00	• Coffee-break	
16:30	• Grupo de trabalho (primeira área)	
18:30	• Jantar	
19:30	• Brincadeira ou filme	
23:00	• Silêncio	

Quinto passo:

Honestidade

Admitimos perante Deus,
perante nós mesmos
e perante outro ser humano
a natureza exata de nossas falhas.

Portanto, confessem os seus pecados
uns aos outros e orem uns pelos
outros para serem curados.
Tiago 5.16

Assinale o passo em que você mais sentiu dificuldade até o momento:

☐ 1. O primeiro — *Humildade e quebrantamento*: admitimos que éramos impotentes perante o dano causado por nossa separação de Deus e tínhamos perdido o domínio sobre nossa vida.

☐ 2. O segundo — *Fé e esperança*: viemos a acreditar que um poder superior a nós mesmos poderia devolver-nos a sanidade.

☐ 3. O terceiro — *Entrega*: decidimos entregar nossa vontade e nossa vida aos cuidados de Deus, na forma em que o concebíamos.

☐ 4. O quarto — *Autoavaliação*: fizemos minuciosa e destemida auto-avaliação moral de nós mesmos.

Gostaria que você memorizasse cada passo. Faça um repasse, agora, e saiba se consegue dizer de cor os primeiros quatro passos.

Creio que já passamos pelos passos mais difíceis. O quinto passo, que eu chamo de *passo da honestidade*, é uma extensão da autoavaliação do quarto passo. Se você foi honesto e sério na autoavaliação, terá o alicerce para construir uma nova vida. Algumas pessoas possivelmente responderam de forma superficial ou não estão prontas para fazer uma autoavaliação destemida de alguma área problemática. Neste passo, pediremos a Deus a graça para sermos honestos, e talvez tenhamos que refazer alguma área do quarto passo, se houver necessidade. Depois da sessão introdutória desta semana, haverá mais três encontros com os seguintes temas: sendo honestos 1. Com Deus, 2. Com nós mesmos e 3. Com mais uma pessoa.

Em primeiro lugar, começamos a ser honestos com Deus. Em certo sentido, isso não é difícil, já que ele nos conhece totalmente, mesmo quando procuramos nos esconder. Um dos elementos dessa honestidade é reconhecer que Deus não é o culpado de nossos problemas. Pode ser que tenhamos nos escondido, de alguma forma, da realidade de nossos problemas, culpando a Deus por eles. Deixar essa barreira cair abre a porta para experimentarmos o amor e a aceitação de Deus, o que é fundamental para nossa cura e restauração.

Em segundo lugar, passamos a ser honestos com nós mesmos. Isso já começou no quarto passo, e neste desenvolvemos o desejo e a força para abandonar nossos erros e falsidade. Essa honestidade não é fácil. Muitos de nós foram criados em famílias disfuncionais, o que os torna especialistas em se esconder e em colocar máscaras. Às vezes, nem sabem o que é uma máscara e quem são verdadeiramente! Usam tantas máscaras por tanto tempo, que conhecer o verdadeiro "eu" é difícil.

Lembro-me de uma mulher linda, que chamarei de Maristela. Era uma líder maravilhosa da mocidade, exemplo para todos e apaixonada pelas coisas de Deus. Chegou o dia de seu casamento. Na noite de núpcias, o marido descobriu que ela era muito diferente do que ele pensava. Ela não queria ter relações sexuais, falou que doía demais e ficou chorando a noite toda enquanto ele dormia. Isso foi o início de um ano e meio de agonia para os dois. Os médicos constataram que ela não tinha problema físico nenhum. Ambos se tornaram mais e mais isolados, machucados, deprimidos e desesperados. Com o casamento quase desfeito, os dois foram ministrados. Descobrimos que ela havia sofrido abuso sexual e, por isso, estava traumatizada. Depois que Deus ministrou a restauração para Maristela, chamamos o marido dela. Quando ele entrou na sala, ela correu e se jogou no pescoço dele, dizendo: "Eu te amo, eu te amo, eu te amo!". Ele ficou surpreso, descobrindo pela segunda vez que a mulher que ele amava era totalmente diferente da que conhecera!

Satanás é o mestre do engano e o pai da mentira. Desde o jardim do Éden, em Gênesis, até o final de Apocalipse, desde a tentação de Jesus até os ataques sobre nós, o engano e a mentira são suas ferramentas principais. Ele mantém muitas pessoas longe de Deus e muitos filhos de Deus longe da vida abundante, distorcendo um pouquinho (ou muito!) a verdade. Por exemplo, ele nos engana, usando:

- O sexo para distorcer o amor.
- O prazer para distorcer a alegria.
- A religião para distorcer a fé.
- O relativismo e a falsa culpa para distorcer a verdadeira culpa.
- As expectativas humanas para distorcer a esperança.
- O autoritarismo para distorcer a disciplina saudável.
- O abandono das regras para distorcer a verdadeira liberdade.
- As meias verdades para distorcer a verdade.

O poder de Satanás, incluindo a aflição demoníaca, enfraquece quando falamos e vivemos a verdade e quando acreditamos nela. Neil Anderson esclarece isso de forma maravilhosa em seu livro *Quebrando correntes: como vencer a guerra espiritual*.[1]

Os enganos mais poderosos de Satanás são os que parecem cheios de bondade e autossacrifício. Por exemplo, muitos foram enganados pela codependência: viver em função de outra pessoa dependente ou doentia. Essas pessoas ganham sentido de valor e significado ao cuidarem de outra pessoa. Elas a protegem, dão cobertura às suas falhas, não permitem que ela sofra as consequências naturais de sua vida doentia. Enfim, providenciam as condições para que a pessoa emocionalmente doente ou viciada continue na própria escravidão. Tal engano é sutil, pois pode mascarar-se de amor, serviço e sacrifício.

---

[1] São Paulo, Mundo Cristão, 2001.

De forma parecida, podemos ser facilmente enganados pelo ativismo, principalmente o ativismo religioso! Nós fugimos da dor de saber que nosso relacionamento com Deus, conosco, com nosso cônjuge e com nossos filhos é superficial; então nos escondemos atrás do serviço, da dedicação, da produtividade e das boas obras. Nossa inabilidade de desenvolver relacionamentos profundos, saudáveis e íntimos fica ocultada atrás da correria e da religiosidade.

Outras máscaras podem até ganhar elogios para nós, tornando-as difíceis de abandonar (cf. a descrição de cada uma delas no quarto passo). Algumas delas: pessoas boazinhas que sempre ganham a aprovação de outros com facilidade e com retornos positivos; super-responsáveis; líderes fortes que dominam facilmente outras pessoas, produzindo resultados; e perfeccionistas, que fazem tudo com excelência. Às vezes, Deus permite que as atividades que mais valorizamos sejam interrompidas por algum tempo (por desemprego, doença, morte, partida ou traição de alguém muito amado etc.) para que desse modo nos conheçamos melhor.

Em terceiro lugar, começamos a ser honestos com mais uma pessoa. Compartilhar nossa história com outra pessoa pode ser traumático. Aprendemos a nos isolar, não confiar, não nos expor, nos proteger, nunca deixar outros saberem de nossos verdadeiros medos e fraquezas. Como vamos nos abrir agora? O quinto passo é a saída de nosso isolamento e nossa solidão. Ele nos leva na direção de sermos sãos, alegres e tranquilos. Pede, mais uma vez, que nos humilhemos e sejamos totalmente honestos. Não podemos nos esconder mais; é hora de nos revelar completamente.

O *Serenity New Testament*[2] ressalta cinco tipos de erros que devemos compartilhar:

---

[2] Nashville: Thomas Nelson, p. 45-46.

1. Reconhecer nossos vícios e nossas atitudes dependentes (o que procuramos fazer no quarto passo, sobretudo no teste de autoanálise).
2. Reconhecer o que estava errado em nossa família de origem e nos levou a ter uma lacuna de amor, significado e aceitação.
3. Reconhecer os erros na família de nossos pais e avós que acabaram influenciando no ambiente de nosso lar. Precisamos entender para ter compaixão da família em que nossos pais foram criados.
4. Reconhecer os erros que aconteceram nos relacionamentos mais significativos de nossa vida.
5. Reconhecer as formas específicas pelas quais nós machucamos as pessoas, por meio dos erros que surgiram com nossos vícios ou nossas atitudes dependentes e compulsivas.

Precisamos escolher com cuidado a pessoa com quem vamos compartilhar. Deve ser alguém que ouvirá com compaixão e compreensão, não condenando ou julgando. Normalmente, não deve ser nosso cônjuge ou alguém de nossa família, porque essa pessoa está pessoalmente envolvida com os eventos de nosso passado. O ideal é que seja alguém do grupo de apoio. Outras opções incluem o pastor, alguém da equipe de restauração, um psicólogo; ou então se abrir de forma escrita, passando isso para a equipe de restauração.

Se você está sentindo certo desespero quanto ao rumo de sua vida, escreva um relatório de traumas e feridas, tentando lembrar desde sua infância até os tempos atuais. Isso será útil como passo preparatório para receber uma ministração de restauração. Se sentir dificuldade, não desanime. O relatório já é um passo para a restauração, pois permite que você ponha para fora muita coisa que estava presa dentro de você. Se tiver dificuldade em escrever, conte sua história para alguém da equipe de restauração ou de seu grupo de apoio, para que essa pessoa escreva enquanto você fala.

O *Serenity New Testament*[3] destaca quatro resultados positivos de compartilhar com alguém no quinto passo:

1. Nossa vergonha diminui ao confessarmos nossos problemas. A confissão é um passo indispensável no processo de cura e restauração.

2. Podemos compartilhar nosso "luto", desabafando a raiva, o ressentimento, os medos que têm nos mantido presos e não permitem que vivamos com liberdade e alegria.

3. Tomamos mais um passo em direção à honestidade. Possivelmente, a maior barreira para a cura e restauração é a inabilidade para sermos honestos. Agora, possivelmente pela primeira vez, abriremos para outra pessoa nossas feridas e nossos segredos mais profundos e terríveis.

4. Vícios, feridas e pecados nos isolam de outras pessoas e de Deus. Ao compartilhá-los, quebramos as barreiras que construímos.

A prática do quinto passo é o fim de nossa solidão.

Reflexão pessoal

1. Descreva sua experiência ao fazer as autoavaliações do quarto passo.

2. Escreva uma oração a Deus com base no quinto passo.

3. Ao reler o quinto passo, anote a palavra ou frase que mais lhe chama a atenção e explique por quê.

4. A. No quinto passo, tomamos uma decisão importante. Se você ainda não compartilhou a história de sua vida com alguém nem escreveu um relatório de traumas e feridas para a equipe de restauração, pode ser que, pela primeira vez, esteja tomando

---

[3] Idem, p. 46-47.

esse passo. Se você já compartilhou dessa forma com alguém, indique o nome dessa(s) pessoa(s).
B. Se ainda não compartilhou dessa forma, anote o nome de alguém com quem você se sentiria mais à vontade para abrir-se e explique por que escolheu tal pessoa.
C. Veja no item 17, mais adiante, dicas para compartilhar sua história. Marque um encontro com a pessoa que você escolheu, numa data conveniente dentro das próximas três semanas. Considere seriamente marcar este encontro logo, pois não conseguirá completar este passo sem fazê-lo.

5. Quais são suas expectativas e seus medos com relação ao quinto passo?

6. Descreva as bases e os recursos de que você dispõe agora para passar ao quinto passo, os quais não tinha anteriormente.

No encontro, terminem orando juntos, com base no que foi compartilhado.

✖

> **Antes de começar o estudo seguinte, releia o Apêndice 3.**

7. O estudo desta semana trabalhará o tema da honestidade com Deus. Começaremos com uma palavra de sabedoria de Provérbios.

> Quem procura esconder seus pecados (*podemos acrescentar: e seus problemas*) será sempre um fracasso. Quem confessa e abandona seus pecados será perdoado. Quem vive diariamente obedecendo ao Senhor será muito feliz; quem prefere fazer sua própria vontade viverá cercado de problemas. [O que endurece seu coração cairá no mal (RA)] (Pv 28.13-14, BV).

A. Qual sua tendência: esconder de Deus os pecados e os problemas ou confessar a ele e abandoná-los? Por quê?

B. Por que esconder de Deus nossos pecados e nossos problemas nos leva ao fracasso?

C. O quinto passo é responsável por abrir-nos o coração fechado, confiando na compreensão de Deus. Que barreiras em você o impedem de confessar tudo a ele?

8. Abaixo, citamos uma parte da história do filho pródigo. Se você não conhece a história, seria bom lê-la, em Lucas 15.11-32.

> Quando ele (o filho pródigo) voltou ao seu juízo, disse consigo mesmo: "Lá em casa até os empregados têm comida de sobra, e aqui estou eu, morrendo de fome! Eu vou para casa, junto do meu pai, e lhe direi: 'Pai, eu pequei, tanto contra o céu como contra o senhor. E já não mereço ser chamado seu filho. Por favor, quero ser seu empregado'".
>
> Então ele voltou para casa, para junto de seu pai. E quando ainda estava a uma grande distância, o pai viu que ele vinha, e ficou cheio de compaixão e de alegria! Correu, abraçou e beijou o filho.
>
> Lucas 15.17-20, BV

A. Em sua opinião, qual era a distância entre você e Deus no início do curso? E agora?

B. Ao confessar seus pecados, o filho pródigo teve de admitir quão errado foi. Dê um exemplo de quando você confessou seus pecados ou erros para alguém.

C. Como você sente que o Pai responderá à sua confissão? A resposta se assemelhará à do pai na passagem acima?

9. Na passagem a seguir, *circule* as frases que lhe suscitem medo e *sublinhe* as que o consolam e o encorajam a se abrir com Deus.

> Pois a palavra de Deus é viva e eficaz, e mais afiada do que qualquer espada de dois gumes; ela penetra até o ponto de dividir alma e espírito, juntas e medulas, e julga os pensamentos e intenções do coração. [Corta

rápido e profundo em nossos pensamentos e desejos mais íntimos em todos os detalhes, mostrando-nos como somos na realidade. (BV)] [Ela vai até o lugar mais fundo da alma e do espírito, vai até o íntimo de cada pessoa e julga os desejos e pensamentos dos corações humanos. (BLH)] Nada, em toda a criação, está oculto aos olhos de Deus. Tudo está descoberto e exposto diante dos olhos daquele a quem havemos de prestar contas. Portanto, visto que temos um grande sumo sacerdote que adentrou os céus, Jesus, o Filho de Deus, apeguemo-nos com toda a firmeza à fé que professamos, pois não temos um sumo sacerdote que não possa compadecer-se das nossas fraquezas, mas sim alguém que, como nós, passou por todo tipo de tentação, porém, sem pecado. Assim, aproximemo-nos do trono da graça com toda a confiança, a fim de recebermos misericórdia e encontrarmos graça que nos ajude no momento da necessidade.

Hebreus 4.12-16

   A. Volte aos itens ou às frases em que você colocou um círculo. Anote como cada um deles, em vez de ser motivo de medo, pode ser motivo de agradecimento.

   B. Saber que Jesus se compadece de suas fraquezas encoraja você?

10. O quinto passo é para seu próprio benefício. Deus já o conhece. Você está começando um processo para entrar em uma vida de humildade, honestidade e coragem. O resultado é liberdade, alegria e tranquilidade.

   A. Faça o seguinte:
- Separe aproximadamente uma hora para estar com Deus.
- Coloque-se de joelhos ou, se preferir, imagine que Deus esteja sentado numa cadeira diante de você.
- Comece com uma oração como esta: "Senhor, entendo que tu já me conheces completamente. Estou pronto agora para

me abrir e humildemente revelar a ti meus comportamentos que machucam, meu egocentrismo e meus defeitos. Sou grato a ti pelos dons e pelas habilidades que me fizeram chegar até aqui. Tira meu medo de ser conhecido e rejeitado. Coloco-me em tuas mãos para que cuides de mim".

- Fale em voz alta, sincera e honestamente, compartilhando o entendimento que você ganhou na autoavaliação, no quarto passo. Esteja consciente de que emoções fortes podem surgir como parte natural do processo poderoso de limpeza espiritual que está acontecendo.
- Mantenha o equilíbrio. Lembre que cada área de sua vida se expressa em pontos fortes e pontos fracos. Confesse a Deus (em voz alta) as características que você destacou em sua autoavaliação no quarto passo.

B. Terminado seu encontro com Deus, escreva o que você sente.

No encontro do grupo de apoio, terminem orando uns pelos outros.

✖

Nesta semana, o enfoque é *sermos honestos com nós mesmos*.

11. Infelizmente, é muito fácil mentir para nós mesmos. Sublinhe as mentiras e os enganos que se destacam na passagem seguinte.

Esta é a mensagem que Deus nos deu para transmiti-la a vocês: que Deus é Luz e que nele não há escuridão nenhuma. Portanto, se dissermos que somos amigos dele e continuarmos a viver na escuridão espiritual e no pecado, estamos mentindo. Mas se estivermos vivendo na luz da presença de Deus, tal como Cristo, então temos alegria e uma comunhão maravilhosa uns com os outros, e o sangue de Jesus, seu

Filho, nos purifica de todo pecado. Se dissermos que não temos pecado [podemos acrescentar: e problemas], só estamos nos enganando a nós mesmos, e recusando aceitar a verdade. Mas se confessarmos os nossos pecados a Ele, podemos confiar que Ele nos perdoa e nos purifica de todo erro. E é perfeitamente correto Deus fazer isto por nós porque Cristo morreu para levar os nossos pecados. Se alegarmos que não pecamos, estamos mentindo e chamando Deus de mentiroso, pois Ele diz que nós pecamos.

1João 1.5-10, BV

A. Cite o custo de enganar-nos.

B. Anote as mentiras ou os enganos específicos nos quais você facilmente acredita.

C. Releia, no quarto passo, a lista de mecanismos de defesa que contribuem para o autoengano. Cada vez que vir alguma ligação com você, anote-a. Se houver mais algum engano ou alguma mentira para acrescentar à lista do item acima, escreva-o também.

12. "As armas com as quais lutamos não são humanas; ao contrário, são poderosas em Deus para destruir fortalezas. Destruímos argumentos e toda pretensão que se levanta contra o conhecimento de Deus, e levamos cativo todo pensamento, para torná-lo obediente a Cristo" (2Co 10.4-5).

A. Faça uma lista de todas as armas que você tem usado na luta contra seus problemas.

B. Volte à lista do item acima e circule as armas que são "poderosas em Deus para destruir fortalezas".

C. Quando deixamos feridas ou pecados em nossa vida, abre-se uma brecha para Satanás. Com o passar do tempo, ele transforma essa brecha em fortaleza: uma área de nossa vida sobre a qual nós mesmos não sentimos que temos mais controle. Faça uma lista das fortalezas em sua vida.

D. As mentiras e os enganos que você alistou no item 11-B precisam ser destruídos, cada pensamento sendo levado cativo em obediência a Cristo. Como você poderá fazer isso?

13. Quando você fez a autoavaliação referente ao quarto passo, isso o ajudou a fortalecer sua própria consciência, o que, por sua vez, é um passo indispensável na direção do amor-próprio. Ela o prepara para o quinto passo e para a confissão, em que você transforma esse conhecimento em crescente autoaceitação.

A. O exercício seguinte vai ajudá-lo a completar o quinto passo.

- Sente-se numa cadeira e imagine uma pessoa sentada diante de você. Se preferir, pode sentar-se na frente de um espelho que lhe permita ver enquanto você fala.
- Fale em voz alta. Dê tempo para você ouvir o que está dizendo e anotar qualquer nova compreensão que surgir.
- Repasse os itens de sua autoavaliação do quarto passo, comentando com você mesmo as barreiras que o têm impedido de superar essas áreas, o porquê de haver se enganado ou acreditado em mentiras.
- Reconheça sua coragem em prosseguir até aqui. Este processo permite que você descarregue a bagagem emocional que o tem prejudicado. Sua autoimagem negativa está mudando.

Faça esse exercício agora.

B. Ao término do exercício, escreva o que você está sentindo.

No grupo, terminem o encontro orando uns pelos outros.

✖

Este último encontro sobre o quinto passo diz respeito a abrir-se e compartilhar a natureza de suas falhas, ao menos, *com uma pessoa*.

O estudo bíblico será limitado a quatro textos, dando mais tempo para você se encontrar com alguém e lhe contar a história de sua vida.

14. Comecemos com o conselho em Tiago 5.16, BV:

"Confessem suas faltas [seus pecados (NVI)] uns aos outros e orem uns pelos outros, a fim de que vocês possam ser curados. A oração fervorosa de um homem justo tem grande poder e resultados maravilhosos."

A. Indique as barreiras que você sente que o impedem de abrir-se com alguém.

B. Marque (se ainda não marcou) a data e o horário de seu encontro para compartilhar suas falhas com outra pessoa. Deixe isso anotado.

C. A oração pode ajudá-lo no processo da restauração? Diga como.

D. Tiago diz que o ministério de oração por parte das pessoas certas traz cura. Se você ainda não recebeu uma ministração de restauração, o que o está impedindo?

15. "Muitos dos que creram vinham, e confessavam e declaravam abertamente [em público (BLH)] suas más obras" (At 19.18).

A. Este versículo se refere à conversão de gregos em Éfeso que se envolveram no ocultismo. Acabaram queimando seus livros e artigos. É mais fácil um novo convertido confessar e declarar abertamente suas más obras do que um crente antigo? Por quê?

B. Qual o fator que leva alguém a se abrir em público, a confessar suas más obras?

C. Esse fator está funcionando em sua vida? Explique.

16. "Portanto, visto que temos tal esperança, mostramos muita confiança. Não somos como Moisés, que colocava um véu sobre a face para que os israelitas não contemplassem o resplendor que

se desvanecia. Na verdade a mente deles se fechou, pois até hoje o mesmo véu permanece quando é lida a antiga aliança. Não foi retirado, porque é somente em Cristo que ele é removido. De fato, até o dia de hoje, quando Moisés é lido, um véu cobre os seus corações. Mas quando alguém se converte ao Senhor, o véu é retirado. Ora, o Senhor é o Espírito e, onde está o Espírito do Senhor, ali há liberdade. E todos nós, que com a face descoberta contemplamos a glória do Senhor, segundo a sua imagem estamos sendo transformados com glória cada vez maior, a qual vem do Senhor, que é o Espírito" (2Co 3.12-18).

   A. Substituindo a palavra "véu" por máscara, o que impressiona você nessa passagem?

   B. Segundo esse texto, quais as desvantagens de manter o véu (a máscara)?

   C. Quais os fatores que dão confiança para tirar o véu (a máscara)?

17. O ouvinte ideal para você compartilhar, no quinto passo, deve ser alguém que conheça os Doze Passos, tenha experiência como conselheiro ou esteja participando dos grupos de apoio com você. Geralmente, será uma pessoa do mesmo sexo, e não um membro de sua família. As seguintes sugestões podem ajudá-lo nesse exercício:

- Comece em oração, pedindo que Deus esteja presente, fortalecendo-o e guiando-o.
- Separe várias horas e não se sinta pressionado para correr ou falar rápido.
- Evite distrações, como telefonemas, crianças, visitas e barulho.
- Compartilhe os resultados de seu trabalho no quarto passo.
- Lembre-se de que o quinto passo pede apenas que você admita a natureza de suas falhas. Você não precisa analisar ou explicar

essas falhas, tampouco as mudanças que você pretende fazer. Você não está procurando conselho nem orientação.

- Seu ouvinte deve ser paciente, comunicando-lhe de alguma forma o amor e a aceitação de Deus.
- Seu ouvinte deve procurar ajudar você a comunicar claramente seus pensamentos, fazendo boas perguntas, inclusive esclarecendo a diferença entre culpa falsa e culpa verdadeira. (Veja essa seção no quarto passo.)
- Quando terminar de compartilhar, os dois podem expressar os sentimentos, em oração, agradecendo a Deus seu amor e esse amor expresso na outra pessoa. Orem também por qualquer sentimento de culpa ainda não resolvido diante de Deus, pedindo a plena ação de graça em sua vida.
- O ouvinte deve manter sigilo, com uma exceção: se houver algum problema pesado demais para vocês carregarem sozinhos, compartilhe com outro membro da equipe de restauração. Tanto um quanto o outro devem sentir liberdade para procurar ajuda, se necessário.

A. Faça este exercício na data e na hora marcadas!

B. No final do encontro, escreva o que você sentiu.

18. "Assim, cada um de nós prestará contas de si mesmo a Deus" (Rm 14.12).

A prestação de contas a Deus diariamente e no juízo final será tremendamente mais fácil, se prestarmos contas a alguém aqui e agora.

A. Quase todos nós temos áreas da vida que há muito tempo queremos mudar, contudo, enquanto isso ficar só em nossas mãos, não conseguiremos estabelecer novos hábitos ou padrões de vida. Precisamos de alguém para entrar no barco conosco e a quem poderemos prestar contas. Cite as áreas de sua vida que dificilmente se endireitarão se não houver alguém a quem você preste contas.

B. No Apêndice 4, encontra-se uma lista de dez perguntas que podem ser compartilhadas semanalmente em seu grupo de apoio. Coloque um visto na frente das perguntas que, para você, o ajudariam se fossem feitas regularmente.

Nos próximos encontros do grupo de apoio, ou neste mesmo, separe a primeira meia hora para compartilhar em duplas essas dez perguntas. Se houver um número ímpar no grupo, pode ser formado um trio. Por causa da limitação de tempo, cada um deve escolher apenas as perguntas mais importantes para ele; se houver tempo de sobra, a dupla pode continuar com as outras perguntas.

19. O quinto passo diz: "Admitimos perante Deus, perante nós mesmos e perante outro ser humano a natureza exata de nossas falhas". Escolha uma resposta:

1. Não estou pronto para fazer isso.
2. Concordo, mas com muitas reservas.
3. Concordo, mas com algumas reservas.
4. Concordo plenamente e o farei nos próximos dias.
5. Concordo plenamente e já o fiz.
6. Concordo plenamente e estou pronto para o sexto passo.

Sexto passo:

Oferecendo-se a Deus

Prontificamo-nos inteiramente
a deixar que Deus removesse
todos esses defeitos de caráter.

Humilhem-se diante do Senhor,
e ele os exaltará.
TIAGO 4.10

Completados os primeiros cinco passos, muita gente pensa que pode parar. Mas a verdade é que ainda há muita coisa pela frente, e os melhores resultados ainda estão por vir. No primeiro e no segundo passos, reconhecemos nossa impotência e passamos a acreditar em um poder maior que nós mesmos. No terceiro passo, entregamos nossa vida e nossos desejos aos cuidados de Deus. No quarto e quinto passos, criamos uma atmosfera propícia para nossa conscientização e para a humildade, para a admissão de nossos erros a Deus, a nós mesmos e aos outros. Ao construir esses fundamentos para a recuperação, podemos criar a ilusão falsa de que tudo está bem e os passos que faltam não são tão relevantes assim. Se acreditarmos nisso, acabaremos minando o crescimento espiritual que experimentamos até aqui.

Uma vez que passamos pelo rigor do quarto passo e o desafio do quinto passo, qualquer etapa seguinte vai parecer fácil. Se fomos honestos sobre a natureza de nossas falhas no quinto passo, o sexto passo é uma extensão lógica e também maravilhosa deste processo. É óbvio que gostaríamos que ele tirasse esses defeitos, não é?

Existe um porém: esses defeitos são parte integral de nós. Se Deus os tirar, nunca seremos os mesmos. O "eu" que conheço, com o qual estou acostumado, não existirá mais. Para ser honesto, não sabemos quem seremos se deixarmos Deus tirar nossos defeitos. Quando os defeitos são profundos e grandes, uma vez sem eles, podemos até temer a perda de nossa personalidade.

Existe outro problema. A maioria de nossos defeitos tem nos servido de alguma forma. Dependemos deles, caso contrário, já os teríamos abandonado muito tempo atrás. Se Deus os tirar, perderemos algumas características nas quais nos apoiamos até aqui. Será uma nova vivência. E, se o medo estiver enraizado em nossa vida, teremos medo de novos começos. A vida velha, mesmo com muitos defeitos, pelo menos é a vida que conhecemos bem, sem novidades nem surpresas. O fato de precisarmos aprender novas formas de nos relacionar e nos comunicar traz insegurança. O grupo de apoio é a chave para que nos arrisquemos a desenvolver novas maneiras de estabelecer relações.

Para alguns de nós, estar no controle tem sido uma defesa muito importante para a sobrevivência. Prontificando-nos para que Deus tire nossos defeitos, arriscamo-nos muito. Não estaremos mais no controle. Se Deus estiver no controle, só ele saberá para onde nos levar! Na teoria, é maravilhoso ter Deus no controle. Na realidade, porém, esse controle pode ser muito assustador, sobretudo se não experimentamos isso de forma plena até aqui. Defesas como sempre agradar a todos, se forem tiradas, vão nos deixar "nus". Ficamos preocupados a respeito de como as pessoas vão nos tratar se começarmos a exprimir nossas opiniões e nossos desejos. Muitos perguntarão: "Não será mais fácil ficar como estamos?".

Mais uma pergunta surge a essa altura: estamos dispostos a deixar Deus tirar nossos vícios menores? Possivelmente, somos forçados pelas circunstâncias a pedir que ele tire de nós um vício ou um comportamento compulsivo e destrutivo. Mas estamos dispostos a deixar que ele tire *todos* os nossos defeitos? Será que não podemos negociar com ele para que tire os que mais nos perturbam, mas nos deixe com alguns vícios "de estimação"?

Na verdade, em geral estamos cegos perante alguns de nossos defeitos. Os grandes são óbvios, mas os secundários podem surgir com força na lacuna deixada pelos maiores. E é possível que nem mesmo os reconheçamos. Precisamos pedir a ajuda de outras pessoas que nos conhecem bem, para indicar áreas que não enxergamos. Para que isso valha a pena, precisamos nos prontificar verdadeiramente a deixar que Deus remova *todos* os nossos defeitos.

Precisamos avaliar os padrões que se repetem em nossos relacionamentos, procurando identificar defeitos de caráter. Por exemplo, será que em todos os nossos relacionamentos íntimos e importantes somos o parceiro passivo e subordinado? Esse padrão indica um defeito de caráter, assim como o outro extremo, de sempre ser agressivo ou dominante.

Outra área que devemos examinar refere-se à nossa habilidade de respeitar os outros e assegurar que eles nos respeitem. Você tem dificuldades de respeitar os outros, exercendo facilmente domínio, manipulação ou controle sobre eles? Ou, ao contrário, você tem dificuldade de dizer "não", sempre deixando os outros fazer o que querem com você, justificando-se como "servo" ou alguém cujo "amor" suporta tudo? Deixa as pessoas invadir demais sua vida? Ou, em vez disso, você as mantém a distância, não permitindo que ganhem acesso a seu coração?

Precisamos ser específicos para identificar os defeitos que desejamos mudar, como também o tipo de mudanças que esperamos. A restauração não funciona da mesma forma para todo mundo. Alguns têm que entregar sua raiva a Deus e aprender que não precisam ser dominados por ela. Outros precisam aprender a expressar raiva e emoções parecidas, porque nunca conseguiram fazê-lo! Jamais se deram permissão para sentir, muito menos expressar, alguns desses sentimentos. Como uma receita na farmácia, o tratamento será diferente para cada pessoa.

Em geral, os defeitos exprimem falta de equilíbrio na procura de satisfazer nossas necessidades fundamentais. Por exemplo, sexualidade e ambição não são negativas, a não ser que levem a extremos ou à codependência. Se estivermos viciados no sexo, no ativismo ou no trabalho, teremos de mudar nosso comportamento. Mas nossas orações não devem ser do tipo: "Senhor, tire meu desejo sexual" ou "Ajude-me a abandonar minha ambição". Em vez disso, podemos orar: "Deus, ajude-me a me expressar sexualmente de forma saudável" ou "Canalize minha ambição para que eu desenvolva melhor minha vida pessoal, e não só meu trabalho".

Essas mudanças são o resultado de um esforço mútuo: Deus nos oferece a direção e o poder; nós comparecemos com a vontade, a fé e a obediência. Principalmente, precisamos deixar Deus comandar a jornada. Ele nunca nos impõe sua presença. Precisamos convidá-lo a entrar em nossa vida, encorajados pela certeza de que ele nunca nos deixará ou nos abandonará, nem abusará de nós.

O sexto passo se assemelha ao segundo passo. Ambos requerem que tomemos um passo de fé, entregando nossa vida a Deus para que ele trate de nós. No segundo passo, procuramos restaurar a sanidade, crendo em um poder maior que nós mesmos. No sexto passo, estamos procurando uma total prontidão para permitir que Deus remova os defeitos de nosso caráter. O sexto passo aprofunda e torna mais específica a fé do segundo passo. O fato de que "viemos a crer" fortalece a capacidade de estarmos "inteiramente prontos".

Este processo não acontece de uma vez, especialmente porque demoramos muitos anos para desenvolver padrões de comportamento errados. Eles não desaparecerão da noite para o dia. Temos que ser pacientes enquanto Deus nos endireita. O processo, em certo sentido, leva a vida toda. O sexto passo é o começo desse novo estilo de vida. Uma ministração de restauração pode tirar as raízes que nos têm dominado, mas a constância desse processo exige avaliação contínua, uma busca constante do equilíbrio e mudanças ao longo do tempo. Só assim chegaremos a uma expressão saudável das necessidades básicas com as quais Deus nos criou.

Reflexão pessoal

1. Identifique seus sentimentos ao terminar o quinto passo. Você se sente mais próximo de Deus e de seus companheiros?

2. Escreva uma oração a Deus com base no sexto passo.

3. Anote a palavra ou frase que mais lhe chama a atenção na leitura do sexto passo. Explique por quê.

4. A. No quarto e no quinto passos, identificamos de várias formas nossos defeitos de caráter. Volte agora às listas que você fez nesses capítulos e faça um resumo dos defeitos que você gostaria que Deus removesse. No quarto passo, temos uma lista geral de áreas de problemas emocionais; e, no quinto passo, listas de mentiras e enganos nos quais facilmente acreditamos, mecanismos de defesa que usamos, fortalezas que controlam partes de nossa vida e áreas difíceis de corrigir sem a ajuda de alguém. Reveja essas listas e faça um resumo dos defeitos que você gostaria que Deus lhe tirasse.

B. Coloque um visto na frente das três áreas prioritárias do item acima que você mais gostaria que Deus removesse.

O grupo pode optar por se dividir em duplas e concluir o encontro compartilhando e orando com base nas dez perguntas do Apêndice 4.

★

> Antes de dar sequência ao estudo, releia as dicas no Apêndice 3.

5. Refletiremos em algumas passagens que falam de nosso coração. Na primeira, o profeta Samuel está procurando um novo rei e fica impressionado com Eliabe.

> Mas o Deus Eterno disse: "Não se impressione com a aparência nem com a altura deste homem. Eu o rejeitei porque não julgo como as pessoas julgam. Elas olham para a aparência, mas eu vejo o coração" [Eu examino os pensamentos e as intenções do homem (BV)] (1Sm 16.7, BLH).

A. Como as pessoas o veem?

B. O que Deus vê quando olha para seu coração?

6. Você diz: "Estou rico, adquiri riquezas e não preciso de nada". Não reconhece, porém, que é miserável, digno de compaixão, pobre, cego, e que está nu. Dou-lhe este conselho: "Compre de mim ouro refinado no fogo, e você se tornará rico; compre roupas brancas e vista-se para cobrir a sua vergonhosa nudez; e compre colírio para ungir os seus olhos e poder enxergar" (Ap 3.17-18).

   A. Você se identifica mais com a primeira ou a última parte do versículo 17 ("Você diz: [...] está nu"). Por quê?

   B. Explique, com suas palavras, a importância de cada uma das três medidas que Deus aconselha no versículo 18: ouro puro, veste branca, remédio para os olhos.

   C. Qual das três é mais importante para você hoje? Por quê?

7. "Ó Deus, examina-me e conhece o meu coração; prova-me e conhece os meus pensamentos. Vê se há em mim alguma falsidade e guia-me pelo caminho eterno" (Sl 139.23,24, BLH).

   Faça essa oração seriamente, ouvindo atentamente a Deus. Depois, anote o que você sentiu ou ouviu.

8. "Plantem as boas sementes da justiça e colherão o meu amor. Passem arado no chão duro de seus corações. Porque chegou o dia de procurar o Senhor, para que ele venha e derrame a [chuva da (BLH)] salvação sobre vocês" (Os 10.12, BV).

   A. O que você está plantando?

   B. O que está colhendo?

   C. Descreva o chão de seu coração e o que você está fazendo para que ele esteja pronto para Deus fazer o que quiser.

9. "E temos certeza disto: que ele nos ouvirá todas as vezes que lhe pedirmos alguma coisa que esteja de acordo com a sua vontade. E se nós realmente sabemos que ele está ouvindo quando falamos com ele e fazemos os nossos pedidos, então podemos ter certeza de que ele nos responderá" (1Jo 5.14-15, BV).

   A. É vontade de Deus remover seus defeitos? Como você sabe?

   B. Se é vontade de Deus remover seus defeitos, segundo esses versículos, o que falta para ele fazer isso?

   C. Você confia que Deus removerá seus defeitos, se você assim pedir? Explique sua resposta.

10. "Ouçam! Estou escutando alguém gritar, 'Preparem um caminho para o Senhor através da terra vazia; preparem para ele um caminho reto e plano no deserto. Aterrem os vales, nivelem os morros; endireitem os caminhos tortos e deixem perfeitamente planos os lugares por onde ele passar. A glória do Senhor será vista por todos os homens. Foi ele mesmo quem prometeu isso!'" (Is 40.3-5,BV).

    A. Quais os passos para você preparar o caminho que deixará o Senhor à vontade em sua vida?

    B. O que você precisa aterrar, nivelar ou endireitar para que a glória do Senhor seja vista claramente em sua vida?

11. "Portanto, estejam com a mente preparada, prontos para agir; estejam alertas [vigilantes (BLH)] e coloquem toda a esperança na graça que lhes será dada quando Jesus Cristo for revelado. Como filhos obedientes, não se deixem amoldar pelos maus desejos de outrora, quando viviam na ignorância. Mas, assim como é santo aquele que os chamou, sejam santos vocês também em tudo o que fizerem, pois está escrito: 'Sejam santos, porque eu sou santo'" (1Pe 1.13-16).

Às vezes, achamos que a santidade é uma forma de viver muito piedosa e anormal. Mas ser santo quer dizer ter uma personalidade totalmente integrada e sã. Você vê a santidade de Deus mais como uma bênção, um desafio ou uma ameaça? Por quê?

12. Sublinhe, na passagem seguinte, as frases que descrevam ações difíceis para você.

> Portanto, submetam-se humildemente a Deus. Resistam ao diabo e ele fugirá de vocês. E quando vocês se achegarem a Deus, ele se achegará a vocês. Lavem as mãos, pecadores, e permitam que os seus corações se encham somente com Deus, a fim de torná-los puros e fiéis a ele [e vocês, que têm a mente dividida, purifiquem o coração (NVI)]. Haja lágrimas pelas coisas erradas que vocês fizeram. Haja arrependimento e aflição sincera. Haja tristeza em vez de riso, e desgosto em vez de alegria. E então, quando vocês sentirem a sua indignidade diante do Senhor, ele levantará, animará e ajudará vocês.
>
> Tiago 4.7-10, BV

Por que precisamos aprender a ser humildes antes que Deus possa remover nossos defeitos?

13. "No amor não há medo; ao contrário o perfeito amor expulsa o medo, porque o medo supõe castigo. Aquele que tem medo não está aperfeiçoado no amor" (1Jo 4.18).

   A. Quando pensa em se prontificar a Deus para que ele tire seus defeitos, você sente algum medo? Por quê?

   B. Somos parecidos com pessoas emocionalmente enfermas, que precisam de "cirurgia" para serem restauradas a uma vida sã. Ainda que nossa condição atual doa, temos medo de deixar o Grande Médico fazer a cirurgia de que tanto precisamos porque, ainda que doam, são dores conhecidas. Qual a chave para você superar esse medo?

14. "Alguns traziam crianças a Jesus para que ele tocasse nelas, mas os discípulos os repreendiam. Quando Jesus viu isso, ficou indignado e lhes disse: 'Deixem vir a mim as crianças, não as impeçam; pois o Reino de Deus pertence aos que são semelhantes a elas. Digo-lhes a verdade: Quem não receber o Reino de Deus como uma criança, nunca entrará nele'. Em seguida, tomou as crianças nos braços, impôs-lhes as mãos e as abençoou" (Mc 10.13-16).

   A. Leia todas as instruções abaixo, depois feche os olhos e procure segui-las. Vá devagar, deixando cada passo tornar-se muito real. Feche os olhos e imagine-se criança de novo, sentada no colo de Jesus.
   - Como você se sente no colo dele?
   - Visualize-se olhando para o rosto dele. O que você vê?
   - Imagine que ele pergunta se você lhe permite tirar seus defeitos.
   - Como você responde a esse pedido?

   B. Escreva o que você sentiu nessa experiência.

15. O sexto passo diz: "Prontificamo-nos inteiramente a deixar que Deus removesse todos esses defeitos de caráter". Escolha:

   1. Não estou pronto para isso.
   2. Concordo, mas com muitas reservas.
   3. Concordo, mas com algumas reservas.
   4. Concordo plenamente e estou pronto.
   5. Concordo plenamente e estou pronto para o sétimo passo.

Uma palavra de encorajamento
Parabéns! Você terminou o primeiro tempo do jogo (do primeiro ao sexto passos) e não desistiu. Não foi expulso por ter recebido cartão

vermelho; não se machucou de forma que não pudesse continuar; não se cansou tanto que viesse a perder coragem; não se desanimou a ponto de ter pulado fora. Algumas pessoas desistiram no caminho, mas você ainda está no time, disposto a fazer sua parte para que todos nós, nos grupos de apoio, conquistemos a vitória. Suas alegrias são compartilhadas, como também suas dores e seus sofrimentos (cf. 1Co 12.12-27). Sem dúvida, você está feliz em ver os companheiros continuarem fiéis, da mesma forma que eles celebram sua perseverança.

Imaginando nosso esforço nos grupos de apoio como um jogo de futebol, podemos considerar que chegamos ao intervalo. Cumprimos seis dos Doze Passos e agora, no intervalo, os treinadores do time (este autor e a equipe que lidera o trabalho com vocês) queremos dar-lhe uma palavra de encorajamento.

Em primeiro lugar, reconhecemos que o outro time é muito forte. Seus treinadores (o mundo, a carne e o diabo) são poderosos e experientes. Eles ganharam muitas partidas. Por isso o jogo não é nada fácil! Às vezes o outro time joga muito sujo, e nós somos tentados a responder da mesma forma. Não é à toa que a maioria está cansada, machucada e já pensou várias vezes em desistir. Contra um time tão forte, temos chance?

Sim! Sabe por quê? Porque nosso Capitão nunca perdeu um campeonato. O time dele, às vezes, perde um jogo, mas o Capitão tem uma longa história de dar uma reviravolta e tirar a vitória da boca da derrota. Ele fez isso na cruz, nas perseguições contra a igreja através dos séculos e continua fazendo o mesmo conosco hoje.

O Capitão nunca perdeu um campeonato, mas tem perdido jogadores. Queremos lhe dar os parabéns por permanecer no jogo. Não desista! Quem desiste acaba perdendo o que investiu na disputa até aqui. Você investiu muito para chegar até o final do sexto passo. É mais importante o modo pelo qual terminamos do que a forma pela qual começamos.

Muitos grandes jogadores não terminaram bem, seja no mundo do esporte, da política, da música, dos negócios, seja entre os jogadores do campeonato espiritual. Reflita rapidamente nestes que não terminaram bem:

- Adão e Eva: criados sem pecado, mas optaram por pecar e trouxeram a maldição e a morte ao mundo.
- Isaque: filho da promessa de Deus a Abraão, mas na velhice perdeu o filho Jacó pelo engano e pela fúria de seu outro filho, Esaú.
- Jacó: patriarca que conheceu a Deus pessoalmente, mas viveu a velhice à sombra de filhos enganadores e traiçoeiros, que lhe diziam que o filho mais amado, José, estava morto.
- Moisés: libertador do povo de Israel, mas por sua desobediência e impaciência não pôde entrar na terra prometida.
- Sansão: juiz, ungido de Deus desde o nascimento, mas escravizado pela formosura de mulheres pagãs; cego, morreu no desabamento do casarão em que estava preso.
- Eli: sumo sacerdote, perdeu os filhos e a vida dele por não saber criá-los.
- Samuel: sumo sacerdote, mas por não saber criar seus filhos o povo de Israel procurou um rei humano em vez de confiar em Deus como seu Rei.
- Saul: perdeu seu reino, a sanidade e a vida.
- Davi: teve na família incesto e homicídio e sofreu a rebelião de seu filho Absalão, que tirou o reino e o humilhou mantendo relações sexuais com suas concubinas em público.
- Salomão: passou da sabedoria para o desespero expresso em Eclesiastes; entregou-se aos deuses das muitas esposas.
- Urias: um dos poucos bons reis de Judá; tornou-se orgulhoso e passou os últimos anos da vida leproso, excluído da família, do templo e de todo relacionamento íntimo.

Não importa tanto como começamos, mas como terminamos. Numa corrida, ninguém ganha apenas por começar bem; ganha por terminar bem. No primeiro tempo do jogo (do primeiro ao sexto passos), você talvez tenha passado por momentos difíceis ou cometido algumas falhas. Mas vamos recuperar o fôlego e entrar na segunda etapa para valer. Vamos continuar até o fim, porque sabemos, fundamentados nos seguintes textos, que, se não desistirmos, nosso Capitão nos dará a vitória.

> "[...] a tribulação produz *perseverança*; a *perseverança*, um caráter aprovado; e o caráter aprovado, esperança. E a esperança não nos decepciona [...]" (Rm 5.3-5; grifo do autor)

> "[...] livremo-nos de tudo que nos atrapalha e do pecado que nos envolve, e corramos com *perseverança* a corrida que nos é proposta, tendo os olhos fitos em Jesus [...]" (Hb 12.1-2; grifo do autor)

> "Meus irmãos, considerem motivo de grande alegria o fato de passarem por diversas provações, pois vocês sabem que a prova da sua fé produz *perseverança*. E a *perseverança* deve ter ação completa, a fim de que vocês sejam maduros e íntegros, sem lhes faltar coisa alguma" (Tg 1.2-4; grifo do autor)

> "Se você amar alguém, será leal para com ele, *custe o que custar*. Sempre acreditará nele, *sempre* esperará o melhor dele, e *sempre* se manterá em sua defesa" (1Co 13.7, BV; grifo do autor).

> "Mas aquele que *perseverar* até o fim será salvo" (Mt 24.13; grifo do autor).

Esse último versículo pode ser aplicado com um sentido especial para os grupos de apoio. Aquele que perseverar até o fim do décimo segundo passo será abençoado, desfrutando a restauração que vem através dos passos, deixando de ser alguém fraco que precisa de ministração para transformar-se em um ministrador e encorajador de outras pessoas. Uma das características de filhos adultos de famílias disfuncionais é não completar o que começou. Você quer quebrar o poder dessa característica em sua vida? Minha oração é que você faça isso, continuando até o fim destes passos, tornando seus princípios um novo estilo de vida. *Você fez muito bem em chegar até aqui; agora persevere!*

Minha segunda palavra de encorajamento se refere a um dos fatores que mais podem desmotivá-lo e levá-lo a desistir: conflitos. Quase toda pessoa que precisa de restauração e participa dos grupos de apoio tem dificuldade em resolver conflitos. Além disso, estamos em fase de confrontar nossas fraquezas e formas disfuncionais (doentias) de nos relacionar. Em vez de evitarmos os conflitos por meio de atitudes erradas (fugindo, explodindo etc.), estamos confrontando-os. O resultado? Talvez deparemos com mais conflitos do que o normal e, por consequência disso, podemos nos desgastar emocionalmente. Prevendo que os conflitos nos levarão a querer desistir, precisamos procurar apoio no Senhor e em outras pessoas, a fim de superá-los. Entre os que podem nos atingir, estão os conflitos:

- Interiores, dentro de nós mesmos.
- Com membros de nosso grupo de apoio.
- Com a equipe de cura interior.
- Com outros membros da igreja (especialmente sérios, se forem com líderes da igreja ou o pastor).
- Com o cônjuge ou com outras pessoas de nossa convivência.

Os conflitos interiores podem ser muito difíceis de expressar, principalmente se temos o hábito de não compartilhar os sentimentos. Às vezes, experimentamos um redemoinho de sentimentos. Nesse caso, expressá-los de forma escrita nos permite ser mais objetivos. Nossa confusão interna diminui quando os sentimentos e as ideias começam a esclarecer-se no papel. Precisamos ter pelo menos um amigo com quem possamos abrir o jogo, podendo ser um membro do grupo de apoio. Os grupos que funcionam melhor são os que têm esse tipo de comunicação e envolvimento durante a semana, e não somente no encontro do grupo.

Alguns conflitos vão surgir nos grupos de apoio. Precisamos entender isso como necessário e saudável. As pessoas geralmente responderão aos conflitos exatamente como responderam ao longo da sua vida. Algumas, por causa do hábito de recuar, muitas vezes desistem do grupo ou até da igreja. Outras têm o costume de explodir, sair do encontro e depois se acalmar, ignorando que houve um problema e supondo que todos os demais fizeram o mesmo. Algumas pessoas, inclusive, não se expressam na hora, mas a pessoa atingida faz comentários maldosos a respeito da outra. Seja qual for o jeito de reagirem ao problema, as pessoas geralmente adotam os mesmos procedimentos no casamento, no trabalho, no esporte e assim por diante. Conflitos nos grupos são uma espécie de laboratório por meio do qual nos entendemos melhor e crescemos. Com poucas exceções, ninguém deve desistir ou mudar de grupo porque os está enfrentando.

Da mesma forma, o grupo deve entender que terá conflitos com a equipe de restauração. Em algum momento, descobrimos que os membros da equipe são humanos, têm limitações e falham. Precisamos exercer na equipe o mesmo amor que ela procura estender a nós, não permitindo que um desapontamento faça com que nos afastemos emocionalmente ou deixemos o grupo. Algumas pessoas são mais vulneráveis a isso: as que já trazem consigo uma história de amargura, as que têm a tendência de responder ao conflito por meio da fuga e as que idealizam os membros da equipe de tal modo que uma falha pessoal pode abalá-las.

Os membros da equipe amam os membros dos grupos de apoio, tanto que corrigem e chamam a atenção quando é necessário. Esse amor tem de ser recíproco. Não dá para simplesmente desistir quando os conflitos surgirem.

Os conflitos com outros membros da igreja podem ser trabalhados no grupo de apoio. Se envolverem líderes ou o pastor, e se você não quiser expor as falhas dessas pessoas para o grupo, procure a ajuda da equipe de restauração a fim de resolvê-los. Não deixe que eles se prolonguem! Se forem assuntos que demandam correção ou reconciliação, deixá-los mal resolvidos dará espaço para o Inimigo agir. Se no futuro surgirem problemas, você já estará desconfiado e se prevenirá contra a pessoa. Coisas pequenas podem parecer grandes e acabar gerando conflitos muito maiores do que deveriam.

Todos nós temos conflitos em casa para resolver. Haverá dias em que estaremos emocionalmente cansados, irritados, desgastados ou muito sensíveis, como decorrência do que Deus está fazendo em nossa vida. Os outros reagirão da forma disfuncional, em suas atitudes, que aprenderam conosco através dos anos. Nossas mudanças encontrarão resistências da parte da família toda. Por isso, ajuda muito quando nosso cônjuge ou outra pessoa da família também participa do grupo de apoio. Quando precisar de auxílio nos conflitos em casa, procure o conselho de seu grupo de apoio, e se isso não resolver, peça ajuda da equipe de restauração. Vale citar dois livros que podem ajudar no que se refere a tratar de membros da família que não desejam mudar: *O amor tem que ser firme: nova esperança para famílias em crise*, de James Dobson,[1] e *Limites*, de Cloud e Townsend.[2]

Em resumo: não deixe o sol descer sobre um conflito (paráfrase de Ef 4.26) para não acabar cedendo espaço ao diabo. Faça o possível para enfrentá-lo, em vez de deixá-lo crescer. Se o conflito não for resolvido, acabará sugando sua energia emocional e no futuro esses problemas, cada vez maiores, poderão levá-lo a desistir do casamento, da igreja ou do grupo de apoio. Faça o máximo de esforço para contornar a história

---

[1] São Paulo: Mundo Cristão, 1996.
[2] São Paulo: Vida, 1999.

de sua vida com a ajuda extra que Deus está providenciando, nesses meses, por intermédio do grupo de apoio e da equipe de restauração.

Por fim, a terceira palavra de encorajamento que quero dar-lhe é a de cultivar comunicação aberta e honesta com seu grupo de apoio. Esse grupo é seu laboratório para aprender a se comunicar de forma saudável, falando a verdade em amor e amando verdadeiramente. Quando falamos a verdade em amor, dizemos coisas que podem ser difíceis, mas que no íntimo sabemos que ajudarão o outro. Quando amamos verdadeiramente, a pessoa sente nosso coração de amor, vendo além de uma relação superficial, procurando o que é o melhor para ela, ainda que isso requeira palavras de confronto.

O exercício que se segue é uma oportunidade de falar a verdade em amor. Antes, usamos o intervalo de uma partida de futebol como exemplo do ponto em que estamos. Mudando a ilustração, podemos pensar que chegamos ao final do primeiro semestre, recebendo o boletim da escola. Em lugar de recebermos notas para cada matéria, as recebemos para diversas qualidades de saúde emocional e caráter cristão, utilizando a tabela da próxima página.

Coloque seu nome na primeira coluna e dê uma nota a si mesmo em cada uma das qualidades a seguir. Depois, registre o nome de seus companheiros do grupo de apoio e repita o exercício para cada um deles. No próximo encontro do grupo, todos podem compartilhar as notas que deram, procurando dizer a verdade de forma que edifique e ajude, expressando seu amor para com as outras pessoas. A escala vai de 0 a 10, podendo chegar a 12, se alguém se destacar além do esperado.

Podemos pensar que não devemos dar uma nota baixa para alguém, porque isso pode magoá-lo. Mas estamos aprendendo a enfrentar nossos problemas, para conseguir conquistá-los. Procure ser honesto e, na hora de compartilhar, se houver uma nota baixa, peça que Deus lhe dê sabedoria para saber compartilhar isso com amor.

	Nomes
Qualidades	
Apoia: encoraja os membros do grupo	
Fiel: não falta; leva as tarefas a sério	
Ensinável: recebe correção e sugestões	
Transparente: não se esconde	
Confronta em amor de forma apropriada	
Honesto consigo mesmo	
Comunica-se fora dos encontros formais	
Progredindo: as mudanças são visíveis	
NOTA GERAL (MÉDIA)	

O facilitador deve ser o primeiro a compartilhar, começando com a própria autoavaliação dele antes de os outros comentarem suas notas. Assim, quando a nota é parecida com a que a pessoa já indicou, não é preciso comentar. Se for bem mais alta ou mais baixa, uma explicação se faz necessária.

Se quiser, copie a tabela em seu caderno, mas dessa vez use-o para registrar as notas que as outras pessoas lhe atribuem.

Se o grupo se interessar, depois de todos compartilharem, baseados nas notas que cada um atribuir a si mesmo, alguém poderia tirar a média de cada item, a fim de verificar a força ou a fraqueza do grupo como um todo em cada uma das sete áreas.

Às vezes, um grupo conclui que houve superficialidade em algum passo, devendo por isso refazê-lo. Um grupo de minha igreja local, por exemplo, ajudado por um membro da equipe de restauração, chegou à conclusão de que não fizera o quarto passo como deveria. Eles voltaram para a autoavaliação e a preencheram uns para os outros, ajudando-se mutuamente a ser mais honestos quanto aos problemas que outras pessoas estavam vendo. Foi um exercício profundo, que acabou tornando o grupo tremendamente coeso, com nível de apoio muito além do que todos já haviam experimentado.

Neste momento em que foi cumprida a metade da "corrida", desejo que você se sinta vitorioso na batalha por haver chegado até aqui. E quero encorajá-lo a perseverar até o fim. Não se desanime com os conflitos, pois saiba que Deus os permite para seu bem, para ajudá-lo a crescer em sua habilidade de agir corretamente em meio a esses momentos difíceis. Continue crescendo no compromisso de falar a verdade em amor e de amar verdadeiramente.

Se nos próximos meses você for tentado a desistir, releia estas páginas. Volte também ao Prefácio, para rever os benefícios do grupo de apoio. Ao terminar os Doze Passos, Deus poderá usá-lo de uma forma que você jamais imaginou, liberando graça, poder, amor, fé e esperança para as pessoas de sua família, da igreja e aquelas que ainda não conhecem Nosso Senhor Jesus Cristo. Veremos o cumprimento da oração de Paulo, que também é minha oração em seu favor:

> [Oro] para que, estando arraigados e alicerçados em amor, vocês possam, juntamente com todos os santos, compreender a largura, o comprimento, a altura e a profundidade, e conhecer o amor de Cristo que excede todo conhecimento, para que vocês sejam cheios de toda a plenitude de Deus.
>
> Àquele que é capaz de fazer infinitamente mais do que tudo o que pedimos ou pensamos, de acordo com o seu poder que atua em nós, a

ele seja a glória na igreja e em Cristo Jesus, por todas as gerações, para todo o sempre! Amém!

Efésios 3.:17-21

Reflexão pessoal

1. Você pensa em desistir do grupo de apoio antes do término do curso? Quais os principais fatores que poderiam levar a isso?

2. Cite as pessoas de seu grupo que, para você, correm maior risco de desistir. Indique os fatores que as colocam em risco.

No grupo, compartilhem os itens acima e a avaliação de vocês. Se tiverem tempo, trabalhem com as Dez Perguntas do Apêndice 4. Terminem orando uns pelos outros, com base no que foi compartilhado.

Sétimo passo:

Cura, arrependimento e libertação

Humildemente rogamos a Deus
que nos livrasse de nossas imperfeições.

Se confessarmos os nossos pecados,
ele é fiel e justo para perdoar os nossos
pecados e nos purificar de toda injustiça.
1João 1.9

Finalmente chegamos ao passo do arrependimento e da libertação. Até aqui cada passo tem esclarecido nossos defeitos, nossas falhas e nossos problemas. Provavelmente, você está cansado de pensar nisso! Agora, chegamos ao passo que nos permite entregar esses defeitos para Deus; no oitavo passo, começaremos a construção de uma nova vida. Se você não experimentou mudanças sérias até aqui, espero que isso aconteça agora. Os passos anteriores foram preparatórios para este. Lembremos que até aqui:

1. Admitimos que éramos impotentes perante o dano causado por nossa separação de Deus e tínhamos perdido o domínio sobre nossa vida.
2. Viemos a acreditar que um poder superior a nós mesmos poderia devolver-nos a sanidade.
3. Decidimos entregar nossa vontade e nossa vida aos cuidados de Deus, na forma em que o concebíamos.
4. Fizemos minuciosa e destemida autoavaliação moral de nós mesmos.
5. Admitimos perante Deus, perante nós mesmos e perante outro ser humano a natureza exata de nossas falhas.
6. Prontificamo-nos inteiramente a deixar que Deus removesse todos esses defeitos de caráter.

(Você pode dizer esses passos de cor?)

Como vimos no final do sexto passo, quando pedimos que Deus faça algo que é a vontade dele, sabemos que ele o fará. No sétimo passo, humildemente rogamos a Deus que ele nos livre de nossas imperfeições. Essa é a vontade dele? Sim, é! Temos confiança então de que Deus fará algo maravilhoso a partir de agora.

Depois do encontro introdutório para conhecer por alto este passo, desenvolveremos três exercícios: 1. Liberar nossa dor; 2. Limpar nossa consciência e 3. Renunciar às atitudes erradas e aos espíritos malignos que podem estar ligados a essas atitudes. Se você não fez algo parecido até aqui, esses encontros têm a possibilidade de ser revolucionários. Se você os fizer com o coração aberto e sincero, grandes mudanças poderão ocorrer.

Já que este passo envolve muitas dinâmicas espirituais, o ideal é que seja feito no contexto de um retiro, parecido ao que fizemos para o quarto passo. O programa proposto para esse retiro encontra-se no final deste capítulo. (Líder, veja dicas para esse retiro no *site www.mapi-sepal.org.br, link* Rever). Se, após avaliar a proposta do retiro, a equipe achar melhor fazer o sétimo passo da forma tradicional, sem um retiro, siga as indicações abaixo. Assim, o passo levará quatro a cinco semanas.

No primeiro exercício, confrontaremos em espírito a pessoa que nos feriu e expressaremos a dor que ela nos causou. Isso nos libertará para fazer uma varredura espiritual, atingindo uma consciência limpa, sem apresentar máscaras, barreiras ou impedimento algum entre Deus e nós. No terceiro exercício da renúncia, nos posicionaremos de forma firme e completa ao lado de Deus e contra o reino de Satanás. Tiraremos os laços que nos prenderam, para corrermos com liberdade e alegria a corrida que Deus preparou para nós (Hb 12.1,2). Com a realização desses exercícios, no contexto do retiro, ganharemos apoio da parte da equipe de restauração.

Deixe-me introduzir os três encontros de modo um pouco mais detalhado. No livro *Introdução à restauração da alma*, defino a restauração como a da alma ferida por meio de:

1. Reconhecer nossas feridas, defesas e responsabilidades.
2. Experimentar Jesus levando sobre si essas feridas.
3. Receber o perdão e a libertação de Deus.
4. Transmitir o mesmo para os que nos machucaram e abusaram de nós.

Primeiro, reconhecemos três coisas: feridas, defesas e responsabilidades. Nos quarto, quinto e sextos passos, focamos nossas defesas e responsabilidades. Agora, vamos atender às nossas feridas e dores.

Geralmente, não adianta muito procurar perdoar a alguém se a dor dentro de nós ainda for gritante. A dor bloqueia o perdão. Precisamos dar expressão à dor que sentimos, entregando-a para Jesus. Quando experimentamos a compaixão e os ternos cuidados de Nosso Senhor, sarando nossas feridas, ficamos maravilhosamente livres para fazer a escolha de perdoar.

O segundo exercício deste passo, então, nos ajuda a ganhar uma consciência limpa através do perdão. Esse processo, na verdade, tem duas partes: pedir perdão pelo que temos feito e liberar perdão pelo que outros fizeram contra nós. Lewis Smedes[1] escreveu:

> *Duas ansiedades dominam a maior parte de nossa vida. Estamos ansiosos diante do passado que não podemos mudar*; desejamos recriar segmentos de nossas histórias particulares, mas estamos presos a eles. *Estamos ansiosos também diante de nosso futuro imprevisível;* almejamos controlar nosso destino, mas não conseguimos comandar tudo. Assim, estes dois anseios básicos são frustrados: não conseguimos mudar um passado doloroso nem controlar um futuro ameaçador.
>
> Deus oferece duas respostas às nossas ansiedades mais profundas. Ele é um Deus perdoador que reinterpreta nosso passado ao perdoá-lo. Ele é um Deus de promessas que gera nosso futuro ao cumprir sua

---

[1] *Christianity Today*, 7/1/1983; grifo do autor.

Palavra. *Perdoando-nos, ele transforma nosso passado. Cumprindo suas promessas, ele assegura nosso futuro.*

Pela graça de Deus participamos em seu poder de mudar o passado e controlar o futuro. Nós, também, podemos perdoar, e precisamos perdoar. Nós, também, podemos fazer promessas e cumpri-las. Na verdade, compartilhando esses dois poderes divinos, nos tornamos poderosamente humanos e maravilhosamente livres.

Nos relacionamentos humanos, sempre experimentaremos fricções cotidianas. Não precisamos fazer muito caso dos pequenos deslizes gerados pelas diferenças entre nossas personalidades e nossos estilos, sem nenhuma intenção de nos ofender ou ferir. Em muitas áreas, precisamos apenas de generosidade, graça e um bom senso de humor (cf. 1Pe 4.8).

O tipo de ferida que precisa de nossa atenção é profundo e viola nossa dignidade ou a dignidade do outro. Não podemos simplesmente procurar entender a pessoa. Ela fez algo errado, injusto, intolerável. Smedes indica dois tipos de feridas que precisam de perdão: deslealdade e traição. De alguma forma, a maioria das feridas que precisam de perdão se enquadra nessas duas categorias.

Deslealdade é quando alguém que deve nos proteger, amar, nutrir ou cuidar nos abandona. Mesmo sendo amigo, sócio ou membro de nossa família, trata-nos como desconhecidos. A ligação que tínhamos com ele é anulada e, de alguma forma, nós mesmos acabamos sendo anulados nesse ato. Nossa identidade e nosso valor são negados. Isso acontece quando:

- Seu pai é tão ocupado que não tem tempo para você.
- Seu amigo prometeu recomendá-lo para uma promoção e não o faz.
- Sua mãe não expressa amor por você, nunca diz: "Eu te amo", nem o toca com carinho.

- Seu cônjuge não leva a sério as promessas de fazer algo para você ou com você.
- Seu pai não aparece em sua formatura ou quando você ganha um prêmio especial.
- Seu pastor diz que o apoiará, mas acaba afastando-se quando você precisa dele.

Todos esses exemplos têm algo em comum: alguém com quem você contava o trata como um desconhecido.

Apertando o parafuso um pouco mais, a deslealdade se torna traição. A deslealdade faz pessoas que pertencem uma à outra virar desconhecidas. A traição as torna inimigas. Somos desleais quando desamparamos outros. Nós os traímos quando os atacamos ou destruímos. Pedro foi *desleal* quando negou que conhecesse Cristo, tratando-o como um desconhecido. Judas *traiu* Jesus quando o entregou a seus inimigos, identificando-se com eles. A traição acontece quando:

- Seu amigo compartilha com alguém algo vergonhoso que você contou a ele confidencialmente, e este usa isso contra você.
- Seus pais o criticam na frente de outras pessoas significativas, diante das quais você não tem defesa.
- Um homem comete adultério, quebrando seus votos de fidelidade, ferindo sua mulher e o coração de Deus (v. Sl 51).
- Um rapaz viola sexualmente sua irmã. Um namorado faz o mesmo com a namorada, forçando suas intenções.
- Seu chefe recrimina você pelas atividades ilegais dele.
- Um líder da igreja critica o pastor pelas costas.

Todos esses exemplos têm a mesma dor em comum: alguém comprometido conosco age como se fosse nosso inimigo.

Existem erros morais, de pessoas com más intenções, os quais machucam profundamente e não podem ser ignorados. Essas são as maldades que nos confrontam na crise do perdão; quando alguém que deveria estar conosco nos abandona, quando alguém que deveria estar ao nosso lado vira-se contra nós.

Nós conseguimos perdoar quando Jesus nos libera da dor de nossas feridas, dando-nos nova perspectiva. Agora, enxergamos a pessoa que nos feriu como alguém ferido, machucado, fraco e carente. Entendemos a *pessoa*, ainda que o *ato* dela não seja compreensível ou tolerável. Conseguimos separar a pessoa de seus atos, e estes não exercem mais o poder que tinham sobre nós. Estamos livres do medo e prontos para amar de novo.

Trataremos desse perdão no exercício da consciência limpa. Pediremos perdão pelas vezes que fomos desleais e traidores. Também liberaremos perdão às pessoas que assim nos trataram.

O último exercício deste passo é a renúncia de atitudes erradas e más, com as suas ligações com espíritos malignos. Algumas pessoas pensam que espíritos malignos não podem ter nenhum efeito na vida de pessoas crentes. Existem, porém, duas grandes áreas que dão brecha para o Inimigo e os demônios: nossos pecados não confessados e nossas feridas não curadas. Paulo, *falando para crentes*, ressalta que a raiva não resolvida torna-se uma brecha para o diabo nos afligir (Ef 4.26-27). Pedro diz que Satanás anda ao nosso redor, procurando a quem possa devorar (1Pe 5.8). O espírito de medo ou covardia não vem de Deus; é uma aflição do Inimigo (2Tm 1.7). Essas brechas, quando se estabelecem por muito tempo e quando passamos a defendê-las, tornam-se fortalezas. Paulo fala (para crentes) que tais fortalezas precisam de poderosas armas espirituais para ser derrubadas (2Co 10.4-5).

Então, quando temos atitudes erradas e más arraigadas em nossas vidas, é bem possível que, além de nossos próprios problemas, exista uma brecha pela qual os demônios estejam nos afligindo. Neil Anderson explica isso muito bem, esclarecendo que a batalha espiritual não é uma luta entre dois grandes poderes quase iguais, mas uma luta entre a verdade e a mentira. Quando falamos e agimos segundo a verdade, a mentira e o engano (as armas principais de Satanás) perdem sua força. Anderson escreveu vários livros capazes de ajudá-lo a entender isso com mais detalhes. Comentarei brevemente três deles.

Quebrando correntes: como vencer a guerra espiritual.[2] Escrito para alguém escravizado por comportamentos pecaminosos, medo, raiva, depressão, hábitos que não consegue controlar ou vozes interiores das quais não consegue fugir. Anderson revela as estratégias de Satanás e apresenta passos objetivos para derrotá-lo.

Viver livre em Cristo.[3] Esclarece a verdade sobre quem somos (nossa verdadeira identidade) e como Cristo pode suprir nossas mais profundas necessidades.

Caminho da libertação.[4] Dedica-se à questão de como vencer maus pensamentos, carências afetivas, fantasias e compulsões sexuais. Oferece princípios e passos para a pessoa livrar-se do domínio de compulsões sexuais, que gera culpa, vergonha, confusão, raiva e medo.

Quando renunciamos às atitudes erradas e aos espíritos malignos a elas ligados, quebramos seu poder. Deixe-me ilustrar isso. Suponha que alguém tenha sofrido muitos medos. Na ministração de restauração, costumamos dizer algo semelhante a: "Em nome do Pai, do Filho e do Espírito Santo, renuncio aos espíritos de *medo, pânico, terror, pesadelos, inferioridade, fuga* e a todos os espíritos ligados a eles. Em nome de Jesus, mando-os ir para onde Jesus indicar".

Uma renúncia parecida com esta deve ser feita todas as vezes que houver mais uma área que nos aflija. A parte grifada é substituída conforme o caso. Por exemplo, quanto a alguém que teve relações sexuais fora do casamento, dependendo dos detalhes de sua história,

---

[2] São Paulo: Mundo Cristão, 2007.
[3] Unilit, 1993/1996.
[4] São Paulo: Abba Press, 1994/1996.

poderíamos encorajá-lo a renunciar "aos espíritos de *adultério, pornografia, abuso sexual, violência, pensamentos impuros* e a todos os espíritos ligados a eles".

Várias perguntas surgirão, todas bem respondidas por Neil Anderson. Deixe-me apenas comentar rapidamente duas delas. Como podemos saber se tais espíritos estariam presentes ou afligindo alguém? A história dessa pessoa aponta pecados e problemas que ela não conseguiu superar por meio de esforço próprio e orações "convencionais", indicando escravidão emocional e, possivelmente, espiritual. A não ser que alguém pratique o dom de discernimento de espíritos, às vezes não sabemos exatamente quais espíritos a estariam afligindo. Na verdade, em muitos casos podemos estar renunciando a vários espíritos desnecessariamente; quer dizer, podemos renunciar a espíritos que nem estão agindo na vida da pessoa. Mas prefiro errar assim a falhar por deixar espíritos atormentando alguém por causa de nossa negligência em retirar deles território que, em algum momento no passado, foi-lhes cedido. Quando as feridas são curadas e o perdão liberado, geralmente as pessoas sentem uma liberdade profunda em renunciar a atitudes erradas e aos demônios que podem estar ligados a elas.

Outra pergunta comum é esta: "Onde estão esses demônios que afligem a pessoa?". Para evitar polêmica, permita-me dizer que, honestamente, não nos preocupamos com o lugar onde eles estão. Simplesmente nos preocupamos em falar a verdade, fechar as brechas abertas pelo pecado e/ou pelas feridas emocionais e quebrar toda ligação que possa existir entre os demônios e a pessoa.

Se essa explicação (e o ensino de Anderson nos livros citados) não lhe satisfaz, quando chegar ao terceiro exercício, você pode renunciar a atitudes ou ao espírito de "medo", "adultério" etc. sem pensar especificamente em demônios. O exercício pode ser proveitoso, ainda que você prefira não aplicá-lo ao mundo espiritual. Da mesma forma, se nos outros exercícios você descobrir algo que não gosta ou com o qual não concorda, adapte o exercício para que funcione bem para você. No retiro, faremos os três exercícios com alguém de nosso grupo, valendo-nos também do apoio da equipe de restauração.

> Antes de responder às perguntas abaixo, releia o Apêndice 3.

Reflexão pessoal

1. O que você sentiu ao ler a introdução ao sétimo passo?
2. Escreva uma oração a Deus com base no sétimo passo.
3. Ao reler o sétimo passo, anote a palavra ou frase que mais lhe chama a atenção e explique por quê.
4. Neste passo, faremos três exercícios: liberando a dor, limpando a consciência pela confissão e pelo perdão e renunciando a atitudes e espíritos malignos. Qual dos três exercícios você acha que será mais fácil? Qual o mais difícil? Por quê?

O grupo pode optar por dividir-se em duplas e concluir esse encontro compartilhando as dez perguntas no Apêndice 4 e orando com base nelas.

Todos precisam entrar numa semana de consagração especial em preparação para o retiro, porque os exercícios deste passo vão mexer profundamente com cada um de nós. Além disso, peça a alguém que não esteja fazendo o curso que seja seu intercessor particular, orando por você durante o retiro.

✹

Em preparação para o retiro, responda aos itens 5, 8 e 11. No retiro serão feitos os itens 6, 7, 9, 10, 12 e 13, deixando os itens 14 e 15 para a semana seguinte. Complete também o Teste de Traumas

Emocionais, que a equipe providenciou para você (Apêndice 6), e leve-o para o retiro.

Se não estiver fazendo o sétimo passo em retiro, faça nesta semana os itens 5, 6 e 7. Na próxima semana, faça os itens 8, 9 e 10. Na semana seguinte, 11, 12 e 13; e para finalizar o passo, os itens 14 e 15.

5. Neste exercício, nós nos preparamos para liberar a dor que sentimos. Romanos 7 e 8 descrevem três momentos em nossa vida. O primeiro momento é *uma luta interior terrível*, por não estarmos vivendo no Espírito (Rm 7.14-21). No segundo momento, *nossa vida é controlada pelo Espírito Santo* e desfrutamos os muitos benefícios dessa vida: livres da condenação e do domínio da carne e cheios de paz e da alegria de ser filhos de Deus e poder chamá-lo de Papai (Rm 8.1-17). O terceiro momento, que veremos agora com mais detalhes, é o de *sofrimento e fraqueza* (Rm 8.18-27). A seguir, destacaremos Romanos 8.23, citando-o em três diferentes versões, a fim de apreciá-la de vários ângulos.

"Nós mesmos, que temos os primeiros frutos do Espírito, *gememos* interiormente [em nosso íntimo (RA)], esperando ansiosamente nossa adoção como filhos, a redenção do nosso corpo" (NVI).

"*Gememos* dentro de nós mesmos enquanto esperamos que Deus nos faça seus filhos e nos liberte completamente" (BLH).

"E mesmo nós, os cristãos, embora tenhamos o Espírito Santo em nós como uma amostra que nos permite conhecer o sabor da glória futura, também *gememos* para ser libertados da dor e do sofrimento" (BV).

Da mesma forma o Espírito nos ajuda em nossa fraqueza, pois não sabemos como orar, mas o próprio Espírito intercede por nós [sobremaneira (ERA)] com *gemidos* inexprimíveis. E aquele que sonda os corações conhece a intenção do Espírito, porque o Espírito intercede pelos santos de acordo com a vontade de Deus (Rm 8.26-27, NVI).

A. "Gemidos" são expressões audíveis, mas sem palavras, que ocorrem quando estamos em apuros, em luto, com dor ou magoados. Você tem o Espírito Santo dentro de você? O versículo 23 diz que aqueles que têm o Espírito gemem. Tão profundos são esses gemidos, que às vezes não é possível distingui-los dos gemidos do Espírito Santo dentro de nós (v. 26). Qual era sua opinião sobre o crente expressar dor antes de começar este passo? Tal opinião está mudando?
B. Você se lembra de alguma ocasião em que expressou gemidos de dor? Ou uma ocasião em que queria expressar dor, mas não conseguiu ou a reprimiu por qualquer motivo? Descreva essa situação.
C. Os crentes que aparentam não sentir dor geralmente sofrem de negação ou de superespiritualização. A *negação* é a recusa de admitir motivo de dor, abafando assim qualquer sentimento desse tipo que surgir. Esse tipo de pessoa se treina tão bem que o coração se endurece contra a dor e contra o sofrimento. A *superespiritualização* determina que o crente seja sempre vitorioso e, portanto, nunca experimente dificuldades emocionais. Em contraste com essas atitudes, Pedro diz que seguir Jesus significa sofrer com ele (1Pe 2:21). Jesus, "homem de dores e experimentado no sofrimento" (Is 53.3), suplicou em alta voz e com lágrimas que não passasse pela morte da cruz, mas "aprendeu a obedecer por meio daquilo que sofreu" (Hb 5.8). Você tem mais tendência à negação, à superespiritualização ou a outra explicação para evitar sentimentos de dor e sofrimento?
D. Chega uma hora na vida de todo crente em que é preciso enfrentar a realidade de Romanos 8.23,26, aqui citado. O versículo 26 diz que o Espírito nos ajuda em nossa "fraqueza", que significa falta de força, estar aleijado ou inválido. Isso pode incluir aleijamento emocional. Algumas pessoas não conseguem sentir dor.

Outras são capazes de senti-la, mas não conseguem chorar. Alguns acreditam no "machismo cristão", que crentes nunca devem sentir fraqueza ou dor nem chorar. Jesus, porém, nosso sumo sacerdote, se compadece de nossas fraquezas (Hb 4.15). Jesus e o Espírito Santo se identificam com você em seu sofrimento e dor.[5] De que forma isso o ajuda a expressar os sentimentos de dor ou angústia?

Primeiro exercício (do retiro): Liberação da dor

6. Você fará este exercício em dupla, com alguém de seu grupo de apoio. Leia todas as instruções abaixo, depois feche os olhos e procure segui-las. Vá devagar, deixando cada passo dessa pequena ministração tornar-se muito real. Seu companheiro indicará o próximo passo no exercício, com as instruções a seguir. Na vez dele, você o ajudará.

Se você sente que esse exercício será muito difícil ou doloroso, peça que um membro da equipe de restauração lhes dê apoio.

Se você já fez algo parecido com a equipe de restauração, não precisa repetir o exercício, a não ser que exista mais alguém que o tenha ferido e você sinta que Deus gostaria de curá-lo de mais essas feridas. Caso não sinta que precisa fazê-lo novamente, pule para o item 7 e escreva um relatório do que Deus fez por você naquela ocasião, segundo o que está sentindo *hoje*.

Se sua dor está relacionada a uma decepção com Deus, faça o exercício a seguir expressando a ele o que você sente.

Se você simplesmente não quer abrir o jogo, pensando em pular este exercício ou cumpri-lo de forma seca e intelectual, compartilhe

---

[5] Para uma discussão mais ampla da palavra "fraqueza" na Bíblia, cf. *A cura dos traumas emocionais*, de David A. Seamands. Rio de Janeiro: Betânia, 1984, p. 47-49.

essa tentação com o grupo de apoio, e procure ajuda em Deus. Você precisa fazer os exercícios deste passo para que os próximos passos façam sentido. Você pode fazê-lo de forma diferente do que está esboçado aqui, desde que seja uma experiência real e significativa, cumprindo a função de liberar a dor que está em seu interior.

Leia as seguintes instruções:

- Faça você e seu companheiro uma oração de consagração a Deus.
- Sentado, feche os olhos e, em atitude de oração, visualize em sua frente uma das pessoas que mais o machucaram ou feriram. (É preciso esclarecer que não estamos chamando o espírito dessa pessoa para aparecer, esteja ela morta ou não. Estamos simplesmente imaginando-a como se estivesse presente, para poder dizer algumas coisas a ela. Mesmo que ela more próximo, é melhor que *não* esteja presente, para que você tenha plena liberdade de se expressar sem ter que lidar com as emoções e respostas neste momento.)
- Começando com a primeira lembrança de haver sido ferido por essa pessoa, expresse para ela a dor que você sentiu, chamando a pessoa pelo nome.
- Continue fazendo o mesmo com cada lembrança que o Espírito Santo trouxer à sua memória. Seu companheiro pode até lembrá-lo de incidentes que conhece, ou simplesmente perguntar: "O que mais?".
- Quando não se lembrar de mais nada em relação a essa pessoa, levante as mãos a Jesus e entregue toda essa dor para ele. Visualize-o tomando sua dor. O que ele faz com ela?
- Visualize Jesus fazendo uma troca divina. Em lugar da dor, o que ele coloca em suas mãos?
- Por fim, expresse a Jesus o que você está sentindo.

7. Ao terminar o exercício, escreva um relatório do que aconteceu.

Antes de começar o estudo seguinte, ore pedindo que Deus use o estudo e o exercício para lhe dar uma consciência limpa.

8. Como introdução ao exercício da consciência limpa, façamos uma reflexão sobre a confissão do rei Davi depois de adulterar com Bate-Seba e mandar matar o marido dela. Sublinhe as frases com as quais você se identifica.

Ó Deus dá-me o perdão por causa do teu grande e fiel amor. Limpa-me completamente da minha culpa. Deixa-me limpo de pecados! Reconheço que pequei vergonhosamente, o meu pecado me persegue dia e noite. Pequei contra Ti, somente contra Ti. Eu sei que condenas o mal que cometi. Tu tens toda a razão em me castigar; o teu julgamento é perfeitamente justo. O fato é que já nasci pecador; sim, desde o momento que minha mãe me deu à luz. A tua vontade é ver a verdade no coração do homem; por favor ajuda-me a conseguir tua sabedoria no meu coração; ensina-me em particular. Limpa-me com o sangue purificador e ficarei puro de verdade. Lava-me e ficarei mais branco do que a neve. Agora que já me castigaste, fazendo todo o meu corpo sofrer, devolve-me a alegria que eu tinha antes. Não fiques olhando os meus pecados; apaga as minhas falhas todas. Cria em mim, ó Deus, um coração puro. Coloca dentro de mim pensamentos e desejos limpos e sinceros. Não me abandones, não tires de mim o teu Espírito Santo. Dá-me de volta a alegria da tua salvação; dá-me o desejo sincero de Te servir. Assim poderei ensinar teus caminhos a outros pecadores e eles voltarão a Ti arrependidos. Ó Deus, meu Salvador, livra-me da culpa desse crime! Então cantarei louvores a Ti! Abre, Senhor, os meus lábios, e contarei ao mundo a tua justiça e o teu perdão. O que desejas de mim não são belos atos religiosos, trazer ofertas queimadas e sacrifícios! Se fosse esse o teu padrão de justiça, eu já teria trazido muitas ofertas. O que realmente exiges do pecador é um espírito humilhado. Tu não desprezarás a pessoa que tem o coração arrependido e muito triste por causa do pecado, ó Deus!

Salmos 51.1-17, BV

A. Comente a frase da passagem que mais lhe tocou o coração.
B. Sabendo que Davi matou e adulterou, por que ele diz para Deus: "Pequei contra Ti, somente contra Ti" (v. 4)?
C Às vezes, fazemos confissões secas e intelectuais. Pedimos perdão, mas nosso coração não se quebranta, porque não sentimos a dor que causamos. Coloque um círculo em cada frase que expressa dor ou outro sentimento profundo da parte do rei Davi.
D. O que nos leva a sentir a tristeza e o quebrantamento que Deus tanto quer quando pecamos (v. 17)?

Segundo exercício (do retiro): Consciência limpa

9. Leia as instruções para o exercício da consciência limpa e depois, seguindo a orientação do Espírito, faça o exercício em dupla, uma pessoa de cada vez, com alguém de seu grupo de apoio. Vá devagar, deixando cada passo tornar-se muito real.

- Façam você e seu companheiro uma oração de consagração a Deus, dedicando-lhe sua memória e pedindo que Deus o lembre de tudo que ele quer purificar de seu passado.
- Sentado, feche os olhos e peça a Deus que lhe dê um coração quebrantado e o faça lembrar de seus pecados. Sem o mover do Espírito, esse exercício será simplesmente intelectual.
- Começando com o primeiro pecado que lembrar, o qual ainda não tenha sido confessado e arrependido, confesse-o a Deus, procurando entender a dor que você causou às outras pessoas ou a Deus.
- Faça o mesmo com cada pecado que Deus trouxer à sua memória, de forma cronológica através de sua vida, até o presente. Se

houver pecados que você já confessou com coração quebrantado, não precisa repetir as confissões.

- Quando não houver mais nenhum pecado que você se lembre de não haver confessado, visualize-se na frente da cruz e entregue todos os seus pecados a Jesus. Imagine-o recebendo esses pecados. O que Jesus faz com eles?
- Como na semana passada, visualize Jesus fazendo uma troca divina (2Co 5.21). Em vez de seus pecados, o que Jesus lhe entrega?
- Faça, por fim, uma oração, expressando a Jesus o que você sente.

10. Ao terminar o exercício, escreva um relatório do que aconteceu.

✖

Antes de começar o estudo seguinte, ore pedindo que Deus use o estudo e o exercício para liberá-lo de tudo que o amarra, espiritualmente, a atitudes erradas e ao passado.

11. Como introdução ao **exercício da renúncia**, refletiremos sobre duas passagens de batalha espiritual. Sublinhe cada frase importante para você *hoje*.

> Por último, quero recordar-lhes que a força de vocês deve vir do imenso poder do Senhor dentro de vocês. Vistam-se de toda a armadura de Deus, a fim de que possam permanecer a salvo das táticas e das artimanhas de Satanás. Porque nós não estamos lutando contra gente feita de carne e sangue, mas contra pessoas sem corpo — os reis malignos do mundo invisível, esses poderosos seres satânicos e grandes príncipes malignos das trevas que governam este mundo; e contra um número tremendo de maus espíritos no mundo espiritual. Portanto, usem cada peça da armadura de Deus para resistir ao inimigo sempre que ele atacar e, quando tudo estiver acabado, vocês ainda estejam de pé [possam (...) permanecer inabaláveis (NVI)]. Mas para fazer isso vocês

necessitam do cinturão forte da verdade e da couraça da aprovação de Deus [da justiça (NVI)]. Calcem sapatos que possam fazê-los andar depressa ao pregarem a Boa Nova da paz com Deus. Em cada batalha vocês precisarão da fé como escudo para deter as flechas ardentes disparadas por Satanás contra vocês, e precisarão do capacete de salvação e da espada do Espírito — que é a Palavra de Deus.

Efésios 6.10-17, BV

As armas com as quais lutamos não são humanas [*grego: carnais*]; ao contrário, são poderosas em Deus para destruir fortalezas. Destruímos argumentos e toda pretensão que se levanta contra o conhecimento de Deus, e levamos cativo todo pensamento, para torná-lo obediente a Cristo.

2Coríntios 10.4-5

A. Você tem dificuldade de acreditar que está numa luta contra poderes malignos espirituais (demônios)? Por quê?

B. Relendo o versículo 12 ("Porque nós não estamos [...] no mundo espiritual"), o que chama sua atenção?

C. Comente a peça da armadura (vv. 14-17) de que você mais precisa hoje, conforme o que sente.

D. Já estudamos a segunda passagem (2Co 10.4-5) no quinto passo, item 12. Volte a ler o que escreveu ali e depois, se tiver algo a acrescentar, anote-o.

E. Preencha o Teste de Traumas Emocionais que a equipe de restauração providenciou para você (Apêndice 6). Leve o teste preenchido para o retiro (ou para o encontro do grupo de apoio, se não estiver fazendo retiro).

Terceiro exercício (do retiro): Renúncia (Ministração coletiva)

12. Recomendamos que o terceiro exercício, de renúncia, seja feito com todos juntos, numa ministração coletiva. (Líder, veja um

modelo para isso nas dicas para o retiro do sétimo passo, no site.) Se preferir fazer de forma parecida com os que já fizemos, acompanhe as instruções abaixo, seguindo a orientação do Espírito ao lado de um companheiro de seu grupo de apoio. Como nos outros, faça devagar, deixando cada passo tornar-se muito real.

Como indicamos no exercício de liberar a dor, se você sente que esse exercício será difícil demais, peça a ajuda de um membro da equipe de restauração. Se você já fez esse exercício, não precisa repeti-lo, a não ser que o Espírito o lembre de novas áreas que precisam ser tratadas.

- Façam você e seu companheiro uma oração de consagração a Deus, invocando a presença do Espírito Santo e amarrando todos os espíritos malignos em nome de Jesus.
- Não seja enganado por pensamentos mentirosos ou ameaçadores. Seu companheiro pode corrigi-lo no caso você, em algum momento, dizer uma mentira ou engano. Se tiver pensamentos que se opõem a este exercício, compartilhe-os com os companheiros e reconheça qualquer mentira ou engano. No instante em que você identificar a mentira e se opuser a ela, o poder de Satanás será quebrado. A única forma de perder o controle é prestar atenção a um espírito enganador e acreditar no que ele diz. Se essa tentação surgir, com a ajuda de seu companheiro, declare: "Eu sou filho de Deus" e outras frases que expressam sua identidade em Cristo. Logo, o poder desse ataque será quebrado.
- Renuncie a cada grupo de espíritos ou atitudes errados que vierem à sua mente, desta forma: "Em nome do Pai, do Filho e do Espírito Santo, eu renuncio ao espírito de X, Y e Z (pausa) e a todos os espíritos ligados a eles. Em nome de Jesus, mando-os para onde ele indicar".

Faça uma pausa depois de nomear as atitudes ou os espíritos, deixando o Espírito Santo trazer à sua mente outros nomes relacionados. Seu companheiro pode acrescentar outros, de acordo com o que o Espírito Santo indicar. Se ajudar, seu companheiro pode proferir essa renúncia parte por parte, enquanto você repete cada trecho em seguida.

- Os demônios se aproveitam de diversas brechas ou portas para nos afligir. Entre elas, há cinco grandes áreas que chamamos de "portões", que nos deixam vulneráveis a Satanás. Se qualquer um desses portões estiver aberto em sua vida, assegure-se de que as renúncias sejam claras e específicas. Os cinco portões são:

1. Rejeição/abandono: rejeição profunda, especialmente da parte do pai, da mãe ou do cônjuge.
2. Morte: o desejo de sumir, morrer ou suicidar-se (já que o alvo de Satanás é nos destruir).
3. Idolatria: envolvimento, dedicação ou compromisso com o espiritismo ou religiões falsas. Nessa área, as renúncias devem ser as mais específicas possíveis, renunciando a atividades, nomes de espíritos que tenham sido invocados, pactos etc.
4. Adições: alcoolismo ou vícios que o fazem perder o autocontrole.
5. Imoralidade: envolvimentos ou relacionamentos sexuais fora do casamento, inclusive pornografia e todo tipo de violência sexual (inclusive a violência dentro do casamento). Este portão também deixa a outra pessoa envolvida vulnerável à opressão demoníaca.

No caso de relacionamentos sexuais fora do casamento, deve-se seguir mais um passo. Deixe-me explicar isso com uma ilustração no mundo físico. Quando você cola duas folhas de papel, elas se tornam uma. Depois, se você tentar separá-las, partes da primeira ficarão grudadas na segunda, e vice-versa. O mesmo acontece quando nos tornamos uma só carne com alguém no ato sexual. Partes de nós ficam nele e partes dele ficam em nós. Não estamos falando de partes físicas, mas sim de ligações emocionais e espirituais. Para cada parceiro sexual fora do casamento, você precisa dizer algo parecido com o seguinte:

"Fulano, eu renuncio a todas as ligações que tive com você e libero você de todas as ligações que teve comigo. Em nome de Jesus, você está livre e eu também."

Repita a oração para cada parceiro, nome por nome, desde o primeiro até o último; se não se lembrar do nome de alguém, identifique de alguma forma, como, por exemplo: "Moça do carnaval", "Moço de minha turma no colégio" etc.

- Após concluir a renúncia a tudo o que o Espírito Santo lhe trouxer à mente, dê uma olhada em seu teste para ver se alguma área significativa foi esquecida. Se houver, renuncie a essa também.
- Faça uma oração, expressando a Jesus o que você está sentindo.

13. Terminado o exercício, escreva um relatório do que aconteceu.

✳

14. O retiro (ou fazer os exercícios deste passo) provavelmente o deixou cansado, emocional e espiritualmente. Nesta semana, descanse, mas passe o tempo que for possível na presença de Deus, ouvindo e cantando louvores, lendo sua Palavra e orando. Ao menos uma vez nesta semana, releia os relatórios que escreveu após cada exercício (itens 7, 10 e 13) e louve a Deus pelo que ele fez em sua vida. Também faça a cada dia as declarações de sua identidade

em Cristo, em voz alta (Apêndice 5). Saberemos mais sobre essas declarações no oitavo passo.

15. O sétimo passo diz: "Humildemente rogamos a Deus que nos livrasse de nossas imperfeições". Escolha uma resposta:
    1. Não estou pronto para isso.
    2. Concordo, mas com muitas reservas.
    3. Concordo, mas com algumas reservas.
    4. Concordo plenamente e já completei o sétimo passo.
    5. Concordo plenamente, já completei o sétimo passo e estou pronto para o oitavo passo.

    Comente sua resposta.

Retiro do sétimo passo		
	sábado	domingo
07:30	• Café da manhã	• Jejum
08:30	• Louvor e devocional (Is 53.1-6)	• Louvor e devocional (Ef 6.10-18)
09:00	• Exercício de liberar a dor (Item 6) (1ª pessoa, em dupla)	• Exercício da renúncia (Item 12) (Ministração coletiva)
10:30	• Coffee-break	• Trabalho individual (Item 13)
11:00	• Liberar a dor 2 (2ª pessoa da dupla)	• Café de celebração com testemunhos
12:30	• Trabalho individual (Item 7)	
13:00	• Almoço	• Saída
14:00	• Lazer/descanso	
16:00	• Coffee-break	
16:30	• Louvor e devocional (1Tm 1.5; 1Pe 3.15-16)	

	sábado	domingo
17:00	• Exercício da consciência limpa (Item 9) (1ª pessoa, em dupla)	
18:30	• Jantar	
19:30	• Exercício da consciência limpa 2 (2ª pessoa)	
21:00	• Trabalho individual (Item 10)	
21:30	• Descanso/banho	
23:00	• Silêncio	

Oitavo passo:

Perdão

Fizemos uma relação de todas as pessoas que tínhamos prejudicado e nos dispusemos a reparar os danos a elas causados.

> **C**omo vocês querem que os outros lhes façam, façam também vocês a eles.
> Lucas 6.31

Redija os sete passos. Experimente dizê-los de cor. Se não puder, leia e memorize um de cada vez, no início do livro. Memorize, no mínimo, os três primeiros passos.

Volte à lista dos passos e coloque um visto na frente de cada um que você sente que, verdadeiramente, conseguiu cumprir.

Qual passo mais o encorajou e o liberou? Para muitos pode ter sido o sétimo passo. Se você não recebeu uma ministração de restauração, seja pelos exercícios do sétimo passo, seja com a equipe, e precisar disso, marque-a com a equipe.

Algumas pessoas podem estar desanimadas. Na verdade, todos nós desanimamos repetidas vezes no decorrer do processo de restauração. Ele é demorado. Requer trabalho e esforço. Há momentos maravilhosos, mas também há aqueles em que perdemos de vista as vitórias e até caímos feio no pecado ou nas velhas formas pessoais de responder aos conflitos. Se agora ou no futuro você estiver desanimado, volte ao Prefácio e releia, em atitude de oração, os benefícios e os custos dos grupos de apoio.

Permita-me parabenizá-lo. Você tem progredido, e muito! Consegue perceber? Fizemos mais da metade dos passos e passamos pelos mais difíceis, entre eles: o primeiro, do quebrantamento; o quarto, da destemida e minuciosa autoavaliação; o quinto, sobre ser honesto com pelo menos uma pessoa; e o sétimo, a respeito de encarar nossa dor, nosso pecado, e fechar qualquer brecha que o Inimigo pudesse aproveitar. Se até aqui fizemos bem os passos, os próximos, para muitos, não serão tão difíceis, ainda que requeiram trabalho e esforço.

Antes de entrar nos Doze Passos, muitos culpavam os pais, parentes, cônjuge ou amigos pelos problemas da vida deles. Alguns achavam que Deus era o responsável. Neste passo, iniciamos o processo de libertação da necessidade de culpar outras pessoas por nossos problemas e começamos a assumir plena responsabilidade por nossa própria vida.

A autoanálise que fizemos no quarto passo revelou que nosso comportamento impróprio causou danos não somente a nós, mas também às pessoas que nos são importantes. Agora, precisamos nos preparar para assumir a responsabilidade por esses atos e corrigir os erros.

Do primeiro ao sétimo passo aprendemos a nos concentrar no poder de restauração de Jesus Cristo e começamos a reorganizar nossa vida. Recebemos as ferramentas necessárias para examinar as experiências pessoais e ver a importância de deixar o passado para trás. Assim, ficamos livres para continuar nosso crescimento pessoal, sem o peso da dor e dos erros passados. Passamos a enxergar a possibilidade de nos entregar à corrida que está posta diante de nós, sem sermos amarrados pelas cordas do passado nem atrapalhados por fardos pesados.

O trabalho do oitavo e do nono passos melhorará o relacionamento com nós mesmos e com as outras pessoas. Começaremos a nos liberar do isolamento e da solidão. A chave é nossa disposição de consertar os danos que causamos aos outros. Continuando a abraçar a presença de Jesus em nosso coração, desenvolveremos nova abertura com outras pessoas. Perceberemos e admitiremos o comportamentos errado do passado para fazer um ajuste de contas.

Para muitos, será difícil admitir erros. Nosso padrão tem sido acusar os outros e revidar de maneira incorreta, ou seja, da mesma forma que nos foi imposta. Não admitimos, porém, que também causamos danos ao próximo. Assim que consentirmos olhar para nós mesmos, veremos que em muitos casos fomos nós que demos continuidade à destruição iniciada por outros. Isso porque insistimos em medir com nossa própria justiça. Criamos um ciclo vicioso de rancor e ódio; ignoramos nossos problemas, focando a atenção nos problemas dos outros.

Pode parecer esquisito, mas é necessário pedir perdão e perdoar a nós mesmos para conquistar antigos ressentimentos. Aprender a perdoar-se (ou a receber o perdão de Deus) é um importante elemento na recuperação. Para isso, primeiro precisamos aceitar a responsabilidade pelos prejuízos que causamos para nós mesmos e reparar esses erros. Pedir perdão até de nós mesmos sem reparar nossos erros não implica verdadeira reconciliação.

Para corrigir nossos erros em relação a outras pessoas, devemos confrontar os danos que causamos. Ao fazer (no exercício da próxima semana) a lista de pessoas a quem prejudicamos, devemos pensar somente nos passos que precisamos tomar, mesmo que elas rejeitem nossa aproximação. Em alguns casos, pessoas dessa lista se sentirão amargas em relação a nós e talvez relutem contra essa tentativa de reconciliação. Independentemente da aceitação, devemos perdoar e pedir perdão. Lembremos que essa lista é principalmente para nosso benefício, mais do que para o benefício daqueles a quem prejudicamos.

Neste passo do perdão e reconstrução, começaremos o processo de reconstrução de nossa nova identidade. Falemos um pouco sobre isso.

Quase todos nós entramos nos grupos de apoio porque sentíamos uma dor que precisava de cura. Para a maioria, a dor se baseou principalmente no que outros fizeram contra nós; para uma minoria, teve muito a ver com o que fizemos a outras pessoas. Neste passo, enfrentaremos mais claramente a relação entre nossas feridas e a forma pela qual machucamos outras pessoas. Geralmente, quem é ferido e sofre abuso acaba, de alguma forma, ferindo outros e abusando deles. Como adultos, nós nos relacionamos com nosso cônjuge, filhos, amigos e colegas do modo que aprendemos quando criança. Isso gerou relacionamentos doentios, pelos quais somos responsáveis, ao menos em grande parte. Neste passo, queremos reconhecer nossa responsabilidade e mudar o padrão distorcido do passado, preparando-nos para buscar o perdão de pessoas que ferimos.

Quando ferimos alguém ou pecamos contra tal pessoa, precisamos fazer três coisas: arrependermo-nos, pedir perdão e fazer restituição. No arrependimento, sentimos, com o coração contrito e quebrantado, a dor que causamos a Deus e a outras pessoas. Reconhecemos o fato de que não somos apenas vítimas, mas também tornamo-nos "vilões" que feriram outros. Devemos meditar sobre a dor que causamos, para que nosso arrependimento não seja simplesmente intelectual e frio.

O segundo passo para restaurar um relacionamento é pedir perdão, sendo específico e objetivo. Uma vez mestres em machucar pessoas, agora, precisamos nos tornar mestres em saber como restaurar outros, com uma perspectiva clara, simples e ao mesmo tempo profunda de como pedir perdão. Deixe-me mostrar primeiro como não pedir perdão. Talvez não entendêssemos por quê, mas a experiência nos mostrou que, quando pessoas agem assim conosco, o perdão não flui. A seguir, cinco erros no modo de pedir perdão:

1. *"Me perdoe, mas..."* Esse "mas" cancela o pedido de perdão. A pessoa está querendo justificar-se. Por vezes, o "mas" é um ataque contra a outra pessoa, desviando a atenção para os erros dela. Não raro, um homem confrontado pela esposa acaba "pedindo perdão" assim e deixa-a sentindo-se pior do que antes. Depois de várias experiências dessas, ela desistirá, porque acaba se machucando mais e não vê mudanças nele. Um pedido de perdão verdadeiro evita confrontar qualquer erro da outra pessoa. (A não ser que ela, espontaneamente, reconheça também o erro dela e, por vontade própria, passe a pedir perdão.)

2. *"Desculpe se eu machuquei você."* O pedido de desculpas é muito diferente do pedido de perdão. O primeiro não admite pecado e nem necessariamente se responsabiliza. Se alguém disser "Me desculpe

se atrasei", geralmente não faz sentido responder "Eu te perdoo". A resposta mais apropriada é algo como "Tudo bem". Mas, quando houve pecado, não está tudo bem, é preciso perdão; e para obter isso é preciso pedir perdão.

3. *"Me perdoe se ofendi você..."* A palavra "se" põe a responsabilidade na pessoa ofendida. O pensamento embutido no pedido é este: "Se você foi tão fraca e sensível que acabou se ofendendo, tudo bem, eu peço perdão (à luz de sua fraqueza e hipersensibilidade)". A pessoa que está pedindo perdão não está assumindo a culpa. As palavras bonitas têm a aparência de um pedido de perdão, quando na verdade jogam sutilmente a culpa e a responsabilidade na outra pessoa.

4. *"Desculpe qualquer coisa"*, *"Me perdoe qualquer coisa"* ou *"Me perdoe pelo que fiz"* (sem especificar o que foi feito). Todas essas expressões escondem nosso pecado. Precisamos dar nome a nosso pecado ou erro e fazer um pedido específico. Quando um de meus filhos erra, reconhece e olha para mim, dizendo: "Me perdoe, pai", eu pergunto com amor: "O que você quer que eu perdoe?". Só assim chegará a livrar-se do que fez.

5. *"Oh, que coisa! Machuquei você, não é? Me perdoe!"* Ao reconhecer que ferimos alguém, não devemos pedir perdão instantaneamente, como se fosse uma coisa leve e insignificante. Ainda que paremos para refletir apenas de cinco a dez segundos, devemos pensar sobre a dor que causamos e expressar um coração contrito e dolorido por haver machucado o outro. Se não conseguirmos comunicar nossa dor, o perdão que nos será estendido poderá ser igualmente barato, só da boca para fora.

Lembro-me de uma vez em que feri minha esposa, Débora. Estávamos no carro e ela me confrontou pelo que eu havia feito. Então, eu lhe disse: "Débora, reconheço que te machuquei. Estou muito triste comigo mesmo. Mas não quero que você sinta que estou pedindo perdão de forma superficial e barata, dizendo simplesmente 'Me perdoe' e seguindo em frente como se nada tivesse acontecido. Sei que a magoei e não sei como pedir perdão de forma que você entenda que meu coração dói pelo que fiz". Permanecemos uns cinco minutos em silêncio. Aí ela tomou minha mão e disse: "David, eu te perdoo". O perdão não foi nada barato; ele foi caro, real e libertador.

Acabamos de ver cinco formas erradas de pedir perdão. Agora vou mostrar como podemos acertar, pedindo perdão de forma limpa e saudável:

1. Assumir responsabilidade pelo que fizemos.
2. Não acusar, nem se justificar.
3. Ser específico.
4. Demonstrar um coração contrito e dolorido.
5. Não pedir desculpas: pedir perdão.

A seguir, serão apresentadas as duas formas de pedir perdão, primeiro da maneira errada e depois da maneira certa. Veja se você consegue identificar as cinco regras (ou a quebra delas) nos dois exemplos seguintes. Suponha que o pastor esteja confrontando alguém que sempre distrai outras pessoas na reunião com conversas paralelas. A pessoa pode responder de duas maneiras:

> "Pastor, desculpe-me por vezes falar durante a reunião, mas deixe-me explicar. Muitas vezes, procuro esclarecer as coisas que o senhor fala que não ficam muito claras. Sabe, se o senhor usasse mais exemplos, ajudaria muito a manter a atenção das pessoas e transmitiria melhor a mensagem."

> "Pastor, me perdoe (pausa, enquanto pensa um pouco). Perdoe-me por minha falta de respeito ao manter conversas paralelas durante a reunião. Na verdade, refletindo nisso, reconheço que estou me opondo ao senhor, demonstrando falta de submissão à sua liderança, dificultando

e comprometendo o andamento da reunião. Estou muito triste porque não prejudiquei somente o senhor, mas também aqueles que prestavam atenção em mim e até a mim mesmo. O senhor me perdoa?"

Talvez o pastor precise melhorar sua comunicação. Mas a hora de pedir perdão e restaurar a relação não é o momento certo para instruí--lo, corrigir seus defeitos ou encorajar mudanças nele.

No segundo exemplo, a pessoa pensou profundamente sobre as consequências de seu pecado contra o pastor, contra si mesmo e contra a igreja. Note, também, que a pessoa voltou a repetir o pedido de perdão no final. Após uma descrição completa do que sentimos, ajuda muito se voltamos ao pedido de perdão, não deixando o pedido perdido entre muitas palavras.

Às vezes, quando pedimos perdão, a outra pessoa pode dizer que não foi nada, que não nos preocupemos, que está tudo bem etc. Porém, quando Deus nos dá a convicção de que pecamos, é melhor não tratar o assunto de forma superficial. Assim, será melhor responder algo como: "Pode ser que você tenha achado que não foi nada, mas eu me senti muito mal. Você pode me perdoar?". Quando a pessoa tem o coração contrito e consegue agir de forma branda e humilde, há uma libertação maravilhosa do pecado cometido!

Depois de nos arrependermos e pedirmos perdão, o terceiro passo necessário, quando ferimos alguém ou pecamos contra essa pessoa, é fazer restituição (falaremos mais sobre isso no nono passo).

A seguir, temos uma ilustração que ajuda a esclarecer o aspecto de reconstrução do oitavo passo.

Esse processo é como um prédio com sérios defeitos na estrutura que, a cada ano, causam maiores problemas. As paredes têm trincas, o prédio todo se inclina mais e mais, e o teto está cedendo. Percebe-se que será perigoso continuar morando nesse prédio, e uma simples reforma não vai resolver todos os problemas. Os alicerces estão danificados. O prédio precisa ser demolido e reconstruído. No entanto, se tentarmos demolir o prédio com as próprias mãos, com a própria força, não conseguiremos. Nem martelos nem ferramentas comuns conseguirão isso. Precisamos da ajuda de alguém de fora, especializado na demolição de prédios, que sabe demolir sem danificar as construções ao redor. Essa pessoa (ou equipe) analisa a estrutura e sabe onde colocar a dinamite para que se faça uma implosão, em vez de uma explosão. Feita uma boa análise e com o uso das ferramentas certas, a implosão é relativamente fácil e rápida.

A implosão do prédio, em nossa analogia, pode ser comparada à ministração de restauração em oração (10% do trabalho). Não somos capazes de restaurar a nós mesmos. Uma vez que cheguemos à decisão de que o perigo (ou a dor) é grande demais para continuarmos da forma que estamos vivendo, podemos chamar a equipe de restauração para nos ajudar. Essa equipe tem preparo e conhecimento suficientes para ajudar a demolir as estruturas velhas, que nos amarram e nos prejudicam.

Ainda assim, tudo isso é somente uma parte pequena do trabalho que precisa ser feito. Esses 10% são indispensáveis a fim de que os 90% dependam dele. Mas depois da implosão é preciso um esforço muito maior para limpar o lixo, tirar o entulho, colocar novos alicerces e reconstruir o prédio.

Essa limpeza e essa reconstrução (90% do trabalho) têm a ver com os passos sétimo ao décimo segundo e, de modo particular, com o oitavo passo. O que vamos reconstruir é nossa identidade. Toda pessoa ferida tem uma identidade distorcida, uma autoimagem baseada, pelo menos em parte, em mentiras e meias verdades. O encontro divino na ministração em oração nos livra para entender e experimentar o verdadeiro amor de Deus. Agora temos a capacidade para reconstruir nossa identidade e, em certo sentido, nosso mundo.

Nossa identidade real é a de Jesus Cristo. Tudo que Deus fez e permitiu em nossa vida visa a sermos conforme o Filho dele (Rm 8.28,29). Nosso sofrimento nem se compara com a glória que em nós será revelada (Rm 8.18). Essa glória é o caráter de Cristo que se revela nas crises e nas provas. Nossa esperança de glória é Cristo em nós (Cl 1.27).

Neil Anderson apresenta um excelente resumo de nossa identidade em Cristo no apêndice de seu livro *Quebrando correntes* e explica, em detalhes, esse resumo na obra *Viver livre em Cristo*. (Esse resumo se encontra no Apêndice 5.) Se quiser aprofundar-se nesse tema além do que podemos fazer no espaço limitado deste passo, recomendamos a leitura desses dois títulos.

> **Antes de passar para a reflexão pessoal, releia o Apêndice 3.**

Em seu grupo, os membros devem continuar alternando a liderança do grupo nos encontros. Há duas opções de como liderar o grupo, para que seja um encontro divino: 1. Orando de antemão por uma pergunta-chave que possa ser usada pelo Espírito como a base de um encontro transformador; 2. Pedindo que cada pessoa compartilhe qual item causou-lhe maior impacto, deixando os outros membros do grupo acrescentar comentários e perguntas.

Reflexão pessoal

1. O que você sente a partir da leitura acima?

2. Escreva uma oração a Deus com base no oitavo passo.

3. Ao reler o oitavo passo, anote a palavra ou frase que mais lhe chama a atenção e explique por quê.

4. Para você, o que é mais difícil: perdoar ou pedir perdão? Por quê?

5. Quais são os maiores obstáculos para você pedir perdão?

Antes de começar o estudo seguinte, ore pedindo graça para poder pedir o perdão daqueles que você feriu.

6. "Esforcem-se para viver em paz com todos e para serem santos; sem santidade ninguém verá o Senhor. Cuidem que ninguém se exclua da graça de Deus; que nenhuma raiz de amargura brote e cause perturbação, contaminando muitos" (Hb 12.14-15).

   A. Segundo esses versículos, o que você precisa fazer com relação às pessoas que machucou ou feriu?

   B. Quais serão as consequências se não resolvermos os problemas que surgirem entre nós?

7. A. Quais são as pessoas ou os relacionamentos que você mais danificou? (Inclua pais, parentes, cônjuge, namorados, filhos, amigos, colegas de trabalho ou igreja, vizinhos...) Além do nome, escreva também os danos que cada uma delas tem sofrido por meio de suas atitudes.

   B. Existem pessoas na lista que feriram você? Se houver, coloque um visto na frente de seus nomes. Com base na passagem a seguir (Mt 5.43-45, BV), qual deve ser sua atitude para com elas?

   Há um ditado assim: "Ame os seus amigos e odeie seus inimigos". Porém Eu digo: "Amem os seus inimigos! Orem por aqueles que perseguem vocês! Dessa forma vocês estarão agindo como verdadeiros filhos do seu Pai do Céu.

   Precisamos pedir perdão a essas pessoas, mas devemos entender que, se continuarmos sentindo ressentimento, dor, raiva ou outros males, provavelmente precisaremos repetir o exercício de expressar dor, no sétimo passo. Procurar perdoar sem que nossas feridas sejam curadas é como enfaixar uma ferida cancerosa e infeccionada. A faixa não resolve nada.

C. Interceda individualmente pelas pessoas em sua lista. Após um período de oração, anote a visão que Deus lhe oferece das pessoas que você tem ferido ou defraudado. Procure ser específico. No nono passo, você fará restituição a essas pessoas, pelo menos aquelas que você mais feriu. Ore desde já para que Deus prepare seu coração para fazer essa restituição.

D. Você já pensou em pôr seu nome nessa lista? Provavelmente, não existe quase ninguém que tenha sido tão prejudicado por suas atitudes quanto você mesmo. Você sente que tem perdoado a si mesmo? Sim? Não?

Quais as evidências de seu autoperdão ou da falta dele?

8. A. Quais são alguns obstáculos para as pessoas se perdoarem?

B. Coloque um visto na frente dos obstáculos com os quais lida. Indique o que você poderia fazer para superar tais obstáculos.

✖

9. João afirma: "Se confessarmos os nossos pecados, ele é fiel e justo para perdoar os nossos pecados e nos purificar de toda injustiça" (1Jo 1.9).

A. *Com suas palavras,* explique o que você precisa fazer para ficar livre da culpa.

B. Agora explique, sem repetir o versículo, o que Deus fará quando você confessar seus pecados.

C. Descreva, em suas palavras, as qualidades do caráter de Deus que garantem seu perdão.

10. Faça três colunas: a primeira, Qualidades Negativas; e a terceira, Qualidades Positivas. (Veremos a segunda coluna, a do meio, pouco mais adiante.)

A. Liste na coluna esquerda dez de suas características negativas, que possivelmente representam áreas nas quais você tem maior dificuldade em se perdoar.
B. Preencha a terceira coluna com dez qualidades positivas.
C. Foi mais fácil fazer a lista das características positivas ou das negativas? Por quê?

A maioria das pessoas tem mais facilidade em listar suas características negativas. Uma das razões para isso é que a maioria tem uma autoimagem negativa ou uma identidade distorcida. Fomos criados dessa forma e, agora, Deus quer nos comunicar que ele tem nova identidade para nós: "Cristo em nós, a esperança da glória" (Cl 1.27).

D. Na coluna do meio, liste agora as Qualidades de Cristo em você que tomam o lugar das qualidades negativas. Por exemplo, se você costuma mentir, a qualidade de Cristo em você seria honestidade ou integridade.
E. Como você se sente comparando essas duas colunas (a esquerda e a do meio)? Qual representa sua identidade verdadeira? Explique sua resposta.

11. Para dar continuidade à reconstrução de nossa nova identidade, eis uma tarefa que damos às pessoas que passam por uma ministração de restauração. Leia as declarações no Apêndice 5 *em voz alta*, diariamente, durante trinta dias. Elas resumem sua identidade e posição bíblica em Cristo e constituem a base de sua liberdade nele. Esta tarefa o ajudará a firmar a nova identidade no lugar da identidade distorcida, que você trouxe do passado. A leitura toma pelo menos sete minutos. Nas reuniões de seu grupo, podem fazer a leitura em conjunto.

A maioria de nós tem dificuldade para acreditar em todos os aspectos da nova identidade. Na primeira vez que você ler as declarações no Apêndice 5, coloque um ponto de interrogação na frente de qualquer item do qual você tem dúvida: dificuldades para enxergar essa declaração em você, ou para acreditar ou aceitar que seja verdade em sua vida. Durante a leitura peça que Deus destaque uma das declarações para você meditar no restante do dia.

12. Dedique pelo menos 10 minutos para agradecer a Deus quem você é, mostrando-lhe gratidão por sua identidade, personalidade, dons, habilidades e interesses. Faça em forma de diálogo, falando com ele e ouvindo-o. Anote o que ele lhe disser.

13. A. No item 11, você colocou pontos de interrogação na frente das declarações em que tinha dificuldade de acreditar. Quantos pontos de interrogação você anotou? Escolha um ou dois desses itens, leia a passagem relacionada e reflita, de forma escrita, em sua dificuldade com essa afirmação.

    B. Na próxima vez que você ler essas declarações, indique qual chamou mais sua atenção e responda à pergunta: por que essa declaração é tão importante?

14. Sublinhe as frases que são mais importantes para você nesta citação:

    Porque vivemos por fé, e não pelo que vemos [...] O que somos está manifesto diante de Deus, e esperamos que esteja manifesto também diante da consciência de vocês. [...] De modo que, de agora em diante, a ninguém mais consideramos do ponto de vista humano [*nem a nós mesmos*]. Ainda que antes tenhamos considerado Cristo dessa forma, agora já não o consideramos assim. Portanto, se alguém está em Cristo, é nova criação. As coisas antigas já passaram; eis que surgiram coisas novas! [...] Deus tornou pecado por nós aquele que não tinha pecado [Jesus], para que nele nos tornássemos justiça de Deus.

    2Coríntios 5.7,11,16,17,21

A Bíblia Viva expressa esse último versículo desta forma: "Porque Deus tomou a Cristo, que era sem pecado, e O encheu com os nossos pecados. E então ele, em compensação, nos encheu com a virtude de Deus!".

A. O versículo 21 descreve a grande troca divina de nossas falhas, pecados e erros pelo caráter de Deus. Anote seus sentimentos com relação a essa troca.

B. Com base em 2Coríntios 5.21, volte ao item 10-A. Escolha três dessas características negativas. Imagine que você as segura nas mãos e entregue-as uma por uma para Jesus em oração, levantando para ele suas mãos (se quiser). Fique atento na oração para o que ele lhe der em troca, ou seja, uma qualidade do caráter dele para tomar o lugar dessa característica negativa.

C. Anote o que Deus fez para você no exercício da troca divina acima.

15. O oitavo passo diz: "Fizemos uma relação de todas as pessoas que tínhamos prejudicado e nos dispusemos a reparar os danos a elas causados". Escolha uma resposta:

1. Não estou pronto para isso.
2. Fiz isso com muitas reservas.
3. Fiz isso com algumas reservas.
4. Concordo plenamente, já completei o oitavo passo.
5. Concordo plenamente, já completei o oitavo passo e estou pronto para o nono passo.

Comente sua resposta.

No encontro de seu grupo de apoio nas próximas quatro semanas, reporte quantas vezes na semana você fez as declarações do Apêndice 5 em voz alta.

Nono passo:
Restituição

Fizemos reparação direta dos danos
causados a tais pessoas, sempre que possível,
salvo quando fazê-la significasse
prejudicá-las ou a outrem.

Portanto, se você estiver apresentando sua
oferta diante do altar e ali se lembrar de que
seu irmão tem algo contra você,
deixe sua oferta ali, diante do altar,
e vá primeiro reconciliar-se com seu irmão;
depois volte e apresente sua oferta.

MATEUS 5.23-24

Repasse os passos feitos até aqui. Experimente mais uma vez dizê-los de cor. Se ainda não consegue, leia um de cada vez, repetindo-o de memória antes de ler o seguinte.

Parabéns por subir mais um degrau. Os seis primeiros passos representaram a descida de alguns degraus e permitiram conhecer a seriedade de nossos problemas, preparando-nos para abrir mão deles. O sétimo passo e as ministrações de restauração trataram as raízes de muitos de nossos problemas, ajudando-nos a liberar a dor, limpar a consciência e renunciar a qualquer envolvimento que havíamos desenvolvido com a carne, o diabo e o mundo. O oitavo passo em diante são os passos de subida, que nos farão sair do poço e reconstruir uma nova vida. As decisões muito importantes tomadas no oitavo passo o levam adiante na viagem da recuperação. Faça um repasse e dê uma nota a si mesmo nos quatro itens do oitavo passo que se seguem. Nesse passo, você:

- Preparou-se para pedir perdão às pessoas que feriu.
- Perdoou a si mesmo.
- Começou a reconstrução de sua identidade, sua autoimagem, para tornar-se cada dia mais como Jesus.
- Entendeu a troca divina que Cristo lhe oferece: pecados, erros, problemas e feridas pelo caráter dele (seu amor, sua santidade, sua justiça e seu poder, para mencionar só alguns aspectos).

Continuaremos agora com o nono passo da restituição, dando sequência ao processo de perdão iniciado no sétimo passo e continuado no oitavo. Não é suficiente dizer que queremos pedir perdão; precisamos agir. Lembre que para consertar um erro precisamos nos arrepender, pedir perdão e fazer restituição. Queremos demonstrar o verdadeiro arrependimento neste passo, com frutos visíveis e reais.

O *Serenity New Testament*[1] diz que é necessária certa cautela no nono passo por parte de pessoas codependentes. Consertar o passado pode liberar-nos de um peso tremendo de culpa, vergonha e remorso por meio de ações como: pedir perdão, fazer restituição e criar pontes para futuros relacionamentos positivos. Esse conserto *nunca* pode ser feito com pagamentos a prazo de vergonha ou culpa falsa, quer dizer, entrarmos numa escravidão legalista, dizendo, por exemplo: "Se nos humilharmos o bastante ou pedirmos perdão repetidas vezes, poderemos ser absolvidos ou liberados de nossa culpa". Pessoas codependentes correm esse perigo porque tendem a assumir culpa em relação a pessoas e circunstâncias sobre as quais elas não têm nenhum controle real.

No oitavo passo, nos dispusemos a reparar os danos a todas as pessoas que tínhamos prejudicado. No nono passo, seremos mais restritos e específicos quanto à definição de quem são as pessoas a quem vamos fazer reparações e *quando*. As primeiras pessoas da lista devem ser o cônjuge e membros próximos da família. Em alguns casos, seja com elas, seja com outras pessoas, só poderemos compartilhar parte do que fizemos, pois abrir todo o jogo acabaria prejudicando a outros. Por exemplo, se fizemos algo errado juntamente com outras pessoas, não nos cabe expô-las.

Em outros casos, o reparo da relação terá de ser postergado. Talvez a dor da outra pessoa seja tão grande e recente, que uma conversa sobre o assunto só traria mais dor, possivelmente acompanhada de uma raiva terrível. Pode ser também que nós ainda precisemos resolver alguma

---

[1] P. 62.

ira ou ressentimento antes de estarmos livres para oferecer reparo do dano que causamos.

Existem, ainda, algumas pessoas que não devemos contatar, porque isso apenas serviria para abrir uma relação que deve permanecer fechada. É o caso, por exemplo, de alguém que foi viciado em sexo e está pensando em fazer reparo para companheiros dos velhos tempos. Da mesma forma, também não devemos abrir o jogo com pessoas que seriam mais prejudicadas do que ajudadas por nosso esforço.

Vejamos, agora, o caso de adultério. O exame desse caso nos fornecerá dicas para outras situações.

Muitas vezes, alguém que traiu o cônjuge quer saber se deve confessar para ele ou ela, pedir perdão e fazer restituição. Em geral, sim, deve. Há alguns princípios importantes que podem nos orientar:

1. *Devemos falar a verdade; não devemos mentir* (Ef 4.15,25). Satanás é o pai da mentira. Quando mentimos, ou enganamos, agimos segundo ele e não andamos na luz. Uma mentira, com frequência, requer outras para se manter. E uma vez descoberta, nosso cônjuge não terá nenhuma razão para acreditar mais em nossa palavra. Essa perda de confiança pode ter sequelas tão grandes quanto a confissão da traição, ou até maiores.

2. *Devemos agir em amor*, fazendo o que é melhor para o outro, não pensando em nosso próprio bem em primeiro lugar.

3. *O círculo da transgressão deve ser, também, o da confissão*. A confissão não precisa passar por pessoas que não sabiam da transgressão nem foram atingidas por ela — a exceção pode ser feita no caso de um líder quando peca (1Tm 5.19,20), ou de alguém viciado em sexo (quem não consegue parar de adulterar ou abusar sexualmente). A liderança da igreja pode ajudar nesses casos.

4. *Devemos tratar os outros como gostaríamos de ser tratados*. Geralmente, devemos confessar porque pecamos em sexo contra nosso

cônjuge, e nosso casamento tem problemas cuja superação exige que trabalhemos *juntos*. Na maioria das vezes, a pessoa traída já tem sentido distanciamento, falta de interesse e frieza. Provavelmente, tem suspeitado da infidelidade. Nosso pecado criou um muro entre nós. Se não confessarmos, Satanás pode ganhar outra brecha, a do medo de que o cônjuge, algum dia, descubra nosso pecado. Sem dúvida, será muito melhor confessarmos do que ele descobrir nosso pecado por intermédio de terceiros.

Recomendo a quem traiu que busque a orientação de Deus, como também uma orientação pastoral (e/ou da equipe de restauração), sobre a confissão de seu pecado. Se essa pessoa resolve tudo com Deus, tem consciência limpa, não sente nenhuma barreira com o cônjuge, e se os conselheiros concordarem, em raras circunstâncias pode ser que não haja necessidade de confessar o erro ao cônjuge. Essas exceções são consideradas se o cônjuge tem uma fraqueza emocional que pode abalá-lo a ponto de não conseguir recuperar-se. Nesse caso, devemos postergar a confissão, entregando-nos para ver a saúde emocional do cônjuge restaurada até o ponto de permitir a confissão e a reconciliação.

Quando o Espírito deixa claro que deve haver confissão, os conselheiros podem ajudar na identificação de quando e como fazê-la. Em minha experiência como conselheiro, ajuda muito fazer a confissão com o pastor e o cônjuge presentes, ou membros da equipe de restauração. Essas pessoas podem acompanhar a pessoa traída nos primeiros momentos, dias e semanas da dor da traição e ajudá-la a decidir como responder. Ajudará muito, também, se ela fizer parte de um grupo pequeno que possa apoiá-la nesse período terrível de angústia e dor.

A pessoa que pecou não pode fazer nenhuma exigência ao cônjuge, nem sequer requerer perdão. O perdão verdadeiro demorará. Não pode ser forçado. O cônjuge terá que passar por um tempo de luto e dor. Se a pessoa que pecou o exigir, vai receber um perdão barato, só da boca para fora. Se a pessoa traída tiver boa cobertura pastoral, for sensível ao Espírito Santo e amar verdadeiramente a(o) esposa(o), pela graça e no tempo de Deus, ela estenderá o perdão.

A pessoa que pecou tem de render seus direitos conjugais quanto ao ato sexual. Ela perdeu esses direitos. Agora, terá de aguardar o cônjuge reabrir essa área. Ele(a) pode demorar a conseguir arriscar-se, amando de novo. Quem pecou terá de ser muito paciente e demonstrar verdadeiros frutos de arrependimento; e disso o cônjuge precisa para obter a cura. Para alguns casais talvez ajude a existência de um acordo pelo qual toda mudança na relação física fique nas mãos da pessoa traída. Nesse caso, a pessoa que traiu não tomará nenhuma iniciativa nessa área. Servirá e amará o cônjuge, mas sem forçá-lo(a) ou abusar emocionalmente dele(a). A pessoa que pecou precisa reconquistar o cônjuge, colocando as necessidades dele(a) em primeiro lugar.

A pessoa que pecou precisa pensar na restituição. Algumas possibilidades incluem:

- Investir tempo conversando, se importando com a vida do cônjuge.
- Fazer uma viagem especial somente os dois.
- Comprometer-se (se for homem) a nunca estar sozinho com uma mulher, com exceção de sua mãe, esposa, filha ou irmã.
- Concordar em fazer aconselhamento, o curso "Introdução à restauração da alma"; participar de grupos de apoio ou ministério de casais.
- Voltar diretamente do trabalho para casa, comprometendo-se a ligar para o cônjuge quando estiver saindo. Isso demonstra respeito, amor, valorização do cônjuge e um esforço para não permitir que nenhuma brecha se instale de novo no casamento.

Se você tem algo a confessar, mas não sabe se vai prejudicar mais do que ajudar, compartilhe com seu grupo de apoio, equipe de restauração ou pastor, revendo os princípios e o exemplo anterior para procurar discernir os propósitos de Deus.

Além de sabedoria para encontrar a forma e o momento de confessar, o nono passo exige coragem, perseverança e senso de justiça e santidade. Uma crescente confiança dentro de nós mostrará a prontidão para consertar as situações. Assim que ficarmos mais corajosos e seguros, será mais fácil falar honestamente de nosso comportamento antigo e admitir, diante dos outros, que lhes causamos sérios danos.

Ficaremos libertos de muitos ressentimentos do passado quando consertarmos nossos erros. Sentiremos nova paz e serenidade quando pedirmos perdão àqueles que prejudicamos, fazendo-lhes os reparos necessários. Isso inclui restituir os danos causados, na medida do possível. Por exemplo: se você roubou, devolver; se difamou alguém, voltar às pessoas que ouviram seu ato de maledicência e confessar-lhes seu pecado, tentando resgatar a reputação da pessoa cujo nome você manchou. Tais reparos nos libertam do sentimento de culpa, nos dão maior liberdade e até maior saúde física e mental.

Ao nos prepararmos para reparar nossos erros, precisamos reconhecer que algumas pessoas se sentem amargas em relação a nós. Podem sentir-se ameaçadas por nós e não entender nossa mudança de comportamento. Para elas nos perdoar completamente, temos primeiro que *reconhecer a dor* que suportaram em decorrência de nossas ações. Precisamos meditar sobre essa dor, imaginando-nos no lugar da outra pessoa e pedindo a Deus a graça de sentir a dor que causamos a ela e a outrem. Se não conseguirmos sentir essa dor, no momento de nos confessar, poderemos reconhecer que nem sequer conseguimos entender quanta dor causamos, mas sabemos que ferimos bastante.

Os Doze Passos: uma viagem espiritual[2] indica algumas pedras de tropeço no nono passo. Podemos ter o desejo de adiar o processo,

---

[2] São Paulo: Loyola, 1999, p. 111-112.

dizendo que "ainda não é a hora certa de fazer isso". Podemos adiá-lo usando infinitas desculpas para não encarar aqueles que prejudicamos. Devemos ser honestos conosco e não adiar nada por causa do medo. O medo é a falta de coragem, e coragem é um importante requisito para ter sucesso neste passo, assim como no restante. O coração do nono passo é a prontidão em aceitarmos as consequências de nosso passado e assumirmos a responsabilidade para a restauração do bem-estar daqueles que prejudicamos.

Outra tentação para não fazer o nono passo é o desejo de simplesmente dizer: "O que passou passou". Racionalizamos assim: nosso passado ficou para trás, não há necessidade de trazer esses problemas à tona. Concebemos a fantasia de que consertar erros do passado não é necessário, simplesmente precisamos alterar nosso comportamento atual. É verdade que alguns de nossos atos do passado devem ser postos de lado, sem nenhuma confrontação, mas quanto mais pessoas e situações pudermos conciliar, melhor. Isso nos ajudará a progredir mais rapidamente na caminhada para uma nova vida de paz e serenidade.

Passando agora para a reflexão pessoal, lembre-se de começar com oração; ser honesto, específico e detalhado nas respostas; e falar de sua própria vida, e não de generalidades.

Reflexão pessoal

1. Quais são seus sentimentos, com base na leitura anterior?
2. Escreva uma oração a Deus firmada no nono passo.
3. Ao reler o nono passo, anote a palavra ou a frase que mais lhe chama a atenção e explique por quê.
4. A. Neste passo, continuaremos a reconstrução de nossa nova identidade. Como na semana passada, anote cada vez que você fizer as declarações de sua identidade em Cristo (Apêndice 5), lembrando que o objetivo é fazer isso em voz alta diariamente. Quando seu

grupo se reunir, compartilhe quantas vezes você o fez. Vamos repetir este exercício durante as próximas duas semanas, fazendo-o em conjunto nos encontros do grupo. Lembre-se de escolher, a cada vez, uma declaração sobre a qual deve meditar no restante do dia.

   B. A próxima vez que ler tais declarações, anote qual chamou mais sua atenção e responda à pergunta: por que essa declaração é tão importante?

5. Como consideramos no item 5 do oitavo passo, há vários obstáculos para cumprir o presente passo. Indico alguns abaixo, bem como possíveis soluções. Se você estiver enfrentando outro obstáculo, indique-o no final e compartilhe com o grupo para que este possa ajudá-lo a procurar uma forma de superá-lo. Faça um visto na frente de qualquer obstáculo abaixo, que ora você enfrenta, e leve isso a Deus. Se não conseguir resolver com ele, compartilhe com o grupo de apoio.

   A. Negação: algumas pessoas não sentem a necessidade de reconciliação e restituição, porque não enxergam problema nenhum com ninguém. Neste caso, o grupo pode ajudar a pessoa a pensar nos relacionamentos e nas crises já compartilhados, em que a reconciliação ainda pode faltar. Surgem várias possibilidades:

- Quando somos muito feridos por alguém, é raro não pecar contra essa pessoa com atitudes como guardar a ferida e sentir rancor ou amargura. Não ficamos livres para expressar verdadeiro amor para com ela.
- Pessoas com feridas sérias quase sempre acabam magoando o cônjuge e os próprios filhos. Até pessoas saudáveis fazem isso!
- Na hipótese de só haver algo relativamente leve para resolver, trabalhe esse assunto para auxiliar os companheiros no grupo de apoio neste exercício.

B. Não sabemos como nos expressar. Isso é comum em pessoas feridas que não têm o costume de expressar-se de forma saudável; em alguns casos, elas mostram pouca experiência em pedir perdão. Então, escrever o que você deseja dizer pode ajudar. Pode ser: 1. Uma simples lista de itens; 2. Uma carta que você vai ler para a outra pessoa (entregando-lhe ou não); ou 3. Uma carta que você vai entregar em mãos em um encontro marcado, para que a pessoa leia e, depois, vocês conversem.

Se não for possível encontrar-se com a pessoa (porque ela mora longe, você não sabe como achá-la ou ela já morreu), uma carta pode ser a melhor forma de você se expressar, ainda que nos dois últimos casos a mensagem não possa ser entregue. Sempre que entregar uma carta a alguém, guarde uma cópia. A pessoa ferida pode tentar distorcer o que você falou e causar-lhe problemas.

Se você for fiel em marcar o encontro e estiver cheio do Espírito, Deus o conduzirá e lhe dará as palavras certas. Se você sentir raiva ou medo no encontro, peça que a paz de Deus governe sua mente e coração (Fp 4.7) e guarde sua língua. Memorize esse versículo e, se tais emoções surgirem, fique quieto e repita-o silenciosamente até sentir que pode falar segundo o que Deus quer. Se existir ambiente propício, abra o encontro fazendo uma oração de consagração ou, possivelmente, pedindo a todos que orem.

Geralmente, você deve encontrar-se sozinho com a pessoa a quem está pedindo perdão. Se você sentir, porém, que não está conseguindo comunicar-se bem com ela, marque outro encontro, pedindo a ela que identifique, com você, uma terceira pessoa em que os dois confiam a fim de ajudá-los a se entender melhor. Se você prevê problemas sérios na comunicação, peça a essa pessoa que esteja presente já no primeiro encontro. Lembre-se: o encontro não é para corrigir coisa nenhuma no outro, e sim para comunicar como você errou, demonstrando seu coração arrependido, pedindo perdão e fazendo restituição. O que ela precisa mudar talvez seja tratado em outro momento. Talvez ela mesma levante o assunto, mas não faz parte da pauta desse encontro.

C. Medo: isso é normal. Nesse caso, pode tomar os seguintes passos, ganhando assim a coragem indicada em 2Timóteo 1.7, em que Paulo diz: "Pois Deus não nos deu espírito de covardia, mas de poder, de amor e de equilíbrio".

1. Peça que Deus tire seu medo, dando-lhe um amor maior do que o medo (1Jo 4.18; 1Pe 5.7,8).
2. Se essa oração não resolver, explique ao grupo de apoio esse medo e peça que eles orem por você. Podem ser orações normais de intercessão ou uma pequena ministração, na qual você leva a Deus seu medo, e eles ministram para você em oração, talvez com imposição de mãos ou unção com óleo.

Se a ajuda do grupo de apoio não resolver, peça o auxílio da equipe de restauração. Terminem o encontro intercedendo um pelo outro.

✹

6. No Sermão do Monte, Jesus nos orienta:

   Vocês ouviram o que foi dito aos seus antepassados: "Não mate. Quem matar será levado diante do juiz". Mas eu lhes digo que qualquer um que ficar com raiva de seu irmão, será julgado. Quem disser a seu irmão: "Você não vale nada", será julgado pelo tribunal. E quem chamar seu irmão de idiota, estará em perigo de ir para o fogo do inferno. Portanto, se você for ao altar para dar a sua oferta a Deus, e se lembrar ali de que o seu irmão tem alguma queixa contra você, deixe a oferta diante do altar, e vá logo fazer as pazes com seu irmão. Depois volte e dê a oferta a Deus.

   Mateus 5.21-24, BLH

A. Escreva o que surpreende você nessa leitura.
B. Cite algumas maneiras de ferir alguém, segundo o v. 22.
7. Frequentemente, queremos fazer algo especial para Deus, fazer uma oferta especial ou um sacrifício especial. Releia o texto no item 6. Deus não está tão interessado em nossos grandes feitos dirigidos a ele nem em nosso sacrifício heróico, como na disposição de obedecer-lhe de forma íntegra. Nossa relação vertical com ele é demonstrada em nossa relação horizontal com outras pessoas. João diz:

> Se alguém disser: "Eu amo a Deus", porém continua odiando a seu irmão, é um mentiroso; porque se não ama a seu irmão que está bem diante dele, como pode amar a Deus, a quem nunca viu? E foi o próprio Deus quem disse que uma pessoa deve amar não somente a Deus, mas também a seu irmão.
>
> 1João 4.20,21, BV

A. Volte à lista das pessoas às quais você precisa pedir perdão (oitavo passo, item 7) e escreva o nome das pessoas pelas quais sente um amor profundo, um amor que o leva a desejar abrir seu coração e a acabar com todas as barreiras que existiram de sua parte para com ela.
B. Agora, escreva o nome das pessoas pelas quais você não tem o amor descrito acima, o amor que tira todo seu medo.
8. Escolha três pessoas de sua lista no item 7-A (se houver pelo menos três) e faça um plano de como você vai se acertar com elas. O plano deve especificar:
    1. Quando (procure definir um tempo nos próximos sete dias).
    2. Onde (talvez tenha que perguntar a elas).
    3. Assunto: a respeito do que você precisa pedir perdão (seguindo as cinco dicas descritas no oitavo passo):

a. Assumir responsabilidade pelo que fez.
b. Não acusar nem se justificar.
c. Ser específico.
d. Demonstrar um coração contrito e dolorido pelo que fez.
e. Não pedir desculpas, e sim pedir perdão.

4. Como pedirá: Falando? Por escrito? Levando também flores?
5. Como gostaria de fazer a restituição? Pense no oposto de seu ato errado e procure identificar ações objetivas que demonstrarão frutos de arrependimento.

Estes cinco itens parecem muito detalhados. Quando fazemos algo pela primeira vez ou uma coisa na qual temos pouca experiência, ajuda-nos seguir uma "receita", até que nos familiarizemos com o processo. Se procurarmos fazer isso só de forma espontânea, provavelmente não o faremos bem. Ainda que você mude de ideia depois, experimente fazer um rascunho de seu plano, repetindo o esboço abaixo para cada pessoa:

Primeira (ou segunda ou terceira) pessoa (nome):

1. Quando:
2. Onde:
3. Pedindo perdão do quê?
4. Como pedirá?
5. Como gostaria de fazer a restituição?

9. Coloque um visto na frente de cada nome do item 8, logo que tenha entrado em contato com a pessoa e marcado o lugar e o horário para conversarem. Se puder, marque um encontro para esta semana. Se não, faça assim que puder. Caso você se comunique por carta, pode assinalar o visto depois de escrever e enviar a carta. (Na verdade, antes de enviá-la, recomendamos que compartilhe o conteúdo dela

com seu líder de grupo de apoio, da equipe pastoral ou da equipe de restauração; isso para verificar se você está se expressando bem, sem cair na culpa falsa nem falar algo que possa machucar ou prejudicar.)

10. É importante entender que as pessoas às quais você pedirá perdão e fará restituição não mudarão necessariamente. No caso de pessoas feridas, mais avançadas em idade ou com personalidade forte ou controladora, é bem possível que não mudem. Não baseie seu sentimento de bem-estar na resposta da outra pessoa. Seu bem-estar é fundamentado em Jesus Cristo e em cumprir a vontade dele. Aceitar essas pessoas com as limitações delas ajudará tremendamente em seu relacionamento, mesmo se elas não mudarem.

    Precisamos aceitar a outra pessoa como ela é, deixando de lado nossas expectativas de que ela seja diferente (que seja a mãe carinhosa que sempre queríamos, o pai que se importa conosco etc.). Quando abrimos mão dessas expectativas, um grande fardo é tirado das costas: o peso de insistir para que o outro mude, que seja alguém que nunca foi (e provavelmente nunca será). Se no passado carregamos o peso de nos sentir responsáveis para fazer o outro mudar, nesta nova fase descobrimos prazer na pessoa como ela é, e não como gostaríamos que fosse. Talvez recuperemos nosso senso de humor e compaixão, no lugar de ressentimento e amargura!

    Pense nas três pessoas em sua lista (item 8) e anote como você espera responder se cada uma não mudar com base em seu esforço de fazer restituição.

11. Visto que você já acertou as contas com essas três pessoas, se houver outras com as quais precisa consertar o passado, pedindo perdão e fazendo restituição, faça novamente o exercício do item 8. Já certos relacionamentos, não podemos negligenciar. Coloque um visto em cada relação abaixo na qual você não tem mais nada para consertar:

☐ Com o cônjuge, se for casado (ou seu noivo ou namorado).

☐ Com cada um dos filhos, se tiver.

☐ Com o pai e a mãe.

☐ Com o pastor e o cônjuge.

12. Existem vários casos especiais. Se você se identifica com um ou mais dos casos abaixo, faça o exercício indicado:

   A. Situações nas quais não podemos fazer contato direto: pessoas com as quais não temos mais contato ou que já faleceram. Nesses casos, consertos indiretos podem satisfazer a necessidade de reconciliação e podem ser realizados por intermédio de oração ou de uma carta, como se estivéssemos verdadeiramente nos comunicando com a pessoa ausente. Também podemos fazer restituição com atos de amor por alguém que possivelmente nem conhecemos, mas que está ligado de alguma forma à pessoa que ferimos.

   Se você sente que precisa fazer um conserto com alguém com quem não tem contato direto, escreva seu plano.

   B. Situações em que podemos fazer só uma restituição parcial, porque compartilhar tudo acabaria prejudicando alguém (sobretudo no caso de infidelidade ou traição). Temos de fazer uma restituição completa para quem foi traído (por exemplo, nosso cônjuge), mas também existe outra restituição a fazer para a pessoa com quem pecamos (por exemplo, o amante).

   A restituição para essas pessoas pode ser mais difícil, principalmente se forem amantes. Nesse caso, recomendo seguir o conselho do pastor e da equipe de restauração, que podem acompanhá-lo no processo. Aconselho seguir as dicas sobre adultério e adultério da alma no *site* e no Capítulo 5 do *Manual para equipes de restauração*, que deve estar nas mãos da equipe de sua igreja.

Outros casos complicados devem ser trabalhados segundo o conselho da equipe como, por exemplo, fazer restituição para alguém que você abusou sexualmente. Cada pessoa e situação são diferentes e precisam ser acompanhadas pela equipe de restauração. Às vezes, a melhor restituição para se fazer será interceder por elas e ficar o mais longe possível.

Se você precisa fazer restituição para alguém e sente que uma plena confissão, ou maior aproximação, poderia prejudicá-la ou a você, como acha que essa restituição pode ser feita? Anote suas ideias.

C. Situações em que precisamos postergar o conserto. Por exemplo:

A. Quando não temos suficiente discernimento ou sabedoria para avaliar a situação e precisamos de mais conselho.

B. Quando estamos tratando com alguém que ainda sofre muito por causa das injustiças que cometemos.

C. Quando estamos tratando de alguém que é emocionalmente fraco e pode ter uma queda séria causada por nossa confissão.

D. Quando nossa dor ainda não está resolvida; devemos procurar a Deus e a equipe de restauração para curar nossas feridas. (Cf. item 7-B para situações que podem se encaixar aqui.)

Discernir o momento certo para o conserto é importante para crescermos com a experiência e evitarmos ferir mais os outros. Existe uma diferença entre postergar e esquecer. Não podemos simplesmente esquecer; precisamos andar na direção da reconciliação. Se você sente que precisa postergar a restituição, escreva os próximos passos que pensa tomar para andar na direção dela.

13. O oitavo e o nono passos nos ajudam a enterrar o passado. Assumimos responsabilidade pelos danos que, mesmo sem querer, causamos às outras pessoas e fazemos as correções onde forem necessárias. Temos oportunidade de nos redimir de ações ruins do passado, corrigindo-as e procurando uma vida futura saudável. Vivemos segundo nossa verdadeira identidade, crescemos na habilidade de nos relacionar bem e experimentamos uma harmonia com nosso próprio mundo e com Deus. Hoje é o primeiro dia do resto de nossa vida!

    A. Escreva como este passo o está ajudando a enterrar o passado e melhorar a autoestima.
    B. Cite as dificuldades que você está tendo para corrigir seus erros.
    C. Se tiver mais alguém com quem deva reconciliar-se, faça isso.

14. O nono passo diz: "Fizemos reparação direta dos danos causados a tais pessoas, sempre que possível, salvo quando fazê-la significasse prejudicá-las ou a outrem". Escolha uma resposta:

    1. Não estou pronto para isso.
    2. Concordo, mas com muitas reservas.
    3. Concordo, mas com algumas reservas.
    4. Concordo plenamente, já completei o nono passo.
    5. Concordo plenamente, já completei o nono passo e estou pronto para o décimo passo.

    Comente sua resposta.

    No grupo, compartilhe o progresso em marcar e cumprir seus encontros de reconciliação. Ore pelas pessoas com as quais os membros do grupo ainda precisam se reunir. Terminem o encontro orando juntos, com base no que foi compartilhado.

Décimo passo:
Novo padrão de vida

Continuamos fazendo a autoavaliação pessoal e, quando estávamos errados, nós o admitíamos prontamente.

Assim, aquele que julga estar firme, cuide-se para que não caia!
1 CORÍNTIOS 10.12

Este passo nos leva a um novo estilo de vida e a nos firmar nele. Antes de entrar no grupo de apoio, a maioria de nós tinha muita dificuldade em cumprir o que este passo indica: 1. Fazer autoavaliação; 2. Reconhecer nossos erros e 3. Admiti-los ou confessá-los e pedir perdão. Do quarto ao nono passos aprendemos a fazer isso. Se encaramos seriamente esses passos e também os três primeiros, então estamos prontos para o décimo. Na seção Reflexão Pessoal, faremos um repasse dos primeiros nove passos para saber objetivamente até que ponto conseguimos fazê-los bem.

Do primeiro passo até aqui, pusemos nossa casa em ordem e desenvolvemos a capacidade de mudar alguns padrões de comportamento destrutivo. Agora aumentaremos nossa habilidade de formar hábitos novos e saudáveis, tanto em nossa vida particular quanto nos relacionamos com outras pessoas.

Neste passo, transformamos a aprendizagem desses meses em um novo estilo de vida. Tratamos do passado, ou pelo menos estamos nesse processo, e não queremos reviver a angústia de guardar feridas profundas e enraizadas em nós. Também não queremos ferir outras pessoas. Para evitar isso, desejamos acertar as contas regularmente, se possível até todos os dias.

Que bênção entrar em um novo estilo de vida: vivendo "livre de" e vivendo "livre para"! O "livre de" significa livre das garras do passado. Viver sem escravidão emocional. Ficamos livres de falar palavras que machucam e das raízes que nos fizeram agir de forma desequilibrada e insana. Livres dos velhos padrões, os hábitos disfuncionais, que perturbaram nossa vida. Livres de carregar mentiras e segredos. Enfim, livres da nuvem escura que nos acompanhava.

"Livre para" quer dizer livre para viver de forma saudável no presente e no futuro. Estamos livres para expressar as emoções sem machucar outras pessoas; para falar palavras de sabedoria. Livres para viver de forma equilibrada e sã e para desenvolver hábitos saudáveis, que alegram a nós e às pessoas ao redor. Livres para falar a verdade e viver na verdade. Livres para andar na luz.

Três hábitos são fundamentais para este novo estilo de vida:

1. O hábito de responder às crises e aos conflitos com a confiança de que Deus está no controle, aplicando os primeiros três passos.
2. O hábito da autoavaliação, tornando-nos pessoas sensíveis.
3. O hábito de reconhecer nossos erros e pedir perdão, tornando-nos pessoas ensináveis e reconciliadoras.

Queremos firmar em nós cada um desses hábitos, o máximo possível. Vejamos com mais detalhes.

1. Respondendo às crises com a confiança de que Deus está no controle

Ao começarmos a experimentar paz e serenidade, podemos nos perguntar se isso é permanente ou temporário. O trabalho dos passos nos ajudou a perceber quão frágeis e vulneráveis somos. Com a prática diária dos passos e com a presença amorosa de Cristo em nossa vida, somos capazes de obter e manter o equilíbrio. A habilidade de nos relacionar melhorará, e notaremos nova qualidade na interação com os outros.

A essa altura, somos tentados a crer que somos autossuficientes e plenamente restaurados, que temos todas as respostas e podemos parar por aqui. Já nos sentimos à vontade e não vemos necessidade de continuar com os Doze Passos. Algumas pessoas permitem que outras atividades interfiram no estudo e, desse modo, acham desculpas para faltar aos encontros. Devemos resistir à tentação de parar, pois os sucessos que conquistamos se mantêm apenas por praticar os Doze Passos diariamente para o resto da vida.

Precisamos desenvolver o hábito de confiar que Deus está no controle em cada crise ou conflito que enfrentamos. No passado, em geral respondíamos por meio de formas erradas e disfuncionais. Cada pessoa tinha um jeito errado de responder às crises, alguns dos quais relaciono aqui:

1. *Fugir*, evitando a todo custo os confrontos e os problemas. Tal fuga se revestia de várias formas, entre elas: silêncio, televisão, ativismo, cansaço, álcool, drogas, comendo demais ou muito pouco, compras excessivas, máscaras (aparentar uma coisa, quando está sentindo outra) e evitando contato com algumas pessoas ou alguns assuntos.

2. *Ceder*, apaziguando a outra pessoa, oferecendo-nos para cobrir ou resolver os problemas dela, não a deixando sofrer as consequências do comportamento e das escolhas dela. Não sabíamos dizer "não", não nos respeitávamos e, por isso, não conseguimos ganhar o respeito alheio.

3. *Explodir*, expressando uma raiva tal que as pessoas não queriam mais tratar do problema e seriam forçadas a sair do caminho ou sofrer as consequências. Muitas vezes, após a explosão, nem lembramos muito do conflito e, já que passamos a nos sentir melhor, imaginamos que as outras pessoas também se sentiam tranquilas. (Isso se paramos para pensar nelas!)

4. *Dominar*, controlando e manipulando os outros de acordo com nossos próprios fins. Algumas vezes, até as ouvimos, mas no final o que prevalecia era nossa opinião.

5. *Negociar*, cedendo o que for necessário para que os outros façam o mesmo. Não agimos com verdadeiro amor, procurando o melhor para a

outra pessoa e a vontade de Deus, que está acima da própria vontade de todos nós. Barganhamos, para ver qual o melhor negócio que podemos fazer e até onde é possível levar alguma vantagem.

No livro de David W. Augsburger, *Importe-se o bastante para confrontar*,[1] o autor descreve em detalhes essas diferentes posturas e como superá-las. Ele explica um novo modelo de confronto: o de amar verdadeiramente, o de falar a verdade em amor. Um dos segredos para fazer isso é exprimir o que estamos sentindo sem acusar ou machucar o outro. Quando dizemos: *"Você é..."*, *"Você fez..."*, *"Você pensa..."*, isso quase sempre soa como uma acusação. Quando dizemos: *"Eu sinto..."*, *"Eu penso..."*, estamos abrindo nosso coração, oferecendo um presente precioso para a outra pessoa. Esses sentimentos são verdadeiros; sua validade não pode ser discutida. Precisam ser aceitos, entendidos e respondidos de forma genuína (verdadeira) e amorosa. Um dos exercícios neste passo nos ajudará a desenvolver uma capacidade maior para fazer isso.

Nos primeiros três passos, ganhamos as ferramentas para enfrentar crises e confrontos sérios. Em lugar de responder por maneiras erradas, como aprendemos no passado, agora podemos desenvolver o hábito de praticar estes três passos diante de qualquer confronto:

1. *Admitir nossa impotência e inabilidade* de dominar essa área. Admitir que o assunto ou a pessoa esteja fora de nosso controle, que somos incapazes de resolver o problema (primeiro passo).

2. *Acreditar que Deus tem tudo sob controle*, está no trono e está desenvolvendo seus propósitos por meio dessa crise ou problema. Confiamos profundamente que ele nos ensinará e desenvolverá em nós as qualidades que ele quer, se cooperarmos. Sabemos que ele age em todas as coisas para nosso bem, como diz Romanos 8.28 (segundo passo).

[1] São Paulo: Cristã Unida, 1996.

3. *Entregar tudo em suas mãos*, principalmente nós mesmos e nossa vontade (2Pe 1.7). Com base nessa entrega, ainda que não saibamos a resposta, descansamos na confiança de que Deus a conhece e vai nos revelar no tempo certo, da forma certa, se ficarmos atentos a ela.

Isso nos mostra a importância de memorizar os primeiros três passos. Do contrário, quando uma crise surgir, estaremos impedidos de responder a ela de forma saudável. Procure dizer de cor os três passos agora, para ver se você os domina. O resumo dos três passos é: Admitir-Acreditar-Entregar. Memorize essas palavras-chave, para lembrar os três passos.

Passemos agora para o segundo hábito de nosso novo estilo de vida.

2. Desenvolvendo o hábito da autoavaliação

Fazer autoanálise regularmente nos torna conscientes de nossas forças e fraquezas. Ficamos menos inclinados a sentimentos de cólera (raiva, solidão e autopunição), medo (fuga e insegurança) e culpa falsa (confusão, tristeza, peso). Se permanecermos equilibrados e tivermos coragem, nós nos fortaleceremos. A autoanálise nos ajuda a descobrir quem somos e para onde vamos. Tornamo-nos mais alertas e capacitados a viver a vida cristã.

A autoanálise é um exame diário de nossos pontos fortes e fracos, bem como de nossas motivações e comportamentos. Ela é tão importante quanto a oração para o desenvolvimento espiritual. A autoanálise não é uma tarefa que toma muito tempo; pode ser feita em 15 minutos. Quando realizada com disciplina e regularidade, esse tempo é um pequeno preço a pagar para continuar o novo estilo de vida que iniciamos.

Estamos desenvolvendo recursos formidáveis no que se refere à autoavaliação. Em primeiro lugar, estamos perdendo o medo de nos autoavaliar. No passado, muitos de nós nem queríamos fazer isso, pois sabíamos que poderíamos encontrar características prejudiciais. Já que nos passos anteriores enfrentamos o mal dentro de nós, podemos agora olhar para o interior sabendo que dificilmente encontraremos algo pior. Em comparação com o que já confrontamos, qualquer descoberta será relativamente fácil de encarar.

Em segundo lugar, nesses meses todos desenvolvemos a habilidade de expressar os sentimentos, começando de forma escrita neste curso. Novamente, temos superado o medo que manteve as emoções presas dentro de nós. Emoções desconhecidas vieram à tona. Começamos a andar na luz e a não ter medo dela. Melhor ainda: estamos aprendendo a nos alegrar na luz, a ser pessoas verdadeiras que falam a verdade em amor.

Refletimos, até aqui, sobre dois hábitos lindos: o de responder às crises confiando em Deus e o da autoavaliação. Passemos agora para o terceiro hábito de nosso novo estilo de vida.

3. Desenvolvendo o hábito de reconhecer nossos erros e de pedir perdão

Este hábito abre caminho para um contínuo crescimento espiritual. No passado, nossa sobrecarga emocional, por causa da desatenção que dávamos aos nossos erros, permitia que pequenos problemas se multiplicassem e se tornassem grandes. Permitimos que defeitos de caráter quase destruíssem nossa vida. O décimo passo nos leva a examinar conscientemente a conduta diária e a fazer os ajustes necessários. Identificaremos nossos erros, admitindo-os e corrigindo-os prontamente.

Estamos superando o medo de errar. Em vez de precisar nos proteger, nos defender, nos desculpar e nos esconder, aprendemos que o reconhecimento de nossos erros é o começo para superá-los. Que alívio! Que alegria! Na verdade, é uma alegria misturada com dor, mas não tão dolorosa como no passado. Aprendemos que errar faz parte de nossa natureza humana e estamos nos aceitando como tal. O dito: "Errar é humano; perdoar é divino" inclui perdoar-nos.

Estamos superando a necessidade de argumentar ou provar que outras pessoas estão erradas. A vida não é mais uma batalha contra elas. Ainda é uma batalha, mas agora lutamos contra a carne, o mundo e o diabo. Estamos começando a reconhecer quando outras pessoas agem na carne ou pela influência do diabo ou do mundo; e não estamos mais montando uma batalha contra elas mesmas (Ef 6.12). Aprendemos que a vitória é nossa, se entregarmos a luta para Jesus e deixarmos que ele nos mostre o que precisa ser mudado em nós.

Estamos aprendendo a reconhecer mecanismos de defesa. A lista deles (no quarto passo) não nos assusta tanto. Entendemos quais são nossas defesas prediletas e nos tornamos mais sensíveis a elas, sem permitir que nos ceguem. Quando essas defesas são expostas, é bem mais fácil reconhecer nossos erros.

Estamos superando a necessidade de manter as aparências. Anteriormente, tínhamos grande dificuldade em pedir perdão. Interpretávamos a humildade como humilhação. Pensávamos que, se pedíssemos perdão, demonstraríamos fraquezas ou incompetência. Temíamos que outros pensassem mal ou se aproveitassem de nós.

Agora, sabemos que pedir perdão é o caminho da libertação e da consciência limpa. Aprendemos o grande valor de uma consciência limpa, que nos livra dos ataques de culpa falsa e verdadeira e das acusações do Inimigo. Por meio do acerto de contas e do pedido de perdão, tratamos as vulnerabilidades que Satanás costumava aproveitar em nossa vida. Fechamos as brechas do pecado em nosso coração e nos relacionamentos quebrados.

Resumindo, o terceiro hábito que nos libera para um novo estilo de vida é reconhecer os erros e pedir perdão quando pecamos ou ferimos alguém. Assim, entendemos melhor um ditado meu:

> O erro que cometemos não importa tanto quanto o que fazemos depois.

O "depois" inclui três responsabilidades: arrepender-se, pedir perdão e fazer restituição. Não mais nos assustamos, pois aceitamos tais responsabilidades como parte de uma vida sadia. Toda vez que as praticarmos, passaremos a fazê-las melhor e mais facilmente. Maturidade não é parar de errar. Maturidade é não ter medo de errar. Sabemos: 1. Que o erro não mudará a segurança que Deus nos deu por meio de nossa nova identidade e seu amor incondicional; e 2. Como acertar e consertar os erros.

Assim, três hábitos caracterizam nosso novo estilo de vida:

1. Responder às crises e aos conflitos com a confiança de que Deus está no controle, praticando os três primeiros dos Doze Passos.
2. Fazer regularmente autoavaliação, tornando-nos pessoas sensíveis. Isso inclui autoavaliações relâmpagos, ao final de cada dia, e periódicas (uma ou duas vezes por ano).
3. Reconhecer nossos erros, pedir perdão e fazer restituição, tornando-nos pessoas ensináveis e reconciliadoras.

Em qual dos hábitos você é mais forte e qual você mais precisa praticar? Anote as frases "mais forte" e "preciso praticar mais" na frente deles. Registre a data para que no futuro, quando ler isso novamente, você possa celebrar seu crescimento.

> **Antes de iniciar o estudo, siga as dicas no Apêndice 3.**

Reflexão pessoal
1. Cite seus sentimentos em relação à leitura acima.
2. Escreva uma oração a Deus com base no décimo passo.
3. Relendo o décimo passo, escreva a palavra ou a frase que mais chama sua atenção. Explique.

4. Para iniciar este passo, precisamos avaliar até que ponto conseguimos aplicar os passos anteriores. O alvo é vivermos de forma livre pela aplicação dos passos continuamente. Abaixo, em uma lista dos primeiros nove passos, esclarecemos a raiz espiritual de cada um deles com uma explicação objetiva para saber se, verdadeiramente, conseguimos cumprir o passo. Coloque um visto na frente de cada passo que você sente que fez bem. Se quiser uma perspectiva mais objetiva, dê nota. Em caso de dúvida sobre algum passo, marque um ponto de interrogação.

☐ PRIMEIRO PASSO, o de quebrantamento e humildade. *Admitimos que éramos impotentes perante o dano causado por nossa separação de Deus e tínhamos perdido o domínio sobre nossa vida.* Reconhecemos que, sem o poder de Deus, não conseguimos dominar ou controlar as emoções, os pensamentos e as atitudes, muito menos ter controle sobre outras pessoas e situações. Somos ensináveis, abertos a Deus e ao próximo, para que nos indiquem quando estamos falhando.

☐ SEGUNDO PASSO, o de fé e esperança. *Viemos a acreditar que um poder superior a nós mesmos poderia devolver-nos a sanidade.* Entendemos claramente que, sem a perspectiva de Deus, não alcançaremos uma mente equilibrada e sã. Confiamos que ele quer nos oferecer sua mente, uma perspectiva verdadeiramente divina!

☐ TERCEIRO PASSO, o da entrega. *Decidimos entregar nossa vontade e nossa vida aos cuidados de Deus, na forma em que O concebíamos.* Não nos consideramos mais donos de nós mesmos nem de nosso destino. Aceitamos plenamente o que Deus queira fazer conosco, incluindo as mudanças que ele deseja fazer em nós.

☐ QUARTO PASSO, o da autoavaliação. *Fizemos minuciosa e destemida autoavaliação moral de nós mesmos.* Olhamos cuidadosamente para nós mesmos e descobrimos problemas sérios, dos quais não poderíamos sair, a não ser por uma intervenção divina. Descrevemos esses problemas com detalhes suficientes e entendemos bem a seriedade deles. Entendemos que os problemas que sofremos nos tornaram, em alguma medida, pessoas problemáticas.

☐ QUINTO PASSO, o da honestidade. *Admitimos perante Deus, perante nós mesmos e perante outro ser humano a natureza exata de nossas falhas.* Tiramos as máscaras, saindo do autoengano de pensar que estávamos bem e abrindo-nos para outras pessoas que poderiam nos ajudar. Estamos convictos de que precisamos do próximo para nos ajudar a perceber e superar nossos pontos cegos e continuar andando na luz, a fim de tornarmo-nos mais e mais como Jesus.

☐ SEXTO PASSO, o de oferecer-se a Deus. *Prontificamo-nos inteiramente a deixar que Deus removesse todos esses defeitos de caráter.* Entramos na "sala pré-cirúrgica" e abrimos nosso coração para Deus fazer o que quisesse conosco. Oferecemos-lhe tudo que conhecemos de nós mesmos, até nossos problemas e nossas feridas, não estabelecendo nenhuma condição ou restrição ao modo pelo qual ele nos trataria ou curaria.

☐ SÉTIMO PASSO, o da cura, arrependimento e libertação. *Humildemente rogamos a Deus que nos livrasse de nossas imperfeições.* Liberamos nossa dor, experimentamos Jesus nos curando, fomos perdoados por Deus e estendemos esse perdão às pessoas que nos feriram. Limpamos nossa consciência de todo pecado e renunciamos a toda ligação demoníaca ou fortaleza do passado.

☐ OITAVO PASSO, o do perdão. *Fizemos uma relação de todas as pessoas que tínhamos prejudicado e nos dispusemos a reparar os danos a elas causados.* Perdoamos a nós mesmos e fizemos o trabalho espiritual preparatório para ir às pessoas que ferimos e pedir perdão. Entregamo-nos seriamente à tarefa de reconstruir nossa identidade em Cristo, para que pudéssemos a cada dia nos parecer mais com Jesus.

☐ **NONO PASSO**, o da restituição. *Fizemos reparação direta dos danos causados a tais pessoas, sempre que possível, salvo quando fazê-la significasse prejudicá-las ou a outrem.* Encontramo-nos com pessoas que ferimos, começando com a própria família, e nos arrependemos, pedimos perdão e nos comprometemos a fazer restituição. Experimentamos uma verdadeira reconciliação ou, pelo menos, fizemos todo o possível para que isso acontecesse.

5. Se você sente que alguns passos ainda deixam a desejar, indique o que deseja fazer a respeito de três deles (os que mais precisam de atenção, esforço ou da ajuda de outros, como seu grupo de apoio ou a equipe de restauração).

   Como sempre, se o grupo quiser e se tiver tempo, use parte do encontro respondendo às Dez Perguntas (Apêndice 4).

   ✖

6. Cite as três palavras-chave que lembram os três primeiros passos.

7. A. Descreva uma crise ou um conflito que você teve na última semana.

   B. Analise seu sucesso, ou a falta dele, em aplicar os primeiros três passos nesta situação:

   1. *Admitir* sua impotência.
   2. *Acreditar* que Deus pode ajudar.
   3. *Entregar* tudo nas mãos de Deus.

8. A. Pense sobre algum desafio ou momento difícil que você provavelmente enfrentará nesta semana. Talvez seja um encontro com alguém problemático no trabalho; um confronto ou uma conversa difícil que você sente que precisa ter com alguém; um encontro com uma pessoa com a tendência de suscitar emoções negativas em você; ou a necessidade de encarar as próprias fraquezas ou

comportamentos compulsivos. Descreva brevemente a situação e a pessoa.

B. Agora, aplique os três primeiros passos a esta situação:
1. *Admita* sua impotência.
2. *Acredite* que Deus pode ajudar.
3. *Entregue* tudo nas mãos de Deus.

C. Em sua opinião, qual o valor desse exercício?

D. Em quais outras situações você poderia fazer esse exercício antecipadamente?

E. Qual a possibilidade de separar de 5 a 10 minutos no começo de seu dia para fazer esse exercício regularmente?

F. Se quiser fazer esse exercício diariamente, escreva as datas de cada dia desta semana e faça um círculo em volta dos dias em que você fizer o exercício, começando na data de hoje.

9. Existem conflitos e crises que surgem de repente, sem previsão. Nesse caso, não podemos fazer tal exercício antecipadamente.

A. Em quais situações há boa possibilidade de surgirem problemas sem que você esteja prevenido?

B. Refletindo em cada uma dessas situações, anote como você poderia aplicar os primeiros três passos de Admitir-Acreditar--Entregar na hora em que o conflito ou crise surgir.

10. Além de desenvolver o hábito de Admitir-Acreditar-Entregar, queremos passar-lhe algumas dicas de como resolver conflitos de forma saudável. Se alguém que amamos verdadeiramente estiver fazendo coisas erradas ou destrutivas, teremos de confrontá-lo. Três chaves nos ajudam a confrontar com êxito:

1. Entender que as emoções sempre são válidas.
2. Assumir responsabilidade por minhas próprias emoções.
3. Não atribuir atitudes ou motivações à outra pessoa.

A primeira chave para o confronto positivo: entender que as emoções sempre são válidas. Não podemos dizer para alguém que é errado o que está sentindo. *Sentimentos* não são errados. Podem ser baseados em entendimentos errados, mas os sentimentos são válidos. Se eu sinto alguma coisa, ninguém pode dizer que esse sentimento não existe. Estou sentindo, ele existe e é verdadeiro. É uma realidade. Não adianta lutar contra a emoção de outra pessoa ou procurar negá-la. Preciso entender a perspectiva que leva a pessoa a sentir isso. Essa perspectiva pode estar errada, mas a emoção sempre é válida.

Entendendo isso, trataremos as emoções dos outros com respeito. Nunca argumentaremos nem lutaremos contra elas. Procuraremos entender qual interpretação dos eventos os levou a esse sentimento.

Como esta primeira chave modificará a forma pela qual você procura resolver seus conflitos?

11. A segunda chave para o confronto positivo: assumir responsabilidade por minhas próprias emoções. A outra pessoa não é responsável por minhas emoções. Ela pode abusar emocionalmente de mim ou de outras pessoas, mas eu mesmo escolherei minha atitude. Posso ficar com raiva, como também posso permanecer em oração, em paz, abalado ou triste. É minha escolha. Eu não posso dizer: "Você me enfureceu". Tenho de ser honesto e confessar: "Estou com raiva". A primeira frase é uma acusação. A segunda é uma confissão. Quando estamos em um conflito e a outra pessoa faz uma confissão, isso se torna um presente. Precisamos valorizar essa confissão e até ser gratos por ela.

As frases a seguir são acusações; procuram pôr a responsabilidade de minhas emoções na outra pessoa. Escreva após cada frase o mesmo sentimento, porém, expresso em forma de confissão, assumindo responsabilidade pelo sentimento. Se você tiver muita dificuldade em reescrever algum item, passe para o próximo.

A. "Você me machucou..."
B. "Você só se interessa com..."
C. "É obvio que você só quer..."
D. "O que você está dizendo é que..."
E. "Você tem que mudar..."
F. "Você me faz sentir tão estúpido!"
G. "Você está me acusando de..."
H. "Você não me entende."
I. "Você me ofendeu."
J. "O que você fez é prova de que não me ama."
K. "Você me deixa cheio de raiva. Não posso dormir na mesma cama que você!"

Algumas respostas possíveis:

A. "Eu me sinto machucado."
B. "Me parece que você tem mais interesse em 'X' do que em 'Y'. É assim?" (Lembre-se de que perguntas podem tornar-se acusações, dependendo do tom da voz. Isso também se aplica aos itens "C" e "E" a seguir.)
C. "Estou procurando entender quais são seus propósitos com isso. Pode me ajudar a entender?"
D. "Me corrija se estiver errado. Estou ouvindo que..."
E. "Essa situação está me preocupando. Você tem ideia de como nós podemos resolver o assunto?"
F. "Sabe, há vezes que eu me sinto tão estúpido..."
G. "Eu estou me sentindo acusado."
H. "Eu não me sinto entendido."
I. "Estou sentindo-me ofendido."

J. "Quando você faz isso, eu não me sinto amado."
K. "Eu estou cheio de raiva. Perdoe-me, mas deste jeito não consigo dormir com você."

Note que as frases "eu sinto *que*" ou "estou sentindo *que*" acabam não sendo uma confissão de sentimentos, e sim uma forma de esconder sua opinião atrás da palavra "sinto". Essas frases devem ser substituídas por "eu *acho* que" ou "eu *penso* que", porque não são uma verdadeira expressão de sentimentos, mas sim de opiniões. Perdem a força de confissão e podem tornar-se acusações.

É difícil lutar com alguém que está confessando algo. Entretanto, é difícil fazer as pazes com alguém que continua acusando-o. Faça o possível para ser dono de seus sentimentos, assumindo a responsabilidade por eles. Isso diminuirá os conflitos.

Como esta segunda chave modificará a forma pela qual você procura resolver seus conflitos?

12. A terceira chave do confronto positivo: não atribuir atitudes ou motivações à outra pessoa. Se você mantiver a conversa no nível dos acontecimentos e dos fatos, terá menos dificuldades. Se sentir que precisa falar da atitude da pessoa, há várias formas de fazer isso sem julgá-la. Algumas opções, por exemplo, incluem as seguintes perguntas:
    1. "Quando você faz isso, o que você sente?"
    2. "Às vezes, mais importantes do que nossas ações são as atitudes por trás dessas ações. Posso perguntar o que você estava pensando (ou sentindo) quando fez isso?"
    3. "Quando você fez isso, como acha que outras pessoas poderiam interpretar?"
    4. "Você consegue imaginar a possibilidade de outras pessoas interpretarem que você tenha esta motivação?"

Normalmente, o confronto deve basear-se em fatos objetivos, e não em especulações sobre a motivação da outra pessoa. Se não houver um acordo quanto ao tipo de comportamento desejado, possivelmente o primeiro encontro sobre o assunto pode ser para definir isso. Feito isso, qualquer um que entrou no acordo terá certa autoridade para encorajar as outras pessoas a manter o combinado, pedindo que elas prestem contas, se for necessário. Se alguém entrar no acordo e depois furar, precisa ser confrontado em amor.

Se alguém continuar furando, pode ser necessário mudar o acordo. No entanto, se for ético, bíblico ou saudável, pode ser que a pessoa precise mudar. Se ela não quiser, pode precisar de disciplina. Aqui entram Mateus 18.15-22 e Gálatas 6.1. Ambas, ao lado de Mateus 5.23-26, são as passagens da Bíblia mais importantes sobre como resolver conflitos. Se você quiser ajuda para estudá-las mais detalhadamente, cf. meu artigo "Resolvendo conflitos" no *site* do MAPI.

Como esta terceira chave modificará a forma pela qual você procura resolver seus conflitos?

✖

Antes de iniciar o estudo, passe alguns minutos orando, pedindo que Deus o guie e esclareça.

13. Escreva os três primeiros passos de cor. Se não puder, treine para que consiga na próxima semana.

14. Se você não fez o exercício dos três primeiros passos hoje, aplicando-os a alguma situação que vai enfrentar, faça isso agora em oração. Anote qualquer orientação de Deus por intermédio desses passos.

15. Nesta semana, queremos estabelecer alguns alicerces para o hábito da autoavaliação contínua. Vamos distinguir entre três tipos de autoavaliação:

1. Relâmpago.
2. De final do dia.
3. Anual (uma ou duas vezes por ano).

A autoavaliação do tipo relâmpago é a que fazemos a qualquer hora, quando reconhecemos que estamos perdendo o domínio próprio. Isso pode ser feito quando nossas emoções começam a tomar conta de nós, quando começamos a abrir espaço para alguma tentação ou até quando caímos nela e pecamos. Essa autoavaliação pode ser feita com uma só palavra: "Por quê?". Precisamos repetir essa pergunta quantas vezes forem necessárias, até conseguirmos entender o problema que estamos enfrentando e, então, sair dele. Dois exemplos:

1. Imagine uma situação em que você está ficando com raiva de outra pessoa. Você se pergunta: "Por quê? Por que estou ficando com raiva? Estou me sentindo ameaçado? Sentindo que preciso me defender?".

Imagine que, com base nas perguntas acima, você entenda que está reagindo a uma acusação feita pela outra pessoa, sentindo-se ameaçado. Agora, continue novamente com a pergunta: "*Por quê?* Por que estou me sentindo ameaçado? Essa pessoa tem o poder de me ameaçar? Ela pode tirar minha segurança em Cristo? Mudar minha verdadeira identidade? Não, não pode".

Considere que, depois dessa conversa com você mesmo, ainda se sinta ameaçado. Continue com a pergunta: "*Por quê?* Essa pessoa não tem o poder de me ameaçar, mas me sinto ameaçado. *Por quê?* Hum, será que estou me sentindo assim porque, ainda que ela me acuse de forma que não gosto, há alguma base no que ela está dizendo? Hum. Há sim... Isso dói. A verdade é que eu errei, e ela me pegou".

Geralmente, quando se analisa uma emoção, acaba-se com ela. Se você analisa a raiva, ela desaparece. Se analisa o medo, ele começa a sumir. A pergunta "Por quê" é uma forma de autoavaliação que dá luz, enquanto tira o calor do que você estava sentindo.

2. Um segundo exemplo do uso da auto-avaliação relâmpago é o caso de tentação. Você pode pensar em uma das áreas em que é mais tentado e modificar a ilustração abaixo para encaixar em sua vida. O exemplo a seguir é mais direcionado aos homens.

Imagine-se em uma videolocadora devolvendo filmes a que a família assistiu. É de manhã e o lugar está vazio. Você sente um desejo muito grande de espiar a seção de filmes eróticos, sabendo que ninguém vai vê-lo. "Só uma olhadela", você pensa, mas ao mesmo tempo outra voz diz: "Não faça isso! Você está se entregando à tentação". Nessa hora de reconhecer a tentação, você pode-se fazer esta pergunta: "Por quê?".

"*Por que* estou sendo atraído para esses filmes? Porque eu ainda luto com desejos carnais." Boa observação. Voltemos a repetir a pergunta-chave.

"*Por quê?* Por que os desejos carnais têm tanta força nesta manhã? Porque minha esposa não tem demonstrado muito interesse em fazer amor recentemente." Outra boa observação. Continuemos a autoavaliação.

"*Por quê?* Por que ela não está tão interessada? Parece preocupada e distante. Lembro que ela agiu dessa forma no passado, quando eu a havia magoado sem saber. Será que a magoei recentemente? Hum. Como ela se sentiria se soubesse que eu estava olhando as fotos desses filmes? Puxa, eu apenas estaria armando uma encrenca maior. Melhor eu ir atrás dela para ver qual o problema e descobrir se o problema sou eu!"

Tal como acontece com a análise de uma emoção, analisar sua vulnerabilidade à tentação ajuda a acabar com ela. Você entende melhor por que você está tão fraco e o que precisa fazer para fugir dessa tentação. Deixe-me esclarecer que você deve analisar sua *vulnerabilidade* à tentação, e não a tentação em si. Analisar a tentação pode levá-lo facilmente a mergulhar nela, cedendo mais espaço para sucumbir.

Para ganhar um pouco de experiência na auto-avaliação relâmpago, pense em uma situação recente, na qual você perdeu o domínio próprio e pecou, ou agiu de forma errada por deixar as emoções dominar. Faça o exercício de perguntar: "Por quê?" e responder a essa pergunta, repetindo esse processo três ou quatro vezes, como nos exemplos acima.

16. O segundo tipo de autoavaliação é o exame diário. No final de cada dia, é importante rever e examinar nossas atitudes e nossos comportamentos. Lembre-se de que este programa dos Doze Passos é diário; ele nos ajuda a aprender a viver um dia de cada vez. Esse hábito do exame diário nos mantém focalizados no presente e nos impede de ter preocupação com o futuro ou viver no passado.

    Existem diversas formas de fazer um exame diário, mas no geral é preciso separar mais ou menos 10 minutos no final do dia para isso. Uma opção é manter um diário espiritual, no qual você anota o que Deus está lhe ensinando, podendo levá-lo para a igreja, para os encontros do grupo de apoio ou para qualquer outro lugar e usá-lo em seu tempo devocional. No final do dia, você pode anotar duas coisas: 1. As qualidades nas quais mais se destacou, indicando como foram demonstradas; e 2. Suas falhas, indicando como foram demonstradas.

    A. Faça esse exercício agora para ver como funciona. Se houver perguntas, anote-as para compartilhar com o grupo de apoio.

B. Se você fizer esse exercício diariamente, que diferença fará?

Este exame diário pode ser encarado como balanço do dia, ponderação: um resumo do bem e do mal. É uma oportunidade para meditarmos sobre o relacionamento com as outras pessoas. Nas ocasiões em que fizermos o bem, nós nos sentiremos bem e reconheceremos o próprio progresso. Nas situações em que tentamos, mas falhamos, precisamos reconhecer primeiro o esforço de tentar, pois ao menos tentamos. A avaliação de nossos fracassos traz nossos erros à tona. Podemos, então, corrigir nossas ações e andar com tranquilidade. Com a ajuda de Deus e a disciplina do exame diário, o sucesso é garantido.

Hoje, você já fez o exame diário acima. No final de cada um dos seis seguintes dias, repita a experiência, tomando 10 minutos para anotar suas observações. Há várias passagens bíblicas indicando qualidades do caráter cristão, as quais você pode incluir em seu inventário (autoavaliação). Se quiser conferir alguma dessas passagens durante seu exame diário, sugiro as seguintes, uma para cada dia:

1. 1Coríntios 13.4-7
2. Tiago 3.13-18
3. 1Timóteo 3.2-7
4. Mateus 5.3-12
5. Gálatas 5.22-23
6. Colossenses 2.12-17

Se você não gosta muito de escrever, ou alguma noite estiver sem disposição para fazer anotações, faça o exercício em oração.

Na próxima semana, veremos a autoavaliação anual. No grupo, compartilhem sobre a experiência de fazer autoavaliações relâmpagos e diárias.

Ore antes de iniciar o estudo abaixo, pedindo que Deus o guie e ministre a você por meio dele.

17. Repita os primeiros três passos de cor, sem erro (em voz alta ou de forma escrita).

18. A. Há quantos dias você fez o exercício dos primeiros três passos? Lembre-se de que queremos desenvolver isso como um hábito diário. Se não o fez hoje, aplicando-os a alguma situação que você enfrenta, faça isso agora em oração. Anote qualquer orientação de Deus por intermédio desses passos.

    B. Comente como está o hábito da autoavaliação diária.

19. Uma autoanálise anual pode ser executada quando estiver sozinho, possivelmente se retirando para um lugar solitário. Não vamos fazer a análise de forma completa agora, mas em algum momento, nos próximos doze meses, faça isso, usando a autoavaliação a seguir. É um momento importante que nos dá oportunidade de renovar o voto de viver uma nova vida em Cristo. Faremos uma breve experiência com ela esta semana. Há muitas maneiras de fazer uma autoavaliação periódica. Eis algumas das virtudes da forma que usaremos:

    1. É simples, mas compreensiva.
    2. Inclui um diálogo com um líder pastoral, para que possamos andar na luz.
    3. Abrange aplicações práticas, para não ficar somente na teoria.

    Após cada resposta sua, deixe um espaço para a perspectiva de seu discipulador ou líder pastoral. Cada pessoa na família de Deus deve ter alguém assim (um conselheiro ou mentor), com quem compartilha e ora pelo menos periodicamente. Opções nesse sentido incluem seu pastor, alguém na equipe de restauração ou o facilitador do grupo de apoio. O líder pastoral fará os comentários com base no que você escrever. Entregue sua avaliação a ele depois de preencher sua parte. (Para isso, você talvez queira usar folhas avulsas em vez do caderno.)

As respostas devem indicar sua situação atual, e não a expectativa de como poderá ou deveria ser. Procure atribuir uma nota para si mesmo em cada área. Depois, escolha até três áreas que mais o preocupam e explique suas notas nessas áreas.

Escolha uma área para pensar em um simples plano de ação, a fim de melhorar aquela área, em especial aquela com nota mais baixa (inferior a 6). Seu líder pastoral pode ajudá-lo nisso. Quando essa área melhorar, você poderá atacar outra.

A. Vida espiritual. Avalie:
1. A vida devocional.
2. O evangelismo pessoal.
3. A participação na igreja.
4. O relacionamento com Deus e crescimento espiritual.
5. Plano de ação.

B. Vida física. Avalie:
1. A quantidade de exercício.
2. O controle de peso.
3. A nutrição.
4. O *check-up* anual. (Há algumas preocupações não resolvidas?)
5. Plano de ação.

C. Vida familiar. Avalie:
1. O relacionamento com o cônjuge (se for casado).
2. O relacionamento com os filhos (se tiver).
3. A vida espiritual de sua família.
4. A qualidade de seu tempo com a família.
5. Plano de ação.

D. Vida emocional. Avalie:
1. O nível de estresse.
2. A saúde emocional.
3. O hábito de reconhecer erros e pedir perdão.
4. A habilidade de descansar.
5. Plano de ação.

E. Vida mental. Avalie:
1. Os desafios mentais, novos aprendizados.
2. A abertura para ser corrigido.
3. A criatividade.
4. A eficácia em encorajar o desenvolvimento de outros.
5. Plano de ação.

F. Vida social. Avalie:
1. Os relacionamentos com o sexo oposto.
2. Os passeios e as viagens (as saídas com o cônjuge, se for casado).
3. As amizades na igreja.
4. A amizade com pessoas fora da igreja.
5. Plano de ação.

G. Vida profissional. Avalie:
1. O relacionamento com o chefe.
2. O relacionamento com os colegas.
3. A produtividade.
4. A carga de trabalho e tempo dedicado a ele.
5. Plano de ação.

H. Principais realizações no último ano.

I. Principais frustrações no último ano.

J. As recomendações pessoais para continuar se desenvolvendo.

K. Quaisquer outros comentários que gostaria de fazer.

20. O último hábito que queremos destacar neste passo para um novo estilo de vida é reconhecer nossos erros e pedir perdão, mantendo a consciência limpa e os relacionamentos em ordem. Sublinhe as frases que você considera mais importantes na passagem a seguir.

> Deixem de mentir uns aos outros; falem a verdade, pois somos membros uns dos outros e quando mentimos uns aos outros estamos fazendo mal a nós mesmos. Quando estiverem irados, não pequem alimentando seu próprio rancor. Não deixem que o sol se ponha com vocês ainda irados. Resolvam isso logo; porque quando vocês estão irados oferecem um fortíssimo ponto de apoio ao diabo.
>
> Efésios 4.25-27, BV

Como sua ira (ou a ira de alguém que você feriu ou ofendeu) pode dar "um fortíssimo ponto de apoio ao diabo"?

21. Cada vez que pedimos perdão, ficamos mais livres e mais sensíveis ao Espírito Santo. Ter uma consciência limpa nos ajuda a reconhecer a sujeira que entra em nossa vida.

    A. Há pessoas com as quais você precisa acertar contas? Comece anotando nomes e situações que aconteceram nesta última semana e depois deixe o Espírito Santo indicar-lhe se existem outras situações ocorridas há mais tempo. Use a passagem seguinte como base de oração para o Espírito Santo guiá-lo.

    > Ó Deus, examine a minha vida em detalhes! Põe os meus pensamentos e as minhas emoções à prova, tome conhecimento de tudo! Descubra qualquer caminho errado e mau e orienta-me para que eu ande sempre pelo caminho da vida eterna.
    >
    > Salmos 139.23-24, BV

    B. Se você ainda não o fez, confesse esses pecados ou essas falhas a Deus. Então, marque ao lado de cada nome a primeira oportunidade em que você poderá acertar contas.

C. Esse hábito se torna mais fácil quando mantemos as contas em dia. Se deixarmos que elas se acumulem, o coração se endurece e os recursos emocionais são sugados pelo fardo de carregar esses problemas. Comente sobre a sensibilidade de seu coração e sua disposição para acertar contas diariamente, quando possível.

22. Dê uma nota a si mesmo com relação a seu sucesso em estabelecer os três hábitos ressaltados neste passo. Comente suas notas.

    A. O hábito de responder às crises e aos conflitos com a confiança de que Deus está no controle.
    B. O hábito da autoavaliação.
    C. O hábito de reconhecer os erros e pedir perdão.

23. O décimo passo diz: "Continuamos fazendo a autoavaliação e, quando estávamos errados, o admitíamos prontamente". Escolha uma resposta:

    1. Não consigo fazer isso.
    2. Estou fazendo isso, mas com bastante dificuldade.
    3. Estou fazendo isso, mas com alguma dificuldade.
    4. Estou plenamente comprometido com o décimo passo.
    5. Estou plenamente comprometido com o décimo passo e pronto para o décimo primeiro passo.

    Comente sua resposta.

Compartilhe no grupo uma ou duas áreas da autoavaliação nas quais você se sente mais realizado. Depois, compartilhe uma ou duas áreas em que precisa de mais oração e encorajamento. Se desejarem, marquem um encontro extra para solidificar este compartilhamento e ter mais tempo para orar uns pelos outros.

Décimo primeiro passo:

Andando com Deus

Procuramos, através da prece e da meditação,
melhorar nosso contato consciente com Deus,
na forma em que O concebíamos,
rogando apenas pelo conhecimento
de Sua vontade em relação a nós
e por forças para realizar essa vontade.

Habite ricamente em vocês a palavra de Cristo.
COLOSSENSES 3.16

No décimo passo, começamos a estabelecer um novo padrão de vida, com novos hábitos. Neste passo, continuaremos esse processo, estabelecendo hábitos de comunicação com Deus, aproximando-nos dele diariamente. Tanto o décimo passo quanto o décimo primeiro oferecem ferramentas para sustentar o progresso que realizamos nos primeiros nove passos.

Nos primeiros três passos, começamos a entender a seriedade de nossa condição e estabelecemos um alicerce para tratar nossos problemas. Do quarto ao nono passos, experimentamos um processo parecido com a situação de um carro levado para a oficina para reparos sérios. Dedicamos tempo e energia para fazer os consertos necessários, incluindo a restauração de nosso "motor" para que funcione bem. No décimo e no décimo primeiro passos, temos a oportunidade de manter o motor em boas condições, fazendo manutenção regularmente. Aprendemos a reconhecer os problemas e corrigi-los prontamente, então seguimos aprimorando nossas novas habilidades. À medida que providenciarmos a manutenção necessária, nossa vida funcionará bem, recompensando-nos com paz e alegria.

Falamos, no décimo passo, de estabelecer hábitos diários. Neste passo, acrescentaremos mais alguns. Qualquer hábito requer tempo. Se não simplificarmos nossa vida, nosso desejo de praticar bons hábitos acabará só nisto: um desejo. Isso implica parar de fazer algumas coisas que hoje fazemos, abrindo espaço às atividades importantes para nosso novo estilo de vida. Para cada um de nós, a escolha do que devemos "sacrificar" será diferente.

Ao longo da história, a Igreja tem praticado quatro disciplinas espirituais clássicas para manter união com Cristo: a comunhão, a oração, a Palavra e o testemunho pessoal.[1] Neste passo, queremos estabelecer ou fortalecer hábitos relacionados a duas das disciplinas clássicas: a oração e a Palavra. Este décimo primeiro passo trata diretamente de nossa dependência de Deus por meio da oração e da meditação. O segundo nos leva diretamente para a Palavra, por sua vez, a base para a meditação, como diz o salmista repetidas vezes (cf. Sl 119.15,23,48,78,97,99,148).

Este passo, tal como o terceiro, nos lembra de que nossa habilidade de nos aproximar de Deus depende muito da forma pela qual o concebemos. A maioria de nós precisa ter um desejo profundo por algo, se vamos buscar aquilo de todo o coração. Até que entendamos o quanto Deus nos ama e se importa com os detalhes de nossa vida, não vamos querer conversar muito com ele. Até que acreditemos que ele verdadeiramente nos perdoou, nós nos envergonhamos de estar em sua presença. Se mantivermos opiniões erradas sobre Deus, este passo será uma tarefa pesada demais em vez de uma alegria.

Em *Mais perto de Deus*,[2] o escritor A. W. Tozer diz que *todos* os nossos problemas surgem de um conceito errado de Deus. Registramos isso de forma clara no segundo passo, quando confessamos que existe um poder superior a nós mesmos que pode devolver-nos a sanidade. A falta de sanidade flui de conceitos errados sobre Deus, em razão de nossa dificuldade de entendê-lo e de ter sua perspectiva. Este décimo primeiro passo é o da sabedoria — momento de nos aproximar mais da fonte da sabedoria e de nos aprofundar no prazer, por nós descoberto, de andar intimamente com o Criador e Sustentador do universo, aquele cujo nome os santos do Antigo Testamento nem se atreviam a

---

[1] Cf., por exemplo, os livros que escrevi com Josadak Lima: *Dedicados à comunhão, Dedicados à Palavra, Dedicados à oração* e *Dedicados à vida simples*, publicados por A. D. Santos. Escritos para grupos de discipulado de líderes, os títulos trabalham, cada um, uma disciplina espiritual durante oito semanas.

[2] São Paulo: Mundo Cristão, [1961] 1980, p. 4.

pronunciar, mas a quem nós temos o privilégio incrível de chamar de Pai ou até de Papai (Rm 8.15).

No décimo passo, desenvolvemos três hábitos fundamentais para nosso novo estilo de vida. Neste passo, acrescentaremos mais três:

1. O hábito da oração, mergulhando na prece que Deus nos deu como modelo: o *Pai-Nosso*.
2. O hábito de ouvir a Deus, parando para ouvir dele, e não somente falando a ele. Queremos transformar monólogo em diálogo!
3. O hábito da meditação e de dedicação à Palavra, como base para essa meditação.

Vejamos mais detalhadamente cada um desses hábitos, a seguir.

1. Desenvolvendo o hábito da oração

Em uma definição simples e direta, oração é falar com Deus. Nada mais, nada menos! Esse falar requer uma imensa humildade, em vista da tremenda diferença entre ele e nós. Os benefícios da oração são maravilhosos, alguns dos quais enumeramos abaixo. Coloque um visto na frente do benefício que é mais importante para você. Se você pensar em mais um benefício, pode acrescentá-lo no final da lista.

1. ☐ *Ser nutrido em nossa alma*. Do mesmo modo que o ar, a luz do sol e a terra boa são essenciais para uma planta crescer, assim também a oração e a comunhão com Deus são indispensáveis para nutrir nossa alma.
2. ☐ *Ter convicção de que somos significantes*. Ligados a Deus e a seus propósitos, sabemos que temos valor.
3. ☐ *Sabedoria*. Recebemos orientação divina para entender o que Deus está fazendo e como cooperar com ele. Ele nos dá uma mente sã.

4. ☐ *Fé.* Crescemos em nossa fé à medida que a exercitamos. Esse exercício começa quando oramos a Deus e ouvimos dele, para então basear nossas ações no que ouvimos.
5. ☐ *Poder.* Só saber o que Deus quer não é suficiente. Por intermédio da oração e do Espírito Santo, recebemos o poder que precisamos para fazer o que ele quer (1Co 4.20; Fp 2.12,13).
6. ☐ *Manter o novo estilo de vida.* Todos desanimam uma vez ou outra. Se não tivermos um ponto referencial além de nossas circunstâncias e de nós mesmos, abandonaremos a vida que provém de Deus.
7. ☐ *Santidade.* Em oração nos aproximamos de Deus e de sua santidade. Essa aproximação nos afasta do pecado.

Pode-se perguntar: "Se a oração faz tudo isso, por que não oramos mais?". Boa pergunta! Tanto existem empecilhos à oração como benefícios. O mundo, a carne e o diabo juntam forças para nos manter longe de Deus e da oração. Deixe-me enumerar alguns dos valores, argumentos ou circunstâncias que o Inimigo usa. Coloque um visto ao lado dos empecilhos que mais prejudicam. Se pensar em mais algum, pode acrescentá-lo no final da lista.

1. ☐ *Egocentrismo e autossuficiência.* Tanto o mundo quanto nossa carne argumentam constantemente que a independência é o máximo, que não precisamos de ninguém. O egocentrismo invadiu muitas igrejas e muitos lares, levando cada um a buscar o melhor para si mesmo, a preocupar-se principalmente consigo mesmo. Infelizmente, nada disso é novo (cf. Fp 2.1-5; Tg 4.1-3).
2. ☐ *Ativismo.* Como Marta, achamos muito mais importante trabalhar do que sentar aos pés de Jesus (Lc 10.38-42). Achamos que a oração é boa para emergências, mas estamos ocupados demais para parar e orar quando não estamos enfrentando uma crise ou algo acima de nossa habilidade de resolver.

3. ☐ *Seca espiritual.* Às vezes, nos sentimos longe de Deus e pensamos que qualquer esforço que fizermos não trará resultado. (Nesse caso, devemos procurar a ajuda de outros irmãos e nos rodear de louvor e comunhão.)
4. ☐ *Falsos conceitos acerca de Deus.* Já falamos neste e em outros passos que nossa visão de Deus é formada, em grande parte, por meio do ensino e do exemplo de nosso pai e nossa mãe.
5. ☐ *Pecado ou vergonha.* Por vezes não estamos dispostos a expor à luz certas áreas de nossa vida (cf. Jo 3.19-20). Não estamos prontos para mudar essas áreas, mesmo sabendo que nos prejudicam. Apesar de saber que Deus nos conhece totalmente e nos aceita como somos, não queremos abrir o jogo e mexer com áreas difíceis de nossa vida. Ficamos com medo de Deus, em vez de sermos atraídos a ele.
6. ☐ *Preguiça.* Toda relação comprometida exige tempo e investimento de energia. Muitas vezes, principalmente por Deus não ser exigente, insistente e visível, nós o deixamos de lado para investir em coisas visíveis e urgentes.
7. ☐ *Falta de hábito.* Quando não temos um lugar e um tempo regular, de preferência diário, a oração tende a ser esquecida. Em geral, temos um horário marcado para tudo que é de fato importante na vida: refeições, trabalho, lazer, cultos etc. Quando não temos um tempo devocional marcado, isso significa que ele não é verdadeiramente uma prioridade e está longe de ser um hábito.
8. ☐ *Falta de companheirismo.* Quando procuramos fazer algo sozinhos, com frequência desanimamos. Um companheiro de oração pode fazer uma grande diferença.
9. ☐ *Falta de prestação de contas.* Muitas vezes, ainda que algo seja importante para nós, não desenvolvemos tal qualidade ou tais hábitos, porque sentimos que ninguém mais se importa com

isso. São boas intenções nossas, não passam disso, pois ninguém nos encoraja ou nos desafia quando falhamos nessa área.

O alvo principal da oração é melhorar nosso contato consciente com Deus. Eis três formas de oração, parecidas com as três formas de auto-avaliação: 1. Relâmpago, 2. Diária e 3. Prolongada e intensiva. Na verdade, existe uma relação íntima entre a autoavaliação e a oração. Separadamente, trazem muito alívio e benefício; interligadas, resultam em uma base inabalável para nossa vida.

Acerca da oração relâmpago, *Os doze passos e as doze tradições*, publicado pela Junta de Serviços Gerais de Alcoólicos Anônimos do Brasil (Junaab),[3] diz o seguinte:

> No decorrer do dia, quando tivermos de enfrentar situações delicadas e tomar decisões, podemos parar um momento e renovar o mais simples de todos os pedidos: *"Seja feita a Sua vontade, não a minha"*. Nos momentos de fortes perturbações emocionais, manteremos nosso equilíbrio se nos lembrarmos de uma oração qualquer ou frase que, particularmente, nos tenha agradado durante a leitura ou meditação. Dizendo essa frase ou oração por algumas vezes, podemos em geral restabelecer uma ligação que foi interrompida pelo rancor, pelo medo, pela frustração ou pelo desentendimento, e poderemos voltar à mais segura de todas as ajudas: a procura da vontade de Deus, não a nossa, no momento de tensão.

Quanto à oração diária, ajuda muito se tivermos tempo, lugar e plano para a prece. Cada um terá que avaliar seu dia no que se refere ao melhor tempo, mas uma sugestão seria no começo e no final do dia. Os muçulmanos oram cinco vezes por dia. O profeta Daniel orava regularmente três vezes por dia em um lugar específico: sua janela. Procure identificar um tempo e um lugar que sejam bons para você.

---

[3] 1953/1995, p. 91; grifo do autor.

O melhor plano que conheço é seguir o modelo que Jesus nos deu quando ele ensinou os discípulos a orar: o *Pai-Nosso*. (Na semana seguinte, o grupo poderá estudá-lo com mais detalhes.) Há outras orações famosas e importantes que merecem ser memorizadas com o decorrer do tempo. Neste passo, comentaremos a *Oração da Serenidade* e no próximo, a Oração de Francisco de Assis.

Quanto à oração prolongada e intensiva, algumas pessoas a fazem uma vez por semana, enquanto outras, uma vez por mês, uma ou duas vezes por ano ou só quando sentem necessidade. Essa oração pode ser feita de várias formas: acompanhada por jejum, num passeio ou retiro com Deus,[4] sozinho ou com outras pessoas, em vigília etc. No caso de uma vigília, não é necessária a concordância da igreja toda. Ela pode ser feita em casa, com um grupo de pessoas amigas e sedentas de maior aproximação com Deus. Não precisa ser a noite toda, mas ajuda se houver algum plano. Por exemplo, 2Crônicas 7.14, um salmo ou outra passagem-chave pode ser dividida em várias partes e compor a base para dividir a vigília de forma semelhante.

Há livros que podem ajudar, se você quiser se aprofundar mais nesse assunto. Eis alguns: *Nem uma hora?*, de Larry Lea,[5] que ensina cuidadosamente a usar o *Pai-Nosso* como base de nossa vida de oração; e *Jesus, ensina-nos a orar!*, de Hope McDonald,[6] o livro mais simples e profundo que conheço nessa área. Meu livro *Dedicados à oração* também ajuda a aprofundar essa disciplina.

Acima, afirmamos que orar é falar com Deus. Se ampliássemos um pouco essa definição básica, poderíamos dizer que é *comunicação* com Deus. Isso quer dizer diálogo, uma conversa, e não um simples falar aos céus. Esse conceito nos leva ao segundo hábito deste passo: ouvir a Deus.

---

[4] Cf. dicas para um retiro com Deus em www.mapi-sepal.org.br, link ferramentas.
[5] Rio de Janeiro: Betânia, 1989.
[6] São Paulo: Mundo Cristão, 1997.

2. Desenvolvendo o hábito de ouvir a Deus

Em nosso novo estilo de vida, entendemos claramente que Deus está no controle, tem as respostas para nossos problemas e quer compartilhar conosco essas respostas! Para entender tais respostas, precisamos ganhar a perspectiva dele, que virá somente à medida que aprendermos a ouvi-lo. Essa perspectiva chama-se sabedoria. O hábito de ouvir a Deus forma pessoas sábias, que sabem compartilhar essa sabedoria com outras pessoas.

A *Oração da Serenidade* nos ajuda a identificar três áreas nas quais precisamos ouvir a Deus.

Deus, conceda-me a serenidade
De aceitar as coisas que não posso mudar,
A coragem para mudar as coisas que posso,
E a sabedoria para reconhecer a diferença.

Em primeiro lugar, precisamos ouvir de Deus sobre as coisas que *não* podemos mudar. Nessa área, precisamos adotar a atitude de serenidade, paz, ou harmonia interior, não nos afligindo por coisas que estão fora de nosso controle. Algumas coisas que não podemos mudar incluem:

- As atitudes das outras pessoas.
- O que já aconteceu no passado.
- O fato de que só Deus conhece o futuro e só ele tem tudo sob controle.
- As leis físicas do universo.
- As leis morais do universo, até a lei de que o pecado sempre traz sequelas.
- O fato de sermos imperfeitos e ainda vulneráveis à tentação.
- O fato de que pensamentos impuros ou não desejados aparecem de repente em nossa mente.
- A família na qual nascemos e fomos criados.

Precisamos deixar todas essas coisas nas mãos de Deus, descansando na segurança de que nada foge do controle dele. Em alguns casos, podemos interceder por mudanças, como, por exemplo, as atitudes de outras pessoas. Mas tais mudanças estão fora de nosso controle e, uma vez que oramos, precisamos descansar na confiança de que Deus nos ouviu e agirá segundo os propósitos dele, sem violar o livre-arbítrio de ninguém.

Em segundo lugar, precisamos ouvir de Deus sobre as coisas que *podemos* mudar. Nessa área, precisamos de sabedoria para saber como agir e coragem para fazer o certo, visto que entendemos o que poderia ser. Algumas coisas que podemos mudar incluem:

- Nossas atitudes.
- O poder espiritual e emocional negativo do passado em nossa vida, cancelando esse poder por intermédio do arrependimento, do pedido de perdão e de renúncias, e transformando esse poder pela restauração da alma.
- A incerteza do futuro. Podemos fazer promessas e compromissos com pessoas de aliança, para que, juntos, possamos enfrentar o futuro de forma que não seja totalmente imprevisível.
- Nossa disposição, a fim de nos tornarmos canais do poder de Deus para fazer obras sobrenaturais, como curas ou milagres.
- A limpeza de nossa consciência, para que o pecado não mais tenha domínio sobre nós na vida cotidiana.
- Não se acomodar; cumprir o ato de voltar para um estado de santidade cada vez que pecamos; arrependendo-nos, pedindo perdão, fazendo restituição e novamente andando na luz com Jesus e com nossos irmãos.
- Não alimentar pensamentos impuros ou prejudiciais em nossa mente.
- A forma de nos relacionarmos com membros da família.

Nenhuma dessas coisas muda fácil ou automaticamente. Por nossa própria força não conseguiremos mudar essas áreas. Contudo, são necessárias nossa determinação e nossa ação ao lado do poder de Deus, para realizar a vontade dele. Somos "cooperadores de Deus" (cf. 1Co 3.5-9).

Em terceiro lugar, precisamos ouvir de Deus para discernir a diferença entre o que não podemos mudar e o que podemos. Você provavelmente notou que existem áreas bem parecidas nas duas listas apresentadas. Se não pararmos para ouvir Deus, por vezes estaremos nos esforçando quando nosso papel, na verdade, deveria ser descansar. Em geral, tais esforços acabam trazendo transtorno e mais problemas. Outras vezes, ficaremos descansando na confiança de que Deus agirá por nós, quando de fato ele aguarda nossa obediência à luz, que ele já nos deu por meio de sua Palavra, do Espírito ou de nossa experiência. Nesse caso, nossa atitude relaxada ou de superespiritualidade tanto pode gerar transtorno e problemas quanto a atitude oposta, isto é, esforçarmo-nos quando deveríamos descansar.

Sem dúvida, precisamos de sabedoria para perceber a diferença. Essa sabedoria vem quando ouvimos a Deus. Algumas pessoas podem perguntar: "E como ouvimos?". Hoje existem muitos artigos, mensagens e livros que tratam do tema sobre conhecer a vontade de Deus.[7] De maneira sucinta, podemos destacar três formas principais de ouvir a Deus.

1. Ouvindo sua voz pela Palavra. Essa é a forma mais objetiva e nos poupa de muitos problemas, pois nosso coração é enganoso (Jr 17.9). Deus *nunca* contradiz o que sua Palavra fala de forma clara e objetiva. Por exemplo, quando Deus diz que odeia o divórcio e não existe opção de divorciar-se, a não ser por razões de infidelidade

---

[7] Nesse tema, o melhor que conheço é o livro *Conhecendo Deus e fazendo sua vontade: experiências com Deus*, de Henry Blackaby e Claude King. Bompastor, 1994 e LifeWay Brasil, 2003. Faço um resumo desta obra no Capítulo 5 de meu livro *O líder que brilha*. São Paulo: Vida, 2007.

ou abandono, nós não podemos criar outras razões para justificar o divórcio. Mesmo com a objetividade da Palavra, precisamos do poder do Espírito para tornar as palavras escritas em palavras vivas, que nos alimentam e nos vivificam. O simples estudo da Bíblia e mesmo o estudo profundo e detalhado não nos levam, necessariamente, a ouvir a voz de Deus, como foi bem ilustrado com os fariseus (Jo 5.39,40).

2. Ouvindo sua voz por meio do Espírito Santo. Geralmente, Deus não fala em voz audível. São impressões e convicções que vêm até nós quando atentamos para a voz dele, muitas vezes quando lemos a Palavra. Se o que ouvimos não significa uma instrução objetiva da Bíblia, devemos verificar se foi Deus que falou, confirmando o que acabamos de ouvir com outras pessoas, como indicado a seguir. Ouvir a voz do Espírito Santo requer sensibilidade, que vem com o exercício dos "músculos" de nossos ouvidos espirituais. Assim, cresçamos em nossa habilidade de distinguir a voz de Deus das muitas distrações da carne, do diabo e do mundo.

3. Ouvindo sua voz por meio do Espírito Santo nas pessoas que Deus escolhe para serem nossos líderes espirituais. Muitas vezes, pensamos que estamos fazendo o certo (sentindo ou não que ouvimos a voz de Deus), mas quando agimos de forma independente, sem compartilhar a decisão com outras pessoas, acabamos errando. Muitas das maiores decisões da vida não são claramente detalhadas na Bíblia; por exemplo, qual carreira seguir, com quem casar, onde morar, quantos filhos ter, que tipo de carro comprar etc. Uma vez que nosso coração é muito enganoso, precisamos da cobertura de pessoas sábias capazes de ser mais objetivas do que nós.

Precisamos entender a diferença entre ser dependente, independente e interdependente. Quando agimos de forma *dependente*, simplesmente fazemos o que outros nos dizem. Então, não ouvimos de Deus. Caímos na armadilha de delegar a outros nossa responsabilidade de ouvi-lo. Quando agimos de modo *independente*, fazemos o que queremos fazer, sem verificar o que achamos que ouvimos de Deus. Quando agimos de maneira *interdependente*, avaliamos o que ouvimos diretamente de Deus com o que ouvem os líderes e parceiros que ele nos concede. Isso inclui sobretudo nosso cônjuge e o líder espiritual que Deus põe em nossa vida, seja o pastor, seja o *discipulador*, seja o líder de nosso grupo pequeno. Sempre devemos procurar alinhar a luz que Deus nos concede com a luz que ele concede aos outros. Se as duas coisas não batem, devemos postergar a decisão. Se não for possível adiar mais, devemos entender que somos responsáveis por nossa própria vida e, no final das contas, precisamos agir de acordo com a própria consciência e com a luz que Deus nos concedeu.

Às vezes, as pessoas que ouvem a voz de Deus conosco, a fim de tomar uma decisão interdependente, vão ouvir diretamente do Espírito (por meio de uma impressão, do bom senso santificado ou de um dom especial, como profecia, sabedoria ou revelação). Outras vezes, vão ouvir por meio de uma passagem bíblica. Outras vezes ainda, em oração, Deus oferece uma perspectiva divina que faz todas as peças se encaixar no lugar certo.

Passemos agora para o terceiro hábito deste passo: o da meditação.

3. Desenvolvendo o hábito da meditação

Meditar significa pensar de modo sério, profundo e focalizado. A oração aprofundada leva à meditação, passando da superfície para o coração do assunto. Vejamos rapidamente os benefícios e empecilhos da meditação. Coloque um visto na frente dos benefícios mais importantes para você:

1. ☐ *Todos os benefícios da oração:*
   - Ser nutrido em nossa alma
   - Ter uma convicção de que somos significantes

- Sabedoria
- Fé
- Poder
- Manter o novo estilo de vida
- Santidade

2. ☐ *Conhecer Deus e as pessoas de forma mais profunda.* No passado, tivemos dificuldade com a intimidade; a meditação abre a possibilidade de sermos íntimos com Deus e com outras pessoas, passando da superfície ao conhecimento do coração.

3. ☐ *Conhecer a Palavra de forma profunda.* Os pensamentos de Deus são diferentes dos nossos (Is 55.8; 1Co 1.18-29). A meditação nos leva de uma perspectiva leviana e superficial a um entendimento mais aprofundado do que Deus quer nos comunicar.

4. ☐ *Aprender o valor e desfrutar dos frutos de esperar no Senhor.* Num mundo louco, onde o estresse cresce a cada dia, a meditação pode devolver-nos a sanidade e levar-nos a experimentar as palavras de Isaías: "Até os jovens se cansam, até os moços perdem as forças e caem, de tanto cansaço, mas os que esperam no Senhor sempre renovam suas energias. Sobem, voando como águias. Correm e não se cansam, caminham e não perdem as forças" (Is 40.30–31, BV).

5. ☐ *Visão pessoal.* A meditação com fé leva-nos a enxergar com olhos espirituais (2Co 5.7,16,17). Seja visão de nós mesmos, seja de outros irmãos, chegamos a entender melhor o mistério de Cristo em nós, "a esperança da glória" (Cl 1.27).

6. ☐ *Visão dos propósitos de Deus.* A vida cristã está cheia de mistérios que podem ser desvendados por intermédio dos olhos da fé e da meditação.

Infelizmente, somos uma geração que não aprendeu a meditar. Nossa cultura, a televisão e o conceito de "comprar agora, pagar depois" nos fazem pensar que podemos ter tudo *já*. Em tal cultura imediatista, desaprendemos a nos esforçar mental ou espiritualmente para conquistar algo. Somam-se nosso ativismo e nossa satisfação com coisas superficiais para, assim, acabar com a prática de meditação.

A maioria não aprendeu a praticar a irmã gêmea da meditação: a imaginação. Tão ativa na criança, a imaginação vai morrendo rapidamente e, com ela, a habilidade de meditar e colher os bons frutos dessa disciplina. Antes da televisão e dos *video games*, dependíamos muito mais de nossa imaginação para visualizar o que se passava no rádio, em uma leitura ou na pregação de alguém. Hoje em dia, a televisão e os filmes preenchem todos os detalhes. Os *shows* de música, às vezes, vão além do que poderíamos imaginar. A televisão e o som exagerado de alguns grupos musicais ou algumas igrejas acabam cauterizando e embrutecendo nossos sentidos e, por consequência, nosso coração. A disciplina do silêncio, através de um jejum de palavras, pode ajudar-nos a recuperar algo do mistério da vida e o poder de ouvir profundamente, em um nível diferente, nosso próprio coração, o de outras pessoas e o coração de Deus.

Mais um empecilho aflige algumas pessoas: o entendimento de que meditação pertence à Nova Era ou a religiões falsas e deve, portanto, ser evitada. A meditação não pertence a ninguém, ainda que seja usada por alguns grupos de forma negativa. A meditação pejorativa tem como alvo *esvaziar* a mente, tornando possível uma perda de controle que abra espaço para espíritos malignos. A meditação bíblica, porém, *enche* nossa mente, aprofundando nosso pensar sobre Deus: seu caráter, suas obras, seus propósitos e sua Palavra. Esse tipo de meditação é o que o décimo primeiro passo está encorajando.

O alvo principal da meditação, assim como da oração, é melhorar nosso contato consciente com Deus. Algumas formas de praticar a meditação incluem:

1. *Cantar.* Alguém já disse que, quando cantamos, oramos duas vezes. Ao cantarmos, a mente fica envolvida e o espírito também.

Muitas vezes, quando estamos relaxados, a letra de um cântico vêm à mente. Se esse cântico for de louvor a Deus, acaba sendo uma expressão saudável de meditação.

2. *Escrever.* Nossos pensamentos, às vezes perturbados e turbulentos, se esclarecem quando escrevemos. O hábito de escrever diários espirituais em nossa agenda permanente é uma boa forma de meditação.

3. *Estudar a Palavra.* Escolher um tema ou uma passagem e aprofundar-se no assunto representa uma forma de meditação. Isso se junta naturalmente ao segundo método, o de escrever.

4. *Memorizar a Palavra.* Guardar a Palavra em nosso coração nos protege do pecado. Como alguém disse: "A Palavra o afastará do pecado ou o pecado o afastará da Palavra". Quando Deus nos fala através de um versículo ou de uma passagem-chave, devemos memorizá-los, escrevendo-os em um cartão que podemos carregar conosco para memorizar e revisar durante o dia. Memorizar com outros amigos e juntos revisar esses versículos, com certa regularidade, nos ajudará a manter e ampliar nossa base para a meditação.

5. *Treinar nossa mente quanto ao que pensamos nos horários de dormir e de acordar.* Uma forma de entender quem é nosso Deus verdadeiro é perceber para onde nossa mente vai quando nos deitamos para dormir e quando acordamos. Podemos treinar nossa mente para que esses minutos sejam momentos de comunhão com Deus pela oração e pela meditação em versículos memorizados da Palavra.

Se quiser aprofundar-se mais nessa área, Richard J. Foster tem um excelente capítulo sobre meditação em seu livro *Celebração da disciplina: o caminho do crescimento espiritual.*[8]

Juntando os três hábitos do décimo passo com os três deste décimo primeiro passo, podemos ter dificuldades para firmar-nos em todos

---

[8] São Paulo: Vida, 1997.

eles. Logo adiante você verá um plano que pretende nos ajudar, com passos para o começo e o final do dia, como também para os momentos difíceis que possam surgir durante o dia. Também é importante separar um tempo em dias de folga, para aprofundar a prática dos hábitos, principalmente de oração e meditação na Palavra. Ficar apenas com alguns minutinhos ao começo ou ao final do dia é como se alimentar apenas de *fast-food* em vez de uma refeição completa e sadia.

Reflexão pessoal

1. Explique seus sentimentos com base na leitura acima.
2. Escreva uma oração a Deus baseada no décimo primeiro passo.
3. Ao reler o décimo primeiro passo, anote a palavra ou as frase que mais lhe chama a atenção e explique por quê.
4. Como mudou sua percepção de Deus neste último ano?
5. Quais os fatores que mais contribuíram para você mudar sua perspectiva de Deus?
6. Em quais áreas você mais sente que ainda precisa mudar sua perspectiva sobre Deus?
7. O que ajudaria você a ganhar uma perspectiva melhor de Deus?
8. Quais atividades você vai parar de fazer, a fim de ter tempo para os novos hábitos que pretende desenvolver?

No grupo, compartilhe os benefícios e empecilhos da oração que você notou na leitura do primeiro hábito. Orem com base nisso e nos itens acima.

Dicas para manter os hábitos de um novo estilo de vida

No começo do dia (escolha pelo menos um):

1. Leia uma passagem bíblica e faça um diário espiritual com base no que leu, respondendo a duas perguntas:
   - O que Deus está me dizendo?
   - O que vou fazer baseado nisso?
2. Entregue o dia a Deus em oração, usando o Pai-Nosso como um esboço para suas orações. Peça que Deus o libere de fazer sua própria vontade egoísta.

Durante o dia, em momentos de indecisão ou medo (escolha pelo menos um):

1. Ore: "Senhor, seja feita a tua vontade, não a minha".
2. Reflita nos primeiros três passos e entregue o assunto a Deus.
   - Relaxe e respire fundo, várias vezes.
   - Esteja sensível a qualquer desejo de lutar contra uma situação ou pessoa.
3. Se possível, ligue para alguém com quem você pode compartilhar, que possa dar-lhe uma perspectiva melhor e orar com você.

No final do dia (escolha pelo menos um a cada noite):

1. Faça uma lista de seus sucessos e suas falhas (décimo passo).
   - Peça orientação de Deus para tomar passos corretivos.
2. Peça que Deus lhe mostre sua vontade.
3. Confesse os pecados e peça o perdão de Deus, para manter a consciência limpa. Essa reflexão não deve tornar-se compulsiva, obsessiva, mórbida, nem trazer preocupação ou gerar remorso.
4. Agradeça a Deus toda a orientação e as bênçãos que foram parte desse dia.
5. Ao deitar-se, medite no caráter de Deus, em suas obras nesse dia ou em alguma passagem bíblica (Fp 4:6-8).

Releia o décimo primeiro passo e ore para que ele se torne real para você e o estudo a seguir o ajude nisso.

9. A. Nesta semana, queremos estudar o *Pai-Nosso*, visando estabelecer um padrão de oração diária. As várias formas de orar incluem: louvor, consagração, petição (para si mesmo), intercessão (para outros), confissão e afirmação de verdades eternas. Anote na oração abaixo onde você vê qualquer uma dessas formas.

> Vocês, orem assim: Pai nosso, que estás nos céus! Santificado seja o teu nome. Venha o teu Reino; seja feita a tua vontade, assim na terra como no céu. Dá-nos hoje o nosso pão de cada dia. Perdoa as nossas dívidas, assim como perdoamos aos nossos devedores. E não nos deixes cair em tentação, mas livra-nos do mal, porque teu é o Reino, o poder e a glória para sempre. Amém.
>
> Mateus 6.9-13

B. Vamos mergulhar nessa oração. Para começar, faça a oração acrescentando suas próprias palavras após cada frase acima. Comece dizendo para Deus: "Pai nosso, que estás nos céus!" e então acrescente palavras suas dentro desse pensamento. Em seguida, passe para a segunda frase e repita o mesmo processo, até fazer toda a oração a Deus, sempre acrescentando suas palavras após cada frase.

C. Anote o resultado desse exercício de oração.

D. Vamos repetir a experiência acima diariamente, durante sete dias. Anote em seu caderno a data de cada dia em que você fizer o exercício.

E. Para meditar melhor, escreva o significado pessoal de cada frase do *Pai-Nosso*. Copie em seu caderno frase por frase, anotando cada vez o que a frase significa para você. Capriche!

F. Se memorizarmos o *Pai-Nosso*, poderemos fazer essa oração lavando louça, indo ao trabalho, tomando banho, fazendo uma caminhada, aguardando numa fila ou em qualquer outro momento do dia. Pratique até poder escrever a oração sem colar. Esteja pronto para dizer a oração de cor no próximo encontro de seu grupo de apoio.

10. Indicamos no décimo passo que a autoavaliação pode ser feita de três formas: relâmpago, diária e periódica. Neste passo, enxergamos a oração através dessas mesmas três óticas. Podemos igualmente encarar o ato de ouvir a Deus destas três formas: 1. A qualquer momento (modo relâmpago); 2. Diária, em nosso tempo devocional e 3. Periódica, quando procuramos ouvir a Deus em um sentido especial, em caso de decisões ou crises que estamos enfrentando. Quanto a essa terceira forma, já tratamos a respeito de separar tempo especial para jejum, retiro ou vigília. Aqui, comentaremos um pouco sobre o primeiro (ouvir a Deus em qualquer momento do dia) e o segundo (ouvi-lo diariamente). Para começar nossa reflexão, anote quando foi a última vez que você ouviu a Deus e o que ele lhe falou.

11. Precisamos desenvolver o hábito de ouvir a Deus em qualquer momento, sobretudo quando enfrentamos dificuldades ou o oposto: oportunidades, nas quais precisamos de sabedoria para saber o que fazer. Peça a Deus que fale a você por meio dos seguintes versículos e, depois, anote o que ele lhe falou. Jesus disse:

> "Eu lhes digo verdadeiramente que o Filho não pode fazer nada de si mesmo; só pode fazer o que vê o Pai fazer, porque o que o Pai faz o Filho também faz. [...] Por mim mesmo, nada posso fazer; eu julgo apenas conforme ouço" (Jo 5:19,30).

> "Pois não falei por mim mesmo, mas o Pai que me enviou me ordenou o que dizer e o que falar. Sei que o seu mandamento é a vida eterna. Portanto, o que eu digo é exatamente o que o Pai me mandou dizer" (Jo 12.49-50).

"Estas palavras que vocês estão ouvindo não são minhas; são de meu Pai que me enviou" (Jo 14.24).

12. Como podemos saber que Deus falou? Temos a tendência de complicar a resposta a essa pergunta. Anote sua resposta à luz dos versículos a seguir:

> "Naquela ocasião Jesus disse: 'Eu te louvo, Pai, Senhor dos céus e da terra, porque escondeste estas coisas dos sábios e cultos, e as revelaste aos pequeninos. Sim, Pai, pois assim foi do teu agrado'" (Mt 11.25-26).

13. No item 11, pedimos a Deus que falasse e esperamos, pela fé, que o que viesse à nossa mente fosse sua voz. Quando estamos cheios do Espírito e em atitude de consagração, confiamos que o que ouvimos vem de Deus, ainda que precisemos manter essa confiança com mente aberta, para Deus acrescentar algo ou nos corrigir se não o ouvimos bem. O que, no texto abaixo, o encoraja quanto à sua habilidade de ouvir a Deus?

> Porém Cristo tem derramado o Espírito Santo sobre vocês, e por isso todos vocês conhecem a verdade. Portanto, eu escrevo a vocês, mas não é porque desconhecem a verdade. Pelo contrário, é porque a conhecem e sabem que nunca nenhuma mentira veio da verdade. [...]
> Eu escrevo isso a respeito dos que estão tentando enganá-los. Mas Cristo tem derramado o seu Espírito sobre vocês. Enquanto o seu Espírito estiver em vocês, não é preciso que ninguém os ensine. Porque o Espírito ensina a respeito de tudo, e os seus ensinamentos não são falsos, mas verdadeiros. Portanto, obedeçam aos ensinamentos do Espírito e continuem unidos com Cristo. (1Jo 2.20-21,26-27, BLH)

14. Se ouvirmos algo de Deus que impactará outras pessoas, deveremos sempre procurar confirmação de duas fontes: a Palavra de Deus e as pessoas que Deus colocou em autoridade sobre nós,

como já detalhamos. Sempre que estivermos emocionados, em conflito, perturbados, deprimidos ou confusos, naturalmente teremos mais dificuldade em ouvir a Deus. Nesses momentos, precisamos não confiar tanto em nossa perspectiva, procurando não tomar decisões significantes. Para tais momentos, ainda, existem duas maravilhosas orações relâmpago:

1. "Jesus, me ajude!"
2. "Jesus, seja feita a sua vontade, não a minha."

Pensando numa situação difícil que você esteja enfrentando, ore pedindo que não seja feita sua vontade, mas a de Jesus. Anote o que Jesus fala a você, com base nessa oração.

Na reunião do grupo de apoio, se quiser, faça a oração do *Pai-Nosso* em conjunto. O líder diz uma frase de cada vez e alguém então faz uma oração simples baseada nela. Depois, todos podem falar o *Pai-Nosso* de cor.

✖

Nesta semana, vamos praticar ouvindo a Deus de forma regular e diária, bem como incorporar a prática de meditação. Uma das melhores formas de fazer isso é utilizar um caderno para anotar o que Deus lhe falar, os estudos bíblicos que fizer, os sermões que ouvir e assim por diante. Esse caderno pode ser o mesmo que você usa para este curso ou pode ser outro.

15. Uma forma de ouvir a Deus diariamente é fazer um diário espiritual, respondendo a duas perguntas:

    1. O que Deus está me dizendo?
    2. O que vou fazer a partir disso?

Geralmente, essas perguntas tratam de uma leitura da Palavra ou um livro devocional, mas podem ser úteis em qualquer momento, sobretudo nos momentos difíceis.

Faça um diário espiritual baseado na seguinte passagem, acrescentando uma terceira pergunta no final da passagem:

> Meus amados irmãos, tenham isto em mente: Sejam todos prontos para ouvir, tardios para falar e tardios para irar-se, pois a ira do homem não produz a justiça de Deus. Portanto, livrem-se de toda impureza moral e da maldade que prevalece, e aceitem humildemente a palavra implantada em vocês, a qual é poderosa para salvá-los. Sejam praticantes da palavra, e não apenas ouvintes, enganando-se a si mesmos. Aquele que ouve a palavra, mas não a põe em prática, é semelhante a um homem que olha a sua face num espelho e, depois de olhar para si mesmo, sai e logo esquece a sua aparência. Mas o homem que observa atentamente a lei perfeita, que traz a liberdade, e persevera na prática dessa lei, não esquecendo o que ouviu mas praticando-o, será feliz naquilo que fizer.
>
> Tiago 1.19-25

A. Quais suas observações com base nessa passagem?
B. O que Deus está dizendo para você?
C. O que você vai fazer com base nisso?

16. Usando sua agenda permanente ou caderno, faça pelo menos três diários espirituais nos próximos sete dias, anotando a data. O primeiro dia você já fez. Ainda que o ideal seja fazer o diário espiritual com base em uma passagem bíblica, você também pode fazê-lo firmado em sua autoavaliação diária, sua oração diária ou em algo que Deus estiver falando a você.

17. Antes de avançar com o hábito da meditação, vamos alistar os cinco hábitos que recomendamos até aqui. Comente como está cada um.

    A. O hábito de responder às crises e aos conflitos com a confiança de que Deus está no controle, *aplicando os primeiros três passos* (Admitir-Acreditar-Entregar).

B. O hábito da *autoavaliação*.
C. O hábito de *reconhecer nossos erros e pedir perdão*.
D. O hábito da *oração*, seguindo o modelo do *Pai-Nosso*.
E. O hábito de *ouvir a Deus*, não só falar!

18. Muitas pessoas terão alguma dificuldade para manter todos esses hábitos. Antes de acrescentar mais um (!), o que você pode fazer para firmar-se nesses hábitos sem entrar no legalismo nem se sobrecarregar? O que você vai *parar* de fazer?

19. Neste período, aproveite as "Dicas para manter os hábitos de um novo estilo da vida", ao final da introdução a este décimo primeiro passo. Se isso não estiver funcionando bem, considere a seguinte sugestão: procure fazer *cada* um dos hábitos pelo menos *duas* vezes por semana; feito isso, passe para três e depois, possivelmente, para mais alguns dos hábitos. Segundo o que o Espírito falar, pode haver um período no qual você procurará fazer algum hábito com maior frequência, até diariamente, mas a maioria de nós, se procurarmos fazer todos os hábitos a cada dia, sentirá um peso em vez de desfrutar os benefícios.

Se for útil para você, use a tabela abaixo:

Hábitos	Dias						
	1	2	3	4	5	6	7
1. Aplicar os primeiros três passos							
2. Autoavaliar							
3. Reconhecer erros e pedir perdão							
4. Orar: pelo menos 5 minutos seguidos							
5. Ouvir a Deus (diário espiritual)							
6. Meditar							
TOTAL							

Você pode copiar o relatório dentro de seu caderno e incluir todos os dias do mês de uma vez.

20. O último hábito para acrescentar a nosso novo estilo de vida é a meditação, baseada na Palavra. Já indicamos cinco formas de meditar. Quais delas você já costuma fazer regularmente?
    1. Cantar.
    2. Refletir na Palavra de forma escrita.
    3. Estudar a Palavra.
    4. Memorizar versículos-chave.
    5. Na hora de dormir, meditar até adormecer.

21. Para aprofundar essa disciplina ou esse hábito, meditaremos em três versículos. Medite neles e depois anote o que surgir por meio de sua meditação. Essa pode ser ampliada pelo estudo do versículo em seu contexto, como também pode ser a base para um diário espiritual (que acaba sendo uma expressão de meditação).

    A. "Não deixe de falar as palavras deste Livro da Lei e de meditar nelas de dia e de noite, para que você cumpra fielmente tudo o que nele está escrito. Só então os seus caminhos prosperarão e você será bem-sucedido" (Js 1.8).
    B. Jesus respondeu: "Está escrito: 'Nem só de pão viverá o homem, mas de toda palavra que procede da boca de Deus'" (Mt 4.4).
    C. Apresentamos duas versões deste versículo, para lembrar o valor de várias perspectivas sobre a mesma passagem.

    "Habite ricamente em vocês a palavra de Cristo; ensinem e aconselhem-se uns aos outros com toda sabedoria, e cantem salmos, hinos e cânticos espirituais com gratidão a Deus em seu coração" (Cl 3.16).

    "Lembrem-se do que Cristo ensinou e que as suas palavras enriqueçam a vida de vocês e os tornem sábios; ensinem essas palavras uns aos outros e cantem-nas em salmos, hinos e cânticos espirituais, cantando ao Senhor com corações agradecidos" (Cl 3.16, BV).

22. A memorização é fundamental para podermos meditar a qualquer momento, sem precisar do texto escrito à nossa frente (no trânsito, tomando banho etc.). No passado tivemos bastante dificuldade em controlar ou disciplinar os pensamentos. A meditação nos ajuda nisso, como Paulo fala abaixo.

    Medite e anote como você pode renovar sua mente, depois memorize esta passagem para meditar nela a qualquer hora.

    > Não andem ansiosos por coisa alguma, mas em tudo, pela oração e súplicas, e com ação de graças, apresentem seus pedidos a Deus. E a paz de Deus, que excede todo o entendimento, guardará o coração e a mente de vocês em Cristo Jesus. Finalmente, irmãos, tudo o que for verdadeiro, tudo o que for nobre, tudo o que for correto, tudo o que for puro, tudo o que for amável, tudo o que for de boa fama, se houver algo de excelente ou digno de louvor, pensem nessas coisas.
    >
    > Filipenses 4.6-8

23. O décimo primeiro passo diz: "Procuramos, através da prece e da meditação, melhorar nosso contato consciente com Deus, na forma em que O concebíamos, rogando apenas pelo conhecimento de Sua vontade em relação a nós e por forças para realizar essa vontade". Escolha uma resposta:

    1. Não consigo fazer isso.
    2. Estou fazendo isso, mas com bastante dificuldade.
    3. Estou fazendo isso, mas com alguma dificuldade.
    4. Estou cumprindo o décimo primeiro passo.
    5. Estou cumprindo o décimo primeiro passo e pronto para o décimo segundo passo.

    Comente sua resposta.

Décimo segundo passo:

Compartilhando nova vida

Tendo experimentado um despertar espiritual,
graças a esses passos,
procuramos transmitir esta mensagem a
outros e praticar estes princípios
em todas as nossas atividades.

Irmãos, se alguém for surpreendido em
algum pecado, vocês, que são espirituais,
deverão restaurá-lo com mansidão.
Cuide-se, porém, cada um para que
também não seja tentado.

GÁLATAS 6.1

O último passo! Chegamos! Parabéns por perseverar até o fim! Mas tenho um segredo para lhe contar. Parece o fim, mas é o começo. O começo de uma vida que gira não em torno de nossas necessidades, feridas e problemas, mas voltada para entender e encorajar outras pessoas no meio de suas dificuldades. Com este passo deixamos de fazer tudo em vista do que nós precisamos, para oferecer a outras pessoas o que elas precisam. E à medida que oferecemos, descobrimos que também recebemos!

Chegou a hora de estender a mão para amigos que lutam com dependências emocionais e comportamentos viciadores ou compulsivos. Recebemos muito amor e aceitação que, agora, podemos passar para outros. Dito de forma simples, amor é dar sem pensar em receber algo em troca. Podemos fazer isso porque o experimentamos e estamos nos firmando em hábitos que nos permitem ficar ligados à Fonte do amor: nosso querido Senhor Jesus Cristo.

Essa introdução, como também as três próximas semanas, divide o décimo segundo passo em três partes:

1. O despertar espiritual.
2. A transmissão desta mensagem aos outros.
3. A prática destes princípios em todas as nossas atividades.

1. O despertar espiritual

Ainda que entremos nos grupos de apoio principalmente para resolver algum problema, descobrimos, no final, que recebemos muito mais do que uma solução para nosso problema; recebemos de presente um profundo despertar espiritual. Em certo sentido, nossos vícios ou nossas atitudes compulsivas, a dor e a cura foram apenas passos introdutórios para a transformação espiritual e o renovo pessoal. Existe uma tradição oral dos Alcoólicos Anônimos e de outros grupos dos Doze Passos, em que as pessoas se apresentam nos encontros dizendo: "*Oi, sou Fulano e sou um agradecido alcoólatra em recuperação*". O que eles querem dizer é que existe um elemento de gratidão relativo ao seu problema, porque através dele houve um despertar espiritual.

Todos nós que levamos a sério os Doze Passos experimentamos um despertar espiritual, sobretudo se recebemos algum tipo de ministração de restauração. Com o passar do tempo, às vezes esquecemos o que Deus fez por nós. Experimentamos altos e baixos e podemos, em certos momentos, até nos perguntar se alguma coisa mudou. Mas, na verdade, muita coisa mudou. Recebemos presentes muito valiosos nesses meses. Coloque um visto na frente dos presentes que você percebe que recebeu:

1. ☐ *Humildade e quebrantamento*: descobrindo o quanto nos libera admitir nossa impotência e inabilidade de dominar nossa própria vida, quanto mais a de outras pessoas.
2. ☐ *Fé e esperança*: acreditando que um poder superior a nós mesmos (e quanto!) poderia devolver-nos a sanidade e o equilíbrio emocional que faltavam.
3. ☐ *Entrega*: decidindo entregar nossa vontade e nossa vida nas mãos de Deus, mesmo com dificuldade em entender a proporção de seu amor e quão comprometido ele é conosco.
4. ☐ *Autoavaliação*: com a coragem que veio de Deus, olhamos dentro de nós mesmos, para as raízes de nossos problemas, fazendo um destemido e minucioso inventário moral de nossa vida.
5. ☐ *Honestidade*: arriscando-nos a abrir o jogo perante Deus e perante outra pessoa, superamos a vergonha e a dor que mantiveram preso nosso coração.

6. ☐ *Oferecendo-nos a Deus*: entrando na sala pré-cirúrgica, prontificamo-nos a deixar que Deus removesse todos os nossos defeitos de caráter.

7. ☐ *Restauração da alma, limpeza de consciência e libertação*: deixamos Deus nos livrar de nossas imperfeições, especialmente as raízes profundas que ao longo de muitos anos não conseguíamos arrancar.

8. ☐ *Perdão*: perdoados, conseguimos admitir que também machucamos outras pessoas. Fizemos uma relação de todas que tínhamos prejudicado e nos dispusemos a reparar os danos que lhes causamos.

9. ☐ *Restituição*: não só em palavras, mas também em ações, procuramos fazer reparações dos danos causados a tais pessoas, sempre que possível, salvo quando fazer isso significasse prejudicá-las ou a outras pessoas.

10. ☐ *Novo padrão de vida*: estabelecemos novos hábitos de aplicar os passos (especialmente os primeiros três), de continuar fazendo a autoavaliação e de admitir prontamente quando erramos.

11. ☐ *Intimidade com Deus*: superando muitas das barreiras que tínhamos com ele, aprendemos a nos aproximar diariamente de sua vontade por meio da oração, da meditação e de ouvir sua voz.

12. ☐ *Ministério de reconciliação*: tendo desfrutado todos os presentes indicados acima, recebemos mais um: o privilégio de sermos usados por Deus para encorajar outros com nossa vida e nosso testemunho, continuando a nos aproximar de nosso amado Senhor Jesus Cristo e a nos tornar mais parecidos com ele.

Algumas pessoas não sentem ou não demonstram que experimentaram um despertar espiritual ao longo desses meses, em geral, porque não levaram a sério todos os Doze Passos ou o grupo de apoio. Quando alguém começa a confrontar essas pessoas em amor, elas continuam se escondendo atrás de mecanismos de defesa: negam que tenham problemas, fogem ou apontam outras pessoas como culpadas, até membros do grupo de apoio ou da igreja. Às vezes, elas optam por sair do grupo ou da igreja antes de resolver seus problemas interpessoais. Elas ainda têm dificuldades em resolver conflitos, como também em assumir a responsabilidade por sua própria vida e decisões. Mas podemos esperar e confiar que, no tempo de Deus, ele penetrará suas defesas e trará a restauração de que elas tanto precisam.

Quando chegamos a este passo, enfrentamos desafios novos. Surgem novas tentações e dificuldades. Se não estivermos sensíveis ao Espírito Santo e conscientes dessas tentações, poderemos cair de novo. Vejamos a seguir algumas delas (mais uma vez, coloque um visto na frente dos itens com os quais se identifica, os que você considera problemáticos):

1. ☐ **Desânimo momentâneo.** Sempre existirão altos e baixos, embora a prática regular dos passos permita evitar os excessos que conhecemos no passado. Ao mesmo tempo, não devemos levar muito a sério quando temos momentos ou dias de mau humor nem supor que estamos voltando para os vales profundos que conhecíamos anteriormente. Devemos buscar ajuda e apoio imediatamente e nos firmar nos hábitos do novo estilo de vida. O exercício de aplicar os Doze Passos à situação que ora enfrentamos também pode ajudar bastante. Esse exercício se encontra no final deste passo.

2. ☐ **Tornarmo-nos donos de outras pessoas carentes**, especialmente se tivemos o costume de dominá-las no passado. Podemos até cair no complexo messiânico, achando que temos a chave para a restauração de outros, e acabar manipulando-os e controlando-os em vez de liberá-los com amor, aceitação e apoio. Às vezes, entramos numa codependência com eles,

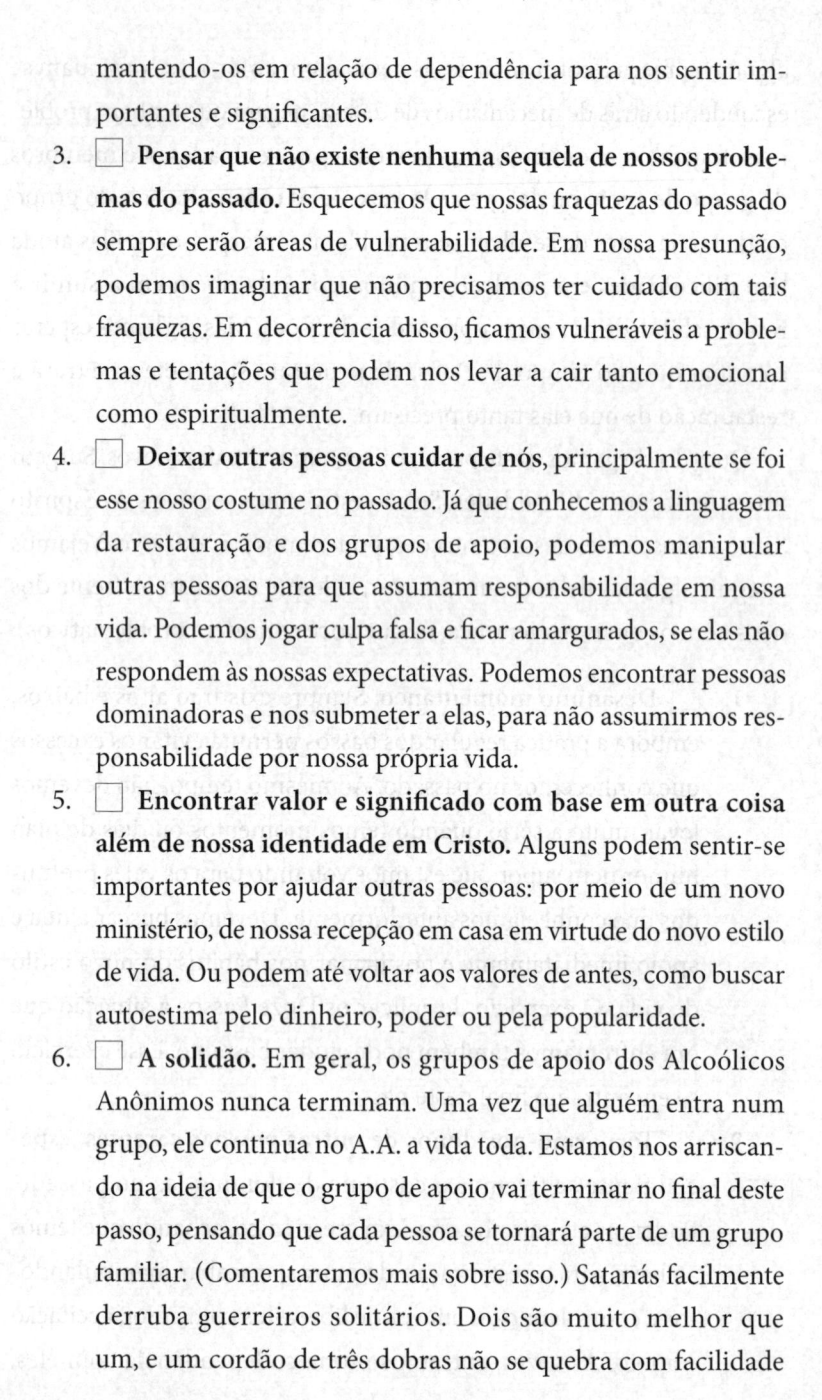

mantendo-os em relação de dependência para nos sentir importantes e significantes.
3. ☐ **Pensar que não existe nenhuma sequela de nossos problemas do passado.** Esquecemos que nossas fraquezas do passado sempre serão áreas de vulnerabilidade. Em nossa presunção, podemos imaginar que não precisamos ter cuidado com tais fraquezas. Em decorrência disso, ficamos vulneráveis a problemas e tentações que podem nos levar a cair tanto emocional como espiritualmente.
4. ☐ **Deixar outras pessoas cuidar de nós,** principalmente se foi esse nosso costume no passado. Já que conhecemos a linguagem da restauração e dos grupos de apoio, podemos manipular outras pessoas para que assumam responsabilidade em nossa vida. Podemos jogar culpa falsa e ficar amargurados, se elas não respondem às nossas expectativas. Podemos encontrar pessoas dominadoras e nos submeter a elas, para não assumirmos responsabilidade por nossa própria vida.
5. ☐ **Encontrar valor e significado com base em outra coisa além de nossa identidade em Cristo.** Alguns podem sentir-se importantes por ajudar outras pessoas: por meio de um novo ministério, de nossa recepção em casa em virtude do novo estilo de vida. Ou podem até voltar aos valores de antes, como buscar autoestima pelo dinheiro, poder ou pela popularidade.
6. ☐ **A solidão.** Em geral, os grupos de apoio dos Alcoólicos Anônimos nunca terminam. Uma vez que alguém entra num grupo, ele continua no A.A. a vida toda. Estamos nos arriscando na ideia de que o grupo de apoio vai terminar no final deste passo, pensando que cada pessoa se tornará parte de um grupo familiar. (Comentaremos mais sobre isso.) Satanás facilmente derruba guerreiros solitários. Dois são muito melhor que um, e um cordão de três dobras não se quebra com facilidade

(Ec 4.9-12). Precisamos nos comprometer com um pequeno grupo saudável a vida toda.

7. ☐ **A independência.** Depois da experiência de um despertar espiritual e da expressiva melhora de nossa vida, podemos achar que não precisamos mais de ninguém. Em vez de sermos mais sensíveis às nossas fraquezas e falhas, achamos que não temos mais problemas. Dizemos: "Eu me viro" e esquecemos que somos parte de um Corpo, que a maturidade que Cristo quer é a interdependência de compartilhar nossa vida e decisões.

8. ☐ **Esquecer que estamos em processo** *contínuo* **de crescimento.** Porque crescemos bastante e talvez sejamos, agora, mais maduros do que alguns ao nosso redor, podemos achar que estamos bem e descansar nisso. Se pararmos de buscar ao Senhor, logo precisaremos manter uma máscara de aparência de uma glória que já desvaneceu (cf. 2Co 3.12-18).

9. ☐ **Ficarmos inconformados com as circunstâncias.** Podemos achar que, por ter completado o curso, não devemos mais ter problemas. Pensamos que as dificuldades devem sumir: o desemprego, o marido não convertido, o filho que nos rejeita, o problema de saúde, a falta de namorado etc. Não entendemos que Deus ainda não terminou nossa formação, que ele está disposto a usar tudo para nos tornar à imagem e semelhança de Jesus (Rm 8.28-29). Às vezes, ele permite circunstâncias difíceis em nossa vida, como o espinho na carne de Paulo (2Co 12.7-10), refinando-nos pelo sofrimento.

Com a humildade de saber que pela frente teremos muitos desafios e tentações, não devemos esquecer que Deus investiu muito em nós. Agora é nossa oportunidade para doar. Vejamos isso com mais detalhes na seção seguinte.

2. A transmissão desta mensagem aos outros

O despertar espiritual nos motiva a ficar bem juntos de Jesus, sabendo que ele é a fonte de nossa saúde emocional, espiritual e mental. Ao mesmo tempo, podemos aplicar a nós mesmos a situação da passagem abaixo.

> Quando ele (Jesus) estava entrando no barco, o homem curado insistiu: "Deixe-me ir com o senhor!". Mas Jesus não deixou e disse: "Volte para casa e conte aos seus parentes o que Deus lhe fez e como ele foi bom para você". Então ele foi embora e contava, na região das Dez Cidades, tudo o que Jesus lhe tinha feito. E todos ficavam admirados.
>
> Marcos 5.18-20, BLH

Hoje, Jesus nos diz a mesma coisa: "Volte para casa e conte aos seus parentes (e amigos) o que Deus lhe fez e como ele foi bom para você". Você consegue ouvir a voz dele lhe dizendo isso?

Alguém disse: "Toda pessoa é um ministério ou um ministro". Chegou a hora de sermos ministros. Temos experimentado o amor de Deus e seu poder; agora, ele quer que nos aprontemos para ser instrumentos de amor na vida de outras pessoas.

O que é amor? É doar sem perspectivas de receber nada de volta. Com liberdade recebemos, liberalmente devemos doar. Muitos testemunham que nenhum passo bem executado traz tanta satisfação como esse. Nele, descobrimos a realidade de que é mais abençoador doar do que receber. Que privilégio é ver os olhos de outras pessoas mudar de desespero para esperança; ver o choro trocado por sorrisos; ver pessoas solitárias descobrir o amor; ver pessoas presas pelo medo, enfim, liberadas. Entramos, finalmente, na alegria de Nosso Senhor Jesus ao nos tornarmos cúmplices com ele em sua missão:

> O Espírito do Senhor Deus está sobre mim, porque o Senhor me escolheu para levar as boas notícias de salvação aos desanimados e

aflitos. Ele me mandou consolar os que têm o coração partido, anunciar liberdade aos presos e dar vista aos cegos. Ele me mandou anunciar a chegada do dia em que o Senhor vai mostrar a todos a sua graça, e também o dia em que Deus vai se vingar de seus inimigos. Ele me mandou consolar os que estão chorando, e dar a todos os que estão de luto em Israel, uma bela coroa em vez de cinzas sobre a cabeça, perfume de alegria em vez de lágrimas de tristeza no rosto, roupas de festa e louvor em vez de um espírito triste e abatido. Porque o Senhor vai plantar esse povo; eles serão fortes e belos como carvalhos, e darão glória a ele. Eles vão reconstruir as cidades destruídas, as antigas ruínas, tornarão a edificar o que ficou arrasado por séculos e séculos.

Isaías 61.1-4, BV

Jesus se identificou com essa missão (Lc 4:18,19) no começo de seu ministério. Ao final, ele enviou seus discípulos, como o Pai o tinha enviado (Jo 17.18; 20.21). Os discípulos têm a mesma missão. Antes de sermos tratados e restaurados, não tínhamos base para nos identificar com o cumprimento dessa missão. Já que Deus nos sarou, consolou e alegrou, agora temos o privilégio de estender esse ministério de reconciliação para outras pessoas. Nas palavras de Paulo, somos embaixadores de Cristo (2Co 5.18-20).

Investimos profundamente por muitos meses em nossa própria recuperação. Os grupos de apoio pretendem terminar com uma grande celebração no final deste passo. Dali para frente, estaremos livres para investir na vida de outras pessoas. Há várias opções sobre como fazer isso na igreja.

1. Integrar-se a um grupo familiar (também chamado de célula, grupo de comunhão, grupo de crescimento etc.). Seu grupo de apoio como um todo pode integrar-se a algum grupo existente, como também pode dividir-se em vários grupos, segundo a orientação do pastor ou

do coordenador dos grupos. Cada um de nós precisa dar continuidade a nosso grupo de apoio, integrando-se em um grupo familiar. Além de qualquer outra opção que tomemos a seguir, precisamos ser parte de um grupo pequeno, no qual seremos nutridos, pastoreados, apoiados, ouvidos, ministrados e encorajados a fazer isso com outro. Nesse grupo, podemos experimentar a igreja em miniatura, a vida do Corpo expressa em relacionamentos comprometidos e saudáveis.

Se esses grupos não existem em sua igreja, interceda para que Deus levante um líder para começar um projeto piloto. Os grupos pequenos, que se reuniram em casas na época da igreja primitiva, eram fundamentais à saúde da igreja e continuam sendo essenciais até hoje. Pessoas que desejarem começar esse grupo podem usar meu livro *Implantando grupos familiares*,[1] o de Ed René Kivitz, *Koinonia*,[2] ou o *Manual do auxiliar de célula*.[2] Tanto minha equipe de pastores (o MAPI) como o grupo da Igreja em Células oferecem treinamentos para pastores e líderes nessa área.

2. Integrar-se à equipe de restauração. Ao longo desses meses, algumas pessoas sentiram um crescente desejo de ajudar outras pessoas da forma pela qual foram ajudadas. Deus as chama a estender e aprofundar o ministério de restauração usando a riqueza de suas personalidades, experiências e dons. Com o crescimento da equipe, poderemos atingir novos alvos, abrindo o curso de "Introdução à restauração da alma" ou novos grupos de apoio para um número maior. Também poderemos treinar pessoas de outras igrejas para levantarem equipes de restauração.

3. Integrar-se a outra equipe de ministério. Pode ser outra equipe que ajude pessoas necessitadas e carentes, como uma equipe de aconselhamento, de encorajamento ou de visitação. Se não existem equipes

---

[1] São Paulo: Vida.
[2] Ministério Igreja em Células, 1998.

como essas em sua igreja e você sente um chamado ou desejo profundo de participar, ore e peça que Deus providencie. Talvez Deus responda à sua oração usando-o para ajudar a formar essa equipe. Existem muitas outras equipes que podem ser seu lugar no Corpo de Cristo: louvor, conjuntos ou corais, ministérios para crianças, adolescentes, jovens e assim por diante. No item 22 indicamos uma lista extensa para você refletir em seu possível envolvimento.

4. Continuar em um grupo de apoio. Esta seria uma opção excepcional, já que esperamos que as pessoas que trabalharam bem os Doze Passos e foram fiéis a seu grupo de apoio estejam prontas para integrar-se a grupos familiares. Algumas pessoas sentirão que estão prontas para mergulhar num nível mais profundo de restauração e dos Doze Passos. Outras sentirão que ainda precisam de apoio em um nível maior do que receberiam nos grupos familiares. Em alguns casos, pode ser interessante pesquisar o que oferecem Alcoólicos Anônimos (*www.alcoolicosanonimos.org.br*), Neuróticos Anônimos (*www.neuroticosanonimos.org.br*) ou Al-Anon (para familiares de alcoólatras) (*www.al-anon.org.br*).

Se você participar de um novo grupo de apoio, isso deve ser uma expressão deste décimo segundo passo, de transmitir a mensagem para outras pessoas. Você pode convidá-las a estar com você; possivelmente, pode ser um facilitador; ou, se estiver em um grupo secular, pode ser uma ponte entre a equipe de restauração e o que esse grupo tem para oferecer. Deus pode usá-lo para passar conceitos valiosos desse grupo para a equipe, como também para compartilhar sobre Jesus com pessoas nesse grupo, convidá-las para a igreja ou para o ministério de restauração e grupos de apoio na igreja.

5. Fazer outro curso, por exemplo, "Limites" ou "Codependência", para solidificar as mudanças em sua vida. Cf. maiores informações no *site* do Mapi (Apêndice 2).

Nossa salvação e nossa restauração estão intimamente ligadas. Como expliquei na *Introdução à restauração da alma*,[3] o verbo *sozo*, no grego, muitas vezes é traduzido por "salvo" e outras vezes, por "curado". Segundo o *Strong's Greek Dictionary*, *sozo* quer dizer ser salvo, liberado, resgatado ou protegido, tanto literal como figurativamente; um ser feito completo ou íntegro. Leia a passagem seguinte, entendendo que existe uma ligação profunda entre a salvação, a cura e uma vida restaurada.

> Pois, se vocês contarem aos outros com seus próprios lábios que Jesus Cristo é o seu Senhor, crendo do fundo do coração que Deus O levantou dentre os mortos, serão salvos. Porque é crendo de coração que um homem se torna reto para com Deus, e com a boca é que ele fala de sua fé aos outros, confirmando assim a sua salvação.
>
> Romanos 10.9-10, BV

Confirmamos e aprofundamos a obra de Deus em nossa vida quando transmitimos aos outros o que Deus fez em nós. Muitas vezes, compartilhar como nossa vida mudou terá um impacto maior do que falar de algum princípio ou dos passos. Compartilhar nossa história ajudará outras pessoas a reconhecer suas necessidades, encorajando-as com nossa humildade e abertura para falar dos problemas.

Existe um paradoxo. Só retemos o que entregamos para outras pessoas. Se quiser reter e aprofundar sua restauração, você precisa compartilhar com o próximo o que Deus fez, e está fazendo, em sua vida. Sua história é valiosa. Você pode sentir-se tímido ou constrangido para compartilhá-la. Pode perguntar se, na verdade, sua experiência teria alguma importância para outros; se, afinal das contas, vai ajudar alguém. Pode lutar com a vergonha do passado. Mas nossa história de recuperação pode ajudar outros que estão presos onde nós estávamos. Estamos dispostos a deixar que Deus nos use para libertar outras pessoas? Dentro de cada história da jornada da escravidão para a liberdade

---

[3] P. 54-55.

existem as Boas-Novas, de alguma forma. Quando as pessoas ouvem nossa história, ainda que esta pareça insignificante, estamos lhes oferecendo a oportunidade de soltar suas correntes e começar uma história de restauração própria.

Conhecemos de dentro para fora os relacionamentos e as famílias disfuncionais; também conhecemos intimamente a luta de lidar com feridas e traumas emocionais que nos amarram. Deus permitiu que, por meio dos sofrimentos, chegássemos a entender outras pessoas que sofrem; podemos assim nos identificar com elas de uma forma pela qual outrora não conseguimos. Por meio de nossa jornada na direção da restauração, entendemos também como estender esperança para outras pessoas ainda presas. Nesse contexto, as palavras de Jesus ganham nova força:

> Vocês são a luz do mundo – uma cidade sobre um monte, brilhando durante a noite para ser vista por todos. Não escondam a luz de vocês! Deixem que ela brilhe para todos; e que as boas obras de vocês brilhem para serem vistas por todos, de tal maneira que louvem o Pai celeste.
>
> Mateus 5.14-16, BV

Durante este passo peça diariamente que Deus permita a você brilhar na vida de outras pessoas a seu redor, especialmente as que carecem de luz. Em vez de ficar ofendido, frustrado, irritado ou fugindo de pessoas disfuncionais e problemáticas, pergunte para Jesus o que ele está fazendo na vida dessas pessoas e como você poderia ajudá-las.

Ao terminar este curso, a equipe de restauração provavelmente voltará a passar o curso de "Introdução à restauração da alma" e/ou novos grupos de apoio e/ou outro curso como "Limites" ou "Codependência". Uma forma de transmitir a mensagem do que Deus fez para você é convidar outras pessoas a entrar no curso, sabendo que elas receberão ajuda, como você recebeu.

Passemos para a terceira e última parte do décimo segundo passo.

3. A prática destes princípios em todas as nossas atividades

Esta última parte do décimo segundo passo enfatiza a prática dos princípios dos Doze Passos "em todas as nossas atividades". Isso quer dizer que, se formos transformados espiritualmente, as pessoas começarão a enxergar isso em nossos tratos financeiros, em nossos relacionamentos, em nossa vizinhança, em nossa conduta sexual e assim por diante. A transformação será evidente em todas as áreas de nossa vida. Vejamos algumas delas.

Para muitos, o maior desafio é expressar amor e equilíbrio emocional no lar, especificamente para com o cônjuge. Filhos adultos de famílias disfuncionais tendem a se casar com pessoas disfuncionais. Se nosso cônjuge não tinha problemas emocionais quando nos casamos, depois de tantos anos casado conosco, sem dúvida hoje tem feridas e cicatrizes! Precisamos pedir a Deus o amor ágape que só ele tem, o amor incondicional que doa sem pensar no que ganhará em troca. Claramente, nós não temos esse tipo de amor. Ainda prevalece, até inconscientemente, a "lei" de levar vantagem.

Nosso "amor" é fraquíssimo. Amamos enquanto a outra pessoa corresponde a nosso "amor", enquanto responde bem ao que fazemos por ela. Mas, quando ela não corresponde, o que acontece com o que chamamos de "amor"? Aqui, de novo, entram os três primeiros passos: *admitindo* que não temos amor divino incondicional (que não impõe condições); *acreditando* que um poder superior a nós pode devolver-nos a sanidade — um coração que ama como ele; *entregando* nossa vontade e vida aos cuidados de Deus, para que seu cuidado nos ofereça uma base para amarmos como ele nos ama. Tantas vezes não correspondemos a seu amor; mas ele continua nos amando. Ligados a Deus, experimentando esse amor, podemos amar de forma parecida. Peça a Deus uma revelação divina de seu cônjuge, vendo-o como ele o vê. Se o cônjuge não é crente ou não demonstra o fruto do Espírito, memorize estas palavras de Paulo: *"Pois o marido descrente é santificado por meio da mulher, e a mulher descrente é santificada por meio do marido. Se assim não fosse, seus filhos seriam impuros, mas agora são santos*" (1Co 7.14).

Esse amor tem que ser firme. Se o cônjuge ou nossos filhos estão abusando de nós ou tratando-nos como se não tivéssemos valor, precisamos nos respeitar o suficiente para não permitir que isso continue. *O amor tem que ser firme*, de James C. Dobson,[4] ajuda bastante nesse assunto.

Outra área na qual precisamos agir de forma diferente é a das decisões. No passado, tivemos a tendência de dominar ou de ser dominado; agir de forma independente ou dependente. Agora, queremos passar para a interdependência, respeitando-nos e valorizando-nos e fazendo o mesmo com as pessoas ao redor que serão afetadas por nossas decisões.

Para sermos interdependentes, precisamos consultar as pessoas que serão afetadas pela decisão e procurar chegar a um consenso. Se for uma decisão que afetará a família, como, por exemplo, sobre as férias, devemos consultá-la e procurar um consenso. Na decisão sobre o horário em que os filhos devem ir para a cama, devemos consultá-los e procurar um consenso (a não ser que sejam pequenos demais). Na decisão de assumir novo compromisso uma noite por semana, devemos consultar o líder pastoral mais nosso cônjuge e filhos, já que essa decisão pode acabar atingindo nossa participação na igreja ou na família.

Nessas consultas, não é suficiente procurar a perspectiva de outras pessoas; também precisamos procurar um acordo ou consenso. Entendemos que, assim como nós, elas também têm a luz do Espírito Santo dentro de si, e o que for dele normalmente será confirmado por outros que o buscam juntamente conosco. As decisões que devem ser compartilhadas são as que afetam nosso emprego, onde moramos, nossa

---

[4] São Paulo: Mundo Cristão, 1996.

participação na igreja e compromissos sérios relativos a nosso tempo ou dinheiro. Aqui, devemos procurar a perspectiva de nosso cônjuge e do líder espiritual que Deus nos concedeu, para ganhar a proteção e a sabedoria da interdependência.

Nos casos raros em que não houver acordo, se possível, devemos aguardar mais tempo para Deus nos oferecer uma melhor perspectiva. Nesse caso, geralmente a perspectiva dele é algo que abraça e acrescenta tanto a nossa perspectiva quanto a da outra pessoa. Se chegar o momento em que uma decisão tem que ser feita, não podendo mais aguardar, nós somos responsáveis diante de Deus por nossa vida e teremos que assumir responsabilidade por nossas decisões.

Aos solteiros, recomendamos bastante cuidado com o coração e para quem vai entregá-lo. Indivíduos com histórias como as nossas tendem a ser atraídos para pessoas disfuncionais. No processo de restauração pode surgir uma paixão. Por causa de nossa carência afetiva, podemos responder e achar que esse sentimento especial vem de Deus. Precisamos andar sob cobertura espiritual nessa área. Além disso, os solteiros devem entender que essa época da vida é um tempo especial para estarem dedicados ao Senhor e a seu ministério, como Paulo explica em 1Coríntios 7.32-35.

Por causa do passado, nossas finanças refletem nossas perspectivas disfuncionais. Algumas pessoas não querem gastar dinheiro para nada e, portanto, são muito mesquinhas. Mas a maioria tem dificuldade em controlar o dinheiro. A baixa autoestima ou a miséria de nosso passado nos leva a impressionar outras pessoas com nossa liberalidade, a qualidade de nosso carro, roupa, móveis etc. Às vezes, compensamos nosso mau humor saindo e fazendo compras; outras vezes, fazemos compras porque nos sentimos muito bem! Sejam emoções altas ou baixas, somos levados a gastar dinheiro. Somos herdeiros de uma cultura da inflação, em que achamos normal viver com cheque pré-datado, dívidas e juros. Isso não é nada normal. É doentio e até pecaminoso.

A Bíblia diz: "Não devam nada a ninguém, a não ser o amor de uns pelos outros" (Rm 13.8). Se está com dívidas, se está pagando juros, procure a ajuda de seu líder espiritual ou de outra pessoa que seja boa em finanças e desenvolva um plano para você sair dessa escravidão. Problemas financeiros nos atingem emocionalmente e dão brecha para os ataques do Inimigo. Pagando as dívidas, continue separando dinheiro mensalmente, aplicando-o em uma poupança. Essa economia lhe permitirá fazer compras futuras sem entrar em novas dívidas nem na escravidão de pagar juros.

Uma última área sobre a qual quero comentar é nosso tempo. O recurso mais valioso que temos é o tempo. Muitos têm grande dificuldade para dizer "não". Acabamos nos comprometendo de tal forma que as prioridades e as pessoas mais próximas de nós acabam sofrendo. Querendo satisfazer todo mundo, com medo de perder uma amizade ou de alguém pensar mal de nós, nos comprometemos além de nossos limites. O estresse se acumula, ficamos sobrecarregados e acabamos não satisfazendo ninguém, principalmente a nós mesmos e a Deus. Precisamos ganhar controle sobre nossa agenda. Para mim, isso funciona pela constante consulta à minha esposa e a Deus antes de assumir um compromisso que afete o tempo no qual poderia estar com minha família. Se estiver considerando um convite que será semanal ou repetido, consulto também meu líder espiritual para tomar uma decisão interdependente e confirmada por Deus.

Para concluir, deixe-me comentar mais sobre uma área em que precisamos de perspectiva sadia: futuros problemas emocionais. Teremos momentos no futuro em que nos sentiremos desmoronados e desequilibrados emocionalmente. Não devemos nos assustar. Deus, em sua graça, sabe o momento oportuno de entrarmos em um desequilíbrio, para depois nos firmarmos em novo nível de maturidade. Ele sabe quando temos a estrutura para tratar áreas ainda não resolvidas do passado, como ele fez nestes últimos meses. No futuro, no tempo certo, ele pode permitir que outros assuntos surjam. Podemos entrar em períodos de crise: depressão, esgotamento ou aflição sem, todavia, entender a razão disso. Nesse caso, devemos procurar ajuda, aconselhamento, outra ministração de restauração da alma, ou até mais um período de participação em um grupo de apoio.

Não devemos sentir vergonha ou desânimo por causa dos momentos de fraqueza ou sofrimento. Lembre-se de que, em certo sentido, estaremos a vida toda em recuperação e só seremos totalmente recuperados (salvos, curados, restaurados) quando virmos Jesus face a face. Todo nosso sofrimento permite que nos aproximemos mais de Jesus, o Homem de Dores. Nossos sofrimentos não podem ser comparados com a glória que em nós será revelada (Rm 8.17,18).

Com disposição para aplicar os princípios de Deus a todas as áreas de nossa vida, passemos agora para nossa reflexão pessoal.

Reflexão pessoal

1. Quais seus sentimentos com base na leitura anterior?

2. Escreva uma oração a Deus firmada no décimo segundo passo.

3. Ao reler o décimo segundo passo, anote a palavra ou a frase que mais lhe chama a atenção e explique por quê.

4. Revendo a lista de presentes que você recebeu como parte de seu despertar espiritual, como você se sente?

5. Qual das tentações listadas na leitura sobre o despertar espiritual tem maior possibilidade de trazer problemas para você?

6. Comente como você se sente ao compartilhar com outras pessoas o que Deus fez em sua vida.

No grupo, orem com base no que compartilharam. (Se houver tempo, conclua com as Dez Perguntas — Apêndice 4).

Use o décimo segundo passo como base para orações de agradecimento, preparando seu coração para o estudo a seguir.

7. O décimo segundo passo diz: "Tendo experimentado um despertar espiritual, graças a estes passos, procuramos transmitir esta mensagem a outros e praticar estes princípios em todas as nossas atividades". Nesta semana vamos ressaltar a bênção de um despertar espiritual.

   Uma forma de rever nosso renovo espiritual é repassar o perfil do filho adulto de uma família disfuncional que vimos na Introdução, sobre como funciona um grupo de apoio. Volte para este perfil e atribua notas que reflitam sua perspectiva atual. O que mais chama a atenção, comparando suas notas antigas com as atuais?

   Se quiser uma segunda opinião e tiver coragem, poderá pedir a seu cônjuge ou a um bom amigo para também lhe atribuir notas nessas áreas.

8. A. Descreva como você era antes de conhecer o ministério de restauração da alma e grupos de apoio. Seja detalhado.

   B. Descreva em vários parágrafos as mudanças que você vê em si mesmo agora.

   C. Quanto dessa mudança você atribui a uma intervenção milagrosa de Deus, como uma ministração, e quanto você atribui a trabalhar os Doze Passos com a ajuda do grupo de apoio?

   _____ % Intervenção milagrosa.

   _____ % Trabalho nos Doze Passos e a ajuda do grupo de apoio.

   D. Em qual passo você sentiu maiores mudanças? Explique.

9. "Pois, eu estou certo disto: Deus, que começou esse bom trabalho na vida de vocês, vai continuá-lo até que ele seja terminado no Dia de Cristo Jesus" (Fp 1.6, BLH).

   Escreva uma oração de agradecimento a Deus com base neste versículo e suas respostas acima (item 8).

10. "Assim, meus amados, como sempre vocês obedeceram, não apenas na minha presença [ou, aplicando isso à nossa realidade, diríamos a presença do grupo de apoio], porém muito mais agora na minha ausência, ponham em ação a salvação de vocês com temor e tremor" (Fp 2.12).

    Precisamos manter os hábitos de nosso novo estilo de vida, ainda mais porque o desfecho do grupo de apoio está se aproximando. Não vamos conseguir fazer todos a cada dia, mas você pode continuar a usar a tabela do item 19 do décimo primeiro passo para ver se consegue fazer ao menos dois deles diariamente e pelo menos cada um deles duas vezes na semana.

11. "[...] Onde está o Espírito do Senhor, ali há liberdade. E todos nós, que com a face descoberta contemplamos a glória do Senhor, segundo a sua imagem estamos sendo transformados com glória cada vez maior, a qual vem do Senhor, que é o Espírito" (2Co 3.17b,18).

    Estamos em processo contínuo de crescimento. Esse processo é marcado por liberdade, e não por legalismo. A tabela indicada no item 10 é um desafio para todos nós, mas para alguns se torna um peso legalista. Se você acaba fazendo alguma atividade só para poder colocar um visto na tabela, e não porque essa atividade está aproximando você mais a Deus, a tabela está se tornando legalista. Nesse caso, você precisa de outra forma de incentivo em relação a esses hábitos. Comente sua atitude diante da tabela e indique outra opção para não cair no legalismo. Você poderia, por exemplo, comprometer-se a separar meia hora de tempo devocional diário fixando um horário e decidindo que, uma vez por semana, vai rever os seis hábitos, deixando que o Espírito Santo indique se você estiver em falta com algum deles.

12. O despertar espiritual nos oferece nova perspectiva. Em geral, é acompanhado de mudanças significativas referentes ao que valorizamos. Diminui nossa busca de popularidade, poder, dinheiro e amor. Agora, somos realizados por valores reais e eternos. Anote os valores antigos e os valores atuais, fazendo duas colunas. (Se quiser, pode rever a leitura sobre o despertar espiritual e o item 8, já que essas palavras, em alguns casos, podem ressaltar valores velhos ou novos.)

13. Na próxima semana, trabalharemos mais o aspecto de transmitir a outros a mensagem que Deus nos concedeu. Identifique pelo menos três pessoas que você gostaria que experimentassem as mudanças que você vivenciou e comece a interceder por elas.

✖

Ore usando o esboço do Pai-Nosso, tal como aprendeu no décimo primeiro passo. Peça que Deus ministre sua vida por meio do estudo a seguir.

14. A tabela do item 19 do décimo primeiro passo ajuda muitas pessoas a manter os hábitos ou as disciplinas espirituais do novo estilo de vida. Sem ele, podemos nos enganar, achando que se passaram só alguns dias associados a certo hábito quando, na verdade, foram algumas semanas. Ainda que todos tenhamos alguma dificuldade em trabalhar com essa tabela, eu o encorajo a continuar utilizando-o, a não ser que Deus lhe mostre algo que funcione melhor. Coloque um visto na frente de uma das duas respostas abaixo.

☐ Quero continuar usando a tabela; assim, estou copiando as partes que me servem em meu caderno.

☐ Não pretendo usar a tabela, porque tenho uma forma melhor de assegurar que estou continuando nos hábitos do novo estilo de vida.

15. O décimo segundo passo diz: "Tendo experimentado um despertar espiritual, graças a esses passos, procuramos transmitir esta mensagem a outros e praticar estes princípios em todas as nossas atividades". Nesta semana vamos ressaltar o privilégio de transmitir a mensagem de esperança, as Boas-Novas da vida restaurada, para outras pessoas. A visão de amar a outros e estender-lhes aceitação, apoio e esperança é muito bem expressa na oração de Francisco de Assis, a seguir. Leia-a em voz alta, devagar, parando no final de cada frase, e depois volte para comentar as frases com as quais você se identifica.

Oração de Francisco de Assis

Ó Senhor, faz de mim um instrumento da Tua Paz;
Onda há ódio, faz que eu leve o Amor
Onde há ofensa, que eu leve o Perdão;
Onde há discórdia, que eu leve a União;
Onde há dúvidas, que eu leve a Fé!
Onde há erros, que eu leve a Verdade;
Onde há desespero, que eu leve a Esperança;
Onde há tristeza, que eu leve a Alegria;
Onda há trevas, que eu leve a Luz!
Ó Mestre! Faz que eu procure menos
Ser consolado, do que consolar;
Ser compreendido, do que compreender;
Ser amado, do que amar...
Porquanto: É dando, que recebemos;
É perdoando, que somos perdoados;
E é morrendo, que vivemos para a Vida Eterna. Amém

Esta oração nos ajuda a entender melhor por que precisamos manter os hábitos de nosso novo estilo de vida. Sem essas disciplinas espirituais, não teremos a ligação com Jesus que nos permitirá amar o próximo da forma indicada na oração.

16. "[...] Embora seja livre de todos, fiz-me escravo de todos, para ganhar o maior número possível de pessoas. Tornei-me judeu para os judeus, a fim de ganhar os judeus. Para os que estão debaixo da Lei, tornei-me como se estivesse sujeito à Lei (embora eu mesmo não esteja debaixo da Lei), a fim de ganhar os que estão debaixo da Lei. Para os que estão sem lei, tornei-me como sem lei (embora não esteja livre da lei de Deus, e sim sob a lei de Cristo), a fim de ganhar os que não têm a Lei. Para com os fracos tornei-me fraco, para ganhar os fracos. Tornei-me tudo para com todos, para de alguma forma salvar alguns. Faço tudo isso por causa do evangelho, para ser coparticipante dele" (1Co 9.19-23).

    A. Comente como você vê o mesmo espírito nas palavras de Paulo e na oração de Francisco de Assis.

    B. Refletindo na perspectiva de Francisco de Assis e de Paulo, descreva sua perspectiva no que se refere a compartilhar com as pessoas o que Deus fez para você.

17. Na semana passada, neste curso, você indicou algumas pessoas pelas quais estaria intercedendo (item 13). Anote de novo os nomes e responda às duas perguntas abaixo em relação a cada uma.

    A. O que Deus está fazendo na vida dela? (A resposta virá através da reflexão, do ouvir de Deus e, possivelmente, perguntando diretamente à pessoa.)

    B. Como posso cooperar com o que Deus está fazendo? (De novo, a resposta virá através da reflexão, do ouvir de Deus e talvez fazendo esta pergunta para a pessoa.) Procure identificar alguns passos iniciais que você poderia tomar nos próximos sete dias.

    C. Procure compartilhar, de alguma forma, algo de sua história e o que Deus fez para você com as pessoas que indicou. Você já fez

um resumo disso, no item 8. Em alguns casos, talvez seja por carta ou telefonema. Na medida do possível, as pessoas que são alvo de nossa intercessão devem ser aquelas que encontramos semanalmente: em casa, na igreja, no trabalho, na escola, no esporte etc.
D. Interceda agora com base no que você escreveu.

18. Jesus disse: "Vão ao mundo inteiro e preguem a Boa-Nova a todo mundo, em toda parte" (Mc 16.15, BV). Pesquisas feitas em relação ao evangelismo mostram que, em média, uma pessoa precisa ouvir as Boas-Novas sete vezes antes de fazer uma decisão de comprometer-se com Jesus. Não se preocupe demais com a maneira pela qual as pessoas responderão ao que você estiver compartilhando. Sua responsabilidade é compartilhar; como as pessoas reagem é responsabilidade delas e do Espírito Santo. Releia o item 6, no qual você anotou como se sente sobre o fato de compartilhar o que Deus tem feito para você. Esse sentimento está mudando? Por quê?

19. Depois de esta turma de grupos de apoio se formar, a equipe de restauração oferecerá o curso "Introdução à restauração da alma", novos grupos de apoio, ou outro curso. Faça uma lista de pessoas que seriam bons candidatos a participar.

20. Você ganhou habilidades muito especiais ao longo desse período no grupo de apoio. Anote e descreva algumas delas.

21. Se você não as anotou, pode acrescentar algumas das habilidades a seguir. Coloque um visto na frente das áreas em que você se desenvolveu nestes meses.

   A. ☐ *Ouvir*. Escutar com paciência, ouvindo não só as palavras, mas também o coração da outra pessoa.
   B. ☐ *Falar a verdade em amor*. Ser honesto sem machucar, fazer perguntas sem acusar, ajudar a pessoa a refletir na situação dela.
   C. ☐ *Abrir-se*. Ser sensível às próprias emoções, assumindo responsabilidade por elas e compartilhando-as com outros.

D. ☐ *Submeter-se*. Ouvir o Espírito Santo na voz de irmãos, ser ensinável, querer aprender e crescer, e não ficar na defensiva.

E. ☐ *Ser leal*. Tornar-se pessoa de palavra; cumprindo-a mesmo que nos custe. Aprender que, na hora em que mais queremos nos isolar ou abandonar nossos compromissos, é justamente quando mais precisamos desses companheiros.

F. ☐ *Perseverar*. Não desistir de outros, nem de nós mesmos, quando estamos desanimados.

G. ☐ *Apoiar*. Aceitar, e não julgar, quando alguém estiver com problemas. Criar ambiente seguro onde outros possam ser reais e considerar passos iniciais para mudar o quadro.

H. ☐ *Discernir*. Perceber quando alguém tem problemas que vão além de nossa capacidade para ajudar, como também conhecer recursos e pessoas que podemos recomendar.

I. ☐ *Ter empatia*. A empatia é a habilidade de entender o que outra pessoa está sentindo e compartilhar esse sentimento com ela de tal forma que ela não se sinta solitária.

J. ☐ *Ministrar em oração*. Saber como levar uma pessoa necessitada à presença de Jesus, para que ela se comunique com ele e receba o que o Senhor tem para lhe dar.

22. Com essas habilidades, você poderá ser de grande ajuda para qualquer grupo. Abaixo, você encontrará uma lista de grupos aos quais poderia se integrar (ou possivelmente já está integrado). Coloque um visto na frente daqueles que mais lhe interessam.

   A. ☐ Grupo familiar (célula, grupo de comunhão, grupo de crescimento).
   B. ☐ Equipe de restauração da alma.
   C. ☐ Outra equipe de ministério (especifique).
   D. ☐ Outro tipo de grupo (especifique).

23. Na seguinte lista de possíveis áreas ou assuntos nos quais Deus poderia usar você ao lado de uma equipe de ministério, faça um círculo naqueles em que você tem opiniões ou sentimentos fortes. Pode ser que Deus o esteja chamando para servi-lo em algumas dessas áreas.

No encontro, compartilhe com os demais o que mais marcou você no estudo e termine com um bom tempo de oração, firmado no que foi compartilhado.

1. Acampamentos
2. Aconselhamento
3. Adolescentes
4. Aids
5. Alcançar os perdidos
6. Alcoolismo
7. Alfabetização
8. Arte/artesanato
9. Batalha espiritual
10. Beneficência
11. Cantina
12. Casais
13. Combate ao aborto
14. Combate à pornografia
15. Creche
16. Crianças, cuidar ou ensinar
17. Restauração
18. Diminuir criminalidade
19. Discipulado
20. Drama/teatro
21. Economia
22. Educação de qualidade
23. Empregos, agência de
24. Esportes
25. Evangelismo em prédios
26. Família
27. Fome
28. Grupos de apoio
29. Grupos familiares
30. Homossexualismo
31. Igreja
32. Informática e computadores
33. Injustiça
34. Intercessão
35. Jovens
36. Justiça social
37. Liderança, formação de
38. Meio ambiente
39. Meninos de rua
40. Missões
41. Música, louvor ou dança

42. Patrimônio da igreja (reforma)
43. Pobreza
44. Política
45. Racismo
46. República cristã
47. Saúde
48. Sindicatos
49. Solteiros
50. Teatro
51. Tecnologia
52. Vícios
53. Violência
   Outro (especifique)

24. O décimo segundo passo diz: "Tendo experimentado um despertar espiritual, graças a estes passos, procuramos transmitir esta mensagem a outros e praticar estes princípios em todas as nossas atividades". Nesta semana, vamos ressaltar o compromisso de sermos pessoas coerentes e saudáveis que continuam no novo estilo de vida que Deus, em sua graça, estendeu para nós.

    O alicerce para "praticar estes princípios em todas as nossas atividades" é nossa comunhão com Jesus Cristo. Somente permanecendo nele, conseguiremos fazer sua vontade. Os hábitos, ou as disciplinas espirituais, aprendidos recentemente são fundamentais nesse processo. Reflita em como você está em cada um deles.

    A. Aplicando os primeiros três passos.
    B. Autoavaliação.
    C. Reconhecer erros e pedir perdão.
    D. Oração (pelo menos 5 minutos seguidos).
    E. Ouvindo a Deus (diário espiritual).
    F. Meditação (na Palavra).

25. A pedra angular para nosso novo estilo de vida é Jesus Cristo. Construindo nele, podemos acrescentar mais um alicerce

indispensável, o da comunhão. Experimentamos uma comunhão profunda durante esses meses. Se nosso grupo funcionou bem, muitos de nós experimentam a comunhão mais profunda que conheceram até aqui. Ainda que pretendamos passar agora para grupos familiares, esses grupos não serão os mesmos. Será importante ter encontros periódicos com o grupo de apoio. Precisamos manter o compromisso de praticar os Doze Passos a vida toda. Para que isso aconteça, precisaremos de encontros regulares com outras pessoas que tenham o mesmo compromisso.

Uma possibilidade seria um sábado à noite por mês, possivelmente convidando os cônjuges, a fim de que não fiquem sozinhos em casa. O ideal é que haja tempo suficiente para o encontro, já que vamos precisar de um bom tempo no grupo pequeno e um tempo de convívio ou comunhão com um lanche.

Você concorda com essa ideia? Acrescente outras sugestões ou perspectivas.

26. Veja, a seguir, *a Oração da serenidade*, de Reinhold Niebuhr. Até aqui, havíamos citado apenas as primeiras quatro linhas. Depois de ler em voz alta, devagar, parando após cada frase, sublinhe os trechos ou as frases que chamam sua atenção.

Deus, conceda-me a serenidade
de aceitar as coisas que não posso mudar,
a coragem para mudar as coisas que posso,
e a sabedoria para reconhecer a diferença.
Vivendo um dia de cada vez,
desfrutando um momento de cada vez
acolhendo provas como o caminho à paz;
aceitando, como Jesus,

> este mundo pecaminoso como ele é,
> não como eu gostaria que fosse;
> confiando que farás tudo sair bem
> se eu me entrego à Tua vontade;
> para que possa ser razoavelmente feliz nesta vida
> e supremamente feliz contigo para sempre na próxima.
> AMÉM

---

27. Um segredo para viver de forma vitoriosa e serena é viver um dia de cada vez. Cada novo dia é um presente de Deus que podemos aceitar e reconhecer alegremente como uma resposta à nossa oração pela serenidade. Muitas vezes, não temos forças para os desafios do amanhã e para lidar com um futuro imprevisível. Mas somos chamados a viver só um dia de cada vez. Com base nos versículos a seguir, escreva seu compromisso e sua alegria de viver *este* dia para Jesus e continuar neste compromisso, um dia de cada vez.

    Portanto, ponham em primeiro lugar nas suas vidas o Reino de Deus e aquilo que Deus quer, e ele lhes dará todas as outras coisas. Por isso, não fiquem preocupados com o dia de amanhã, pois o dia de amanhã trará as suas próprias preocupações. Para cada dia bastam as suas próprias dificuldades.

    Mateus 6.33-34, BLH

28. No começo deste passo indicamos algumas áreas nas quais é importante aplicar os princípios que aprendemos nestes meses. Comentamos sobre nosso lar e cônjuge, sobre sermos interdependentes em nossas decisões, sobre sermos solteiros íntegros e sobre o uso de nosso tempo e dinheiro. Existe alguma área que o preocupa quanto ao modo de aplicar os princípios? Se existe, ou se você tiver outra preocupação com a conclusão destes passos, comente-a.

29. Na semana passada, você fez planos para compartilhar o que Deus fez por você com três pessoas feridas ou carentes. Anote o resultado de seus planos. Se algum plano não foi bem-sucedido, indique o que você vai fazer nesta semana para que seja.

30. Pode estar perto o dia em que Deus o usará para compartilhar seu testemunho num grupo pequeno ou grande. Pode ser um grupo que esteja fazendo uma refeição, um momento de lazer com outras pessoas, no carro, na igreja, ou até fazendo um testemunho para a igreja toda. Não se preocupe muito com o que vai dizer. Será suficiente, simplesmente, compartilhar como era sua vida antes e as mudanças que Deus realizou. Jesus disse:

> Não fiquem preocupados com o que devem dizer ou como falar. Quando chegar o momento, Deus lhes dará o que devem falar. Porque as palavras que disserem não serão de vocês mesmos, mas virão do Espírito do Pai, que fala por meio de vocês.
>
> Mateus 10.19-20, BLH

Outra palavra de encorajamento nesse sentido vem de Billy Graham, que disse: "O mundo pode argumentar contra o cristianismo como uma instituição, mas não existe nenhum argumento convincente contra uma pessoa que através do Espírito de Deus tem se tornado como Cristo. Tal pessoa é uma repreensão viva ao egocentrismo, racionalismo e materialismo de nossa época". Alguém poderá argumentar contra nossas ideias, mas ninguém contestará nossas experiências compartilhadas em amor, se estivermos vivendo de forma coerente com o que falamos.

Comente sua perspectiva acerca dessas duas citações.

31. Para concluir este passo, escreva uma oração a Deus expressando:

    1. Gratidão pelo que Deus fez.

2. Confissão de sua dependência dele e sua necessidade de que ele continue ajudando-o na aplicação dos princípios aprendidos aqui.

3. O desejo de continuar no estilo de vida dos Doze Passos, incluindo o compromisso de reunir-se com seu grupo de apoio periodicamente no futuro.

32. O décimo segundo passo diz: "Tendo experimentado um despertar espiritual, graças a estes passos, procuramos transmitir esta mensagem a outros e praticar estes princípios em todas as nossas atividades". Escolha uma resposta:

1. Não consigo fazer isso.
2. Estou fazendo isso, mas com bastante dificuldade.
3. Estou fazendo isso, mas com alguma dificuldade.
4. Estou cumprindo o décimo segundo passo.
5. Estou cumprindo o décimo segundo passo e pronto para entrar alegremente na nova aventura que Deus tem pela frente para mim.

Parabéns! Você perseverou até o fim do curso e deste livro! Se continuar a perseverar nos princípios que aprendeu, ganhará a satisfação de ter mudado para sempre a história de sua família, criando uma herança de bênção para as gerações seguintes. Glórias a Deus!

Apêndice 1:

Dicas para o líder dos grupos de apoio

Ao longo dos anos, aprendemos muitas coisas importantes a fim de que uma equipe de restauração da alma seja bem-sucedida nos esforços para cuidar das pessoas que participam nos grupos de apoio utilizando este livro. Juntamos essas ideias no *Manual para equipes de restauração*, bem como no documento "Dicas para o líder dos grupos de apoio". Ambos se encontram no *site www.mapi-sepal.org.br* (*link* Rever).

Lá tratamos dos seguintes temas:

A. Dicas para a equipe de restauração da alma.
B. Dicas para o mês anterior ao início dos grupos de apoio.
C. Dicas para os primeiros cinco encontros introdutórios.
D. Dicas para os demais encontros.
E. Dicas para encerrar os Doze Passos.
F. Dicas para os facilitadores de grupos.
G. Dicas para os apoiadores de grupos.

A agenda para o ano, se forem trabalhados os Doze Passos no ritmo indicado no livro, será a seguinte (total de 39 semanas, incluídos os dois retiros):

3 semanas: Prefácio e Introdução
3 semanas: Passo 1º (Humildade e quebrantamento)
2 semanas: Passo 2º (Fé e esperança)
2 semanas: Passo 3º (Entrega)
3 semanas: Passo 4º (Autoavaliação) (**Incluindo um retiro**)

4 semanas: Passo 5º (Honestidade)
2 semanas: Passo 6º (Oferecendo-se a Deus)
1 semana: Uma palavra de encorajamento
3 semanas: Passo 7º (Cura, arrependimento e libertação) **(retiro)**
3 semanas: Passo 8º (Perdão)
2 semanas: Passo 9º (Restituição)
4 semanas: Passo 10º (Novo padrão de vida)
3 semanas: Passo 11 (Andando com Deus)
4 semanas: Passo 12 (Compartilhando Nova Vida)

Apêndice 2:

Recursos disponíveis na internet

(*www.mapi-sepal.org.br*, link Rever)

1. Manual para equipes de restauração
2. Dicas para o líder dos grupos de apoio
3. Lista de líderes regionais e estaduais do Rever
4. Agenda do Rever, nacional e regional
5. Perguntas para usar com o livro *O imensurável amor de Deus*[1]
6. Curso de treinamento de facilitadores
7. Curso de treinamento de apoiadores
8. Dicas para o retiro do quarto passo
9. Dicas para o retiro do sétimo passo
10. Proposta de um ciclo de cursos de restauração
11. Curso de limites
12. Curso de codependência
13. Sexualidade sadia
14. Dinâmicas para encontros dos grupos de apoio
15. e muito mais . . . !

---

[1] Floyd MCCLUNG JR. *O imensurável amor de Deus*. Trad. João Batista. São Paulo, Vida, 2006.

Apêndice 3:

Dicas para reflexão e estudo

1. Não existem respostas corretas; a certa é sua opinião honesta.
2. Seja franco; não se esconda atrás de meias verdades. Você não precisa compartilhar tudo com o grupo, mas seja muito honesto consigo mesmo.
3. Seja específico e concreto, não se satisfaça com generalidades. Fale de *sua* vida, não de verdades impessoais.
4. Ore antes de começar qualquer momento de reflexão.
5. Lembre-se de que cada pessoa deve comentar no grupo apenas as perguntas que mais mexem com ela. O alvo no encontro do grupo de apoio não é repassar a lição toda; o alvo é ter um encontro divino, durante o qual Deus se manifeste e fale conosco.

Apêndice 4:

As dez perguntas

Durante os últimos sete dias você:
1. Falou de Jesus para um não crente?
2. Foi completamente íntegro na área financeira? Causou prejuízo a alguém? Aceitou troco a mais? Emitiu um cheque sem fundos? Gastou mais dinheiro do que deveria?
3. Foi bastante atencioso com sua família? Escutou as pessoas com amor? Dedicou tempo conversando com seu cônjuge? Respeitou-o(a) e cuidou dele(a)?
4. Falou mal de alguém? Usou palavras torpes? Feriu alguém verbalmente?
5. Cedeu a um vício? Explique.
6. Alguém o magoou? Você já lhe perdoou? Ficou irado depois do pôr do sol? Ainda está irado?
7. Em seu coração, tem desejado que algo ruim aconteça na vida de alguém?
8. Expôs-se à pornografia ou se excitou de maneira inapropriada em pensamentos ou na prática? Se for casado, imaginou-se em um relacionamento romântico com alguém além de seu cônjuge?
9. Acrescente sua própria pergunta.
10. Em tudo que relatou, você realmente falou a verdade?

Apêndice 5:

As declarações de identidade e posição em Cristo

Quem sou eu?

Eu não sou o grande "EU SOU" (x 3.14; Jo 8.24,28,58), mas pela graça de Deus sou o que sou (1Co 15.10).

Eu sou o sal da terra (Mt 5.13).

Eu sou a luz do mundo (Mt 5.14).

Eu sou um filho de Deus (Jo 1.12).

Eu sou parte da verdadeira videira, um canal da vida de Cristo (Jo 15.1,5).

Eu sou amigo de Cristo (Jo 15.15).

Eu fui escolhido e nomeado por Cristo para dar Seus frutos (Jo 15.16).

Eu sou um servo da justiça (Rm 6.18).

Eu sou um servo de Deus (Rm 6.22).

Eu sou um filho de Deus; Deus é meu Pai espiritual (Rm 8.14,15; Gl 3.26; 4:6).

Eu sou um co-herdeiro com Cristo, partilhando sua herança (Rm 8.17).

Eu sou um templo, uma habitação, de Deus. O Espírito e a vida de Deus moram em mim (1Co 3.16; 6:19).

Eu estou unido ao Senhor e sou um só espírito com Ele (1Co 6.17).

Eu sou um membro do corpo de Cristo (1Co 12.27; Ef 5.30).

Eu sou uma nova criação (2Co 5.17).

Eu fui reconciliado com Deus e sou um ministro da reconciliação (2Co 5.18,19).

Eu sou um filho de Deus, um com toda Sua família (Gl 3.26,28).

Eu sou um herdeiro de Deus, visto que sou um filho de Deus (Gl 4.6,7).

Eu sou um santo (Ef 1.1; 1Co 1.2; Fp 1.1; Cl 1.2).

Eu sou feitura de Deus, obra de suas mãos, nascido de novo em Cristo para fazer sua obra (Ef 2.10).

Eu sou um concidadão com os demais membros da família de Deus (Ef 2.19).

Eu sou um prisioneiro de Cristo (Ef 3.1; 4.1).

Eu sou justo e santo (Ef 4.24).

Eu sou um cidadão dos céus, assentado no céu agora mesmo (Fp 3.20; Ef 2.6).

Eu estou escondido com Cristo em Deus (Cl 3.3).

Eu sou uma expressão da vida de Cristo, porque Ele é a minha vida (Cl 3.4).

Eu sou um escolhido de Deus, santo e amado de Deus (Cl 3.12; 1Ts 1.4).

Eu sou um filho da Luz, e não das trevas (1Ts 5.5).

Eu sou um participante da vocação celestial (Hb 3.1).

Eu sou um participante de Cristo; eu participo da vida de Cristo (Hb 3.14).

Eu sou uma das pedras vivas de Deus, fui edificado em Cristo e sou uma casa espiritual (1Pe 2.5).

Eu sou um membro da geração escolhida, do sacerdócio real, da nação santa, do povo que é possessão do próprio Deus (1Pe 2.9,10).

Eu sou um estrangeiro neste mundo em que vivo temporariamente (1Pe 2.11).

Eu sou um inimigo do diabo (1Pe 5.8).

Eu sou um filho de Deus e me parecerei com Cristo quando Ele voltar (1Jo 3.1,2).

Eu sou nascido de Deus, e o maligno, o diabo, não pode tocar-me (1Jo 5.18).

Visto que estou em Cristo, pela graça de Deus:

Eu fui justificado, totalmente perdoado e feito justo (Rm 5.1).

Eu morri com Cristo e morri para o poder do pecado, que não mais exerce autoridade sobre minha vida (Rm 6.1-6).

Eu estou livre da condenação, eternamente (Rm 8.1).

Eu fui colocado em Cristo pela mão de Deus (1Co 1.30).

Eu recebi o Espírito de Deus em minha vida, para que eu possa conhecer as coisas que graciosamente me foram dadas por Deus (1Co 2.12).

Eu recebi a mente de Cristo (1Co 2.16).

Eu fui comprado por um preço; eu não me pertenço; eu pertenço a Deus (1Co 6.19,20).

Eu fui estabelecido, ungido e selado por Deus em Cristo e recebi o Espírito Santo, como sinal que garante minha herança vindoura (2Co 1.21; Ef 1.13,14).

Visto que eu morri, já não vivo mais para mim mesmo, mas para Cristo (2Co 5.14,15).

Eu fui feito justo (2Co 5.21).

Eu fui criado com Cristo e não vivo mais, mas Cristo vive em mim. A vida que estou vivendo agora é a vida de Cristo (Gl 2.20).

Eu fui abençoado com todas as bênçãos espirituais (Ef 1.3).

Eu fui escolhido em Cristo antes da fundação do mundo para ser santo e não tenho culpa diante do Senhor (Ef 1.4).

Eu fui predestinado, predeterminado por Deus, para ser adotado como filho de Deus (Ef 1.5).

Eu fui redimido e perdoado e recebo a graça abundante do Senhor (Ef 1.6-8).

Eu fui feito vivo junto com Cristo (Ef 2.5).

Eu ressuscitei e me assentei com Cristo no céu (Ef 2.6).

Eu tenho acesso direto a Deus, mediante o Espírito (Ef 2.18).

Eu posso aproximar-me de Deus com ousadia, liberdade e confiança (Ef 3.12).

Eu fui liberto do domínio de Satanás e transferido para o Reino de Cristo (Cl 1.13).

Eu fui redimido e perdoado de todos os meus pecados. Meu débito foi cancelado (Cl 1.14).

O Senhor Jesus Cristo vive em mim (Cl 1.27).

Eu estou firmemente enraizado em Cristo Jesus e nele estou sendo edificado (Cl 2.7).

Eu fui feito completo, em Cristo (Cl 2.10).

Eu fui sepultado, ressurgi e agora vivo com Cristo (Cl 2.12,13).

Eu morri com Cristo e ressurgi com Cristo. Minha vida está escondida com Cristo, em Deus. Agora, Cristo é a minha vida (Cl 3.1-4).

Eu recebi um Espírito de poder, de amor e de autodisciplina (2Tm 1.7).

Eu fui salvo e separado, de acordo com a vontade de Deus (2Tm 1.9; Tt 3.5).

Visto que eu estou santificado e feito um só com quem me santificou, o Senhor não se envergonha de chamar-me de Seu irmão (Hb 2.11).

Eu tenho o direito de aproximar-me ousadamente do trono de Deus, a fim de receber misericórdia e encontrar graça que me ajude em tempos de necessidade (Hb 4.16).

Eu recebi promessas preciosas e magníficas da parte de Deus, mediante as quais eu me tornei participante da natureza divina do próprio Senhor (2Pe 1.4).

Apêndice 6:

Teste de traumas emocionais

Nome: _____

Telefone: _____ Data: ____/____/____

Estado civil: _____ Idade: _____

Data da conversão: ____/____/____ Igreja: _____

Líder da equipe de restauração: _____

Telefone do líder: _____

Se você luta hoje com um destes problemas, ou lutou no passado, marque um (x) na frente do respectivo item. (Se precisar, esclareça os pontos em que houver necessidade.) Descreva no verso a área ou o relacionamento que você mais gostaria que mudasse.

Hoje	Passado	
☐	☐	Agressividade, violência
☐	☐	Ódio
☐	☐	Raiva ou ira
☐	☐	Brigas
☐	☐	Nervosismo
☐	☐	Frustração
☐	☐	Mágoa
☐	☐	Amargura
☐	☐	Desânimo
☐	☐	Derrota ou fracasso
☐	☐	Desespero
☐	☐	Esgotamento, estresse forte

Hoje	Passado	
☐	☐	Loucura
☐	☐	Aborto
☐	☐	Morte na família
☐	☐	Desejo de morrer
☐	☐	Vontade de sumir
☐	☐	Depressão
☐	☐	Desejo de suicidar-se
☐	☐	Ansiedade
☐	☐	Miséria
☐	☐	Angústia
☐	☐	Medo
☐	☐	Medo de escuridão
☐	☐	Timidez
☐	☐	Rejeição
☐	☐	Solidão
☐	☐	Culpa
☐	☐	Ressentimento
☐	☐	Superioridade
☐	☐	Vergonha
☐	☐	Pesadelos
☐	☐	Corrupção, mania de roubar
☐	☐	Mania de doença
☐	☐	Doença crônica
☐	☐	Agitação
☐	☐	Fraqueza
☐	☐	Tristeza
☐	☐	Traumas
☐	☐	Insônia
☐	☐	Acusação, calúnia
☐	☐	Dureza de coração
☐	☐	Riso incontrolado
☐	☐	Orgulho
☐	☐	Glutonaria
☐	☐	Preconceitos (machismo, racismo etc.)
☐	☐	Espancamento
☐	☐	Idolatria
☐	☐	Oferta a ídolos
☐	☐	Maldição de família
☐	☐	Vudu

Hoje	Passado	
☐	☐	Pacto com demônios
☐	☐	Ocultismo
☐	☐	Imposição de mãos fora da igreja
☐	☐	Velas
☐	☐	Ligação com a Nova Era
☐	☐	Banho de ervas
☐	☐	Comunicação com os mortos
☐	☐	Manifestação de guia (espírito)
☐	☐	Levitação
☐	☐	Fez cabeça no espiritismo
☐	☐	Ligação com maçonaria ou sociedade secreta
☐	☐	Ligação com outras religiões
☐	☐	Trabalho em encruzilhada
☐	☐	Palavrões
☐	☐	Drogas
☐	☐	Alcoolismo
☐	☐	Fumo
☐	☐	Retenção de dízimo
☐	☐	Ciúme
☐	☐	Masturbação
☐	☐	Prostituição
☐	☐	Relação sexual fora do casamento
☐	☐	Frigidez sexual
☐	☐	Abuso sexual, incesto
☐	☐	Pornografia
☐	☐	Bestialismo
☐	☐	Idas ao motel
☐	☐	Adultério
☐	☐	Homossexualismo
☐	☐	Pensamentos impuros
☐	☐	Outro (especifique):

Hoje	Passado
	Parto com a família
	Governo
	Imposições, manipulações de terra-vida
	Ligação com a Natureza
	Banho de ervas
	Comunicação com o grupo
	Manifestação de vida (espirito)
	Limpeza
	Fez aborto, ne sofrimento
	Ligações com passando ou seu poder ancestral
	Ligações com certas mulheres
	Relação entre mulheres
	Relações
	Bronca
	Alcoolismo
	Fumo
	Relações de disputa
	Caos
	Meditação
	Prosperidade
	Relação vencedora de casamento
	Impasse sexual
	Abuso sexual, incesto
	Solidão
	Desalento
	Idas ao motel
	Adultério
	Homossexualismo
	Sentimento de culpa
	Como ter saudade

Compartilhe suas impressões de leitura escrevendo para:
opiniao-do-leitor@mundocristao.com.br
Acesse nosso *site*: www.mundocristao.com.br

Diagramação: Luciana Di Iorio
Preparação: Jefferson Rodrigues
Revisão: Tereza Gouveia
Capa: Julio Carvalho
Imagem: Sophie
Fonte: Minion Pro
Gráfica: Rettec
Papel: Offset 63 g/m² (miolo)
Cartão 250g/m² (capa)